SECRETS DE COUR

MADAME CAMPAN

INÈS DE KERTANGUY

SECRETS DE COUR
MADAME CAMPAN

au service de Marie-Antoinette
et de Napoléon

TALLANDIER

Du même auteur

L'Été éclaté, roman, Éditions du Rocher, 1989.
La Griffe du diable, roman, Éditions du Rocher, 1990.
Madame Vigée-Lebrun, biographie, Éditions Perrin, 1994.

74, avenue du Maine
75014 Paris
ISBN : 2-235-02224-3

À Valérie, ma filleule,
avec tous mes vœux de bonheur.

Introduction

UNE FEMME « VRAIE »

En 1820, Mme Campan a atteint ses soixante-cinq ans. Malgré son âge, elle a encore grand air sous son bonnet de dentelle à coques de rubans ; bonnet qui cache désormais ses cheveux blancs. Assise à son bureau, une plume d'oie à la main, Henriette médite sur toutes ces années écoulées qui sont allées grossir le fleuve du temps qui passe. Même si Dieu lui accordait de revivre les années enfuies, cela ne changerait rien à son attitude. Elle n'a aucun reproche à se faire ; elle le jure ! Si ses contemporains, jaloux de sa réussite, ne veulent l'admettre, elle compte sur la postérité pour lui rendre justice.

Le cœur navré mais l'âme sereine, parvenue au seuil de la vieillesse, elle pense aux malheurs qui l'ont assaillie comme aux bonheurs qui lui ont été donné de connaître. Lesquels surpassent les autres ?

Une seule certitude : jamais sa vie n'a été tiède. Une destinée exceptionnelle l'a placée près des têtes couronnées. Elle a côtoyé les plus grands de son temps. Elle a connu Versailles à l'époque de sa splendeur. Dans les fastes, sous les dorures, elle a servi Marie-Antoinette vingt années durant. Elle l'a connue dauphine puis reine, enfin mère d'enfants royaux. En qualité de femme de chambre, elle l'a accompagnée dans ses moments de gloire, mais aussi dans ses moments de chagrin et de peine. Enfin, elle l'a soutenue dans son malheur autant qu'elle l'a pu. Et, contrairement à ce que disent ses adversaires, elle lui est restée fidèle jusqu'au bout.

Elle a assisté, impuissante, à la folie meurtrière qui s'emparait des esprits. Les jaloux pourchassaient ceux qui avaient approché la reine de trop près. Par sa charge, Henriette Campan était de ceux-là. Ruinée, une partie de sa famille décimée, elle n'a pas voulu fuir à l'étranger comme bon nombre d'aristocrates.

La Terreur passée, elle songe à gagner sa vie. C'est urgent ; mais comment ? C'est alors qu'une idée point : les pensionnats, tenus pour la grande majorité par des religieuses, ont été contraints de fermer... Dans ce désert de l'éducation tout est à reconstruire, à repenser. Elle décide de créer un internat pour jeunes filles.

L'éducation ! voilà le maître mot. Henriette Campan n'oublie pas qu'elle a dû son élévation à sa seule éducation qui a fait d'elle une enfant exceptionnelle, puis une jeune fille remarquée dans les meilleurs cercles versaillais, et ce, malgré une extraction bourgeoise. En ce milieu du XVIIIe siècle, on s'occupait peu d'orner l'esprit des jeunes filles. Mais les temps changent ; elle entend donner une place prépondérante à la femme dans la société qui s'annonce. Catholique convaincue, elle se veut aussi éveilleuse d'âmes.

À quarante-deux ans Henriette repart de zéro. Inspirée de l'exemple de Mme de Maintenon, elle va se consacrer à l'instruction des générations montantes que les temps déchirés ont laissées à l'abandon. La Révolution ayant détruit la religion, les principes et les institutions, il y a tout à reconstruire mais... avec modernisme ! Inventer, faire du neuf tout en gardant les traditions dans ce qu'elles ont de meilleur : voilà en quoi réside le génie de cette femme.

Dès qu'elle le peut, elle s'attelle à la tâche. Elle s'installe non pas à Paris où la fièvre révolutionnaire n'est pas encore tombée, mais à Saint-Germain-en-Laye. Le 31 juillet 1794, elle accueille ses premières élèves. Bientôt, une certaine vicomtesse de Beauharnais lui confie sa fille Hortense, future reine de Hollande. À cette époque, la jolie créole se laisse courtiser par un fougueux petit général à l'accent rocailleux et drôlement nommé Bonaparte. Celui-ci entend dire tant de bien de l'éducatrice qu'il ne tarde pas à la charger de « dégrossir » ses deux sœurs : Pauline, future princesse Borghèse, et Caroline, future reine de Naples. Trois élèves, trois reines ! C'est le début d'une liste aussi longue que prestigieuse qui, plus tard, lui fera dire, non sans humour : « Je me suis trouvée d'être l'institutrice d'une nichée de reines, sans m'en douter. »

En effet, qui aurait pu se douter que ce diable d'homme venu de Corse connaîtrait une telle gloire ? Qui aurait parié que Mme Campan réussirait si vite et si bien dans sa nouvelle entreprise ? Qu'elle se révélerait la grande éducatrice à laquelle Napoléon devenu empereur, va confier la tâche immense d'organiser la première maison d'éducation de la Légion d'honneur, dont celle de Saint-Denis subsiste encore de nos jours ? Quel destin ! mais aussi quelle femme !

Napoléon, qui sait jauger et juger du premier coup d'œil le mérite des hommes, se méfie des femmes qu'il estime futiles et bavardes. Cependant, il n'hésitera pas sur le compte de l'éducatrice : « Si je créais une république de femmes, je nommerais Mme Campan Premier consul ! » lancera-t-il en forme de boutade. Car le futur Aigle impérial a tôt fait de deviner chez cette « royaliste » des capacités étonnantes.

Instruite, simple et naturelle, elle montre un esprit clair, un jugement sans faille. Parée de cette noblesse que seuls possèdent ceux qui ont vécu à l'ancienne cour de Versailles, elle sait être chaleureuse, compréhensive et se montrer maternelle auprès de ses petits pensionnaires. Et c'est cette femme, oui, cette femme aux principes inaltérables, que l'on calomnie ! Sa réussite fulgurante suscite des jalousies. Les monarchistes ne lui pardonnent pas de servir l'Empereur ; les impérialistes se souviennent avec colère des services rendus autrefois aux Bourbons. Certains se demandent comment Mme Campan a réussi à gagner la faveur de Napoléon, comme elle avait gagné celle de Marie-Antoinette. On va même jusqu'à l'accuser d'avoir dénoncé la fuite à Varennes, d'avoir brûlé les papiers confidentiels confiés par Louis XVI, papiers qui auraient pu sauver le roi à son procès, assure-t-on.

Le Lys fauché, les ailes de l'Aigle coupées, loin de se taire, la rumeur enfle et la suspicion s'installe. Outragée, déshonorée, l'ex-première femme de chambre de Marie-Antoinette se dresse devant la postérité. Digne, elle présente sa propre défense : ses *Mémoires*. « Les preuves de la conduite que j'ai tenue et qu'on a tant calomniée y sont consignées, écrit-elle. Je prouverai par des faits irrécusables qu'on a été injuste contre moi. Je prouverai aussi aux méchants que pendant qu'ils consultaient leurs cœurs corrompus j'agissais avec le dévouement le plus grand dans l'intérêt des augustes victimes de 93. »

Le 3 mai 1814, Louis XVIII revient en France après de pénibles années d'exil. Mme Campan espère que le frère de Louis XVI, celui-là même qu'elle a bien connu à Versailles du temps où il n'était que le comte de Provence, dissipera les malentendus. Il ne peut en être autrement !

Pendant de longues semaines elle se berce d'espoir. Elle ne doute pas que le vieux monarque rétablisse la vérité. Elle lui adresse les derniers chapitres de ses mémoires ; précisément ceux qui la lavent de toute accusation. Elle joint une lettre émouvante... Dans sa retraite elle attend, elle espère. Elle ne recevra jamais de réponse.

Enfui de l'île d'Elbe, Napoléon regagne Paris et chasse Louis XVIII. Aux Tuileries, le 20 mars 1815, il découvre le courrier de Mme Campan oublié par son prédécesseur... Ému par le style et les accents de sincérité qui s'en dégagent, l'Empereur fait verser la lettre aux Archives nationales. Par ce geste il reconnaissait ouvertement la loyauté de celle qui l'avait si longtemps servi.

Douze coups sonnent au clocher du village. Midi déjà... Henriette pose sa plume, ferme l'encrier. Dans son malheur, la femme vieillissante et usée s'adonne au seul plaisir qui lui reste : la correspondance.

Et c'est sans doute à travers ces lettres nullement destinées à la postérité, que se dévoile, au fil des jours, la vraie Campan. On y découvre un cœur sensible, une âme élevée. À Hortense de Beauharnais, son « élève-reine » dont l'indéfectible tendresse adoucit ses jours, elle prodigue des conseils éclairés. Sans cesse ce mot revient sous sa plume : « Soyez vraie. »

Henriette se lève. C'est l'heure de la promenade journalière avec le docteur Maigne. En amis ils vont parcourir le jardin, allant et devisant. Elle apprécie ce moment de détente où les souvenirs jaillissent sans effort. Elle arrive à l'âge où le temps présent s'efface au profit du passé. Et elle se plaît à se remémorer les temps anciens. Confidences que le docteur recueille comme autant de fleurs rares et qu'il ne manque pas, le soir venu, de consigner dans ses précieux cahiers.

Ainsi, grâce aux anecdotes respectueusement conservées, grâce à sa correspondance aussi nombreuse que passionnante, grâce aux *Mémoires* qui constituent le meilleur témoignage sur l'Ancien Régime et sur la vie privée de Marie-Antoinette ; grâce à son style direct, à ses portraits brossés en quelques mots, à ses inimitiés comme à ses amitiés, à ses coups de cœur, à ses coups de colère, enfin à sa capacité de s'abandonner à ses émotions, nous allons ressusciter cette forte personnalité qui n'a pas pris une ride malgré les siècles.

Au long d'une existence aussi riche que tourmentée, Henriette Campan a su rebondir, innover, tout en restant fidèle ; fidèle à ceux qu'elle aimait, fidèle à elle-même. Toute sa vie elle s'est appliquée à être « vraie ».

Certains historiens, après avoir copieusement pillé ses écrits, ont le plus souvent ignoré si ce n'est maltraité la femme. C'est ainsi que dans son admirable *Marie-Antoinette*, Stefan Zweig la qualifie entre autres de « vieille bavarde » ! Mme Campan bavarde ? Comme nous le verrons, personne mieux qu'elle n'a su observer et se taire. Ce mutisme a été son meilleur allié et, par deux fois, la clé de son ascension. Plus près de nous, Jean Chalon accuse Mme Campan « de se lancer tête perdue dans l'anecdote ». Mais ce dernier fait amende honorable en présentant de « publiques excuses » dans sa « présentation » des *Mémoires*. Qu'il en soit ici remercié.

Première partie

DE L'ENFANCE AUX PREMIERS PAS À LA COUR

« Malheureusement on apprend jeune à dessiner, à chanter, à jouer des instruments, et l'expérience seule apprend à réfléchir, à connaître, à juger le mieux et à choisir. »

Madame Campan à son fils :

« L'éducation, trésor plus solide que toutes les richesses, est le seul bien que nous pouvons vous laisser. * »

---

* Toutes les citations qui ouvrent les parties du livre sont extraites des Mémoires et de la correspondance de Madame Campan (voir en bibliographie).

I

NAISSANCE ET BROUILLE FAMILIALE

Jeanne, Louise, Henriette Genet, future Mme Campan, voit le jour le 2 octobre 1752 à Paris.

Pour les parents, cette première naissance concrétise un amour chèrement défendu ; elle est le sceau d'un attachement indéfectible, et le fruit d'une lutte sans merci avec le grand-père de l'enfant.

En effet, quand Jacques Genet épousait, un an plus tôt, par amour – on disait alors par inclination – Mlle Cardon, le père de celui-ci ne voulait pas entendre parler de cette union. Il s'enorgueillissait d'une lignée bourgeoise et fortunée, alors que la jeune fille n'apportait dans la corbeille qu'une « charmante figure » ! Pensez donc, un joli minois et rien dans l'escarcelle, cela ne faisait pas l'affaire du chef de famille. Il savait d'expérience que la beauté passe et que l'argent, pour peu qu'on sache le faire fructifier, apporterait une aide non négligeable à l'établissement de son fils. Aussi a-t-il d'autres vues plus avantageuses : « Pas de dot, pas de mariage ! », décrétait le vieil homme autoritaire. Il s'était fait à la force du poignet et entendait bien que ses deux fils suivent ses traces. Mais Jacques, qui avait hérité de son père un caractère inflexible, tint bon.

Le fâcherie durera jusqu'à la mort du patriarche. À n'en pas douter cette brouille va influer sur la vie de la petite Henriette qui ne verra son grand-père qu'en de très rares occasions. Si elle aime tendrement sa grand-mère, elle ne nourrira jamais aucune affection pour le vieil homme dont le cœur restera sec envers la descendance de son fils aîné.

Ainsi, ce 2 octobre 1752, Edmé Genet ne s'unira pas au bonheur de son fils ; il ne bénira pas cette première naissance non plus qu'aucun enfant à venir. Mais qu'importe ! L'amour contrarié va cimenter le couple et le lier dans une affection indéfectible.

De cette famille à la tête dure et au cœur vaillant, Henriette hérite le tempérament, la volonté et une sagesse très tôt acquise, qui l'accompagneront toute sa vie. Mais, qui est donc ce grand-père inflexible, autoritaire à l'excès et prisonnier des principes d'un autre âge ? Qui est ce fils au caractère pour le moins surprenant, et qui saura tirer leçon des moments difficiles qu'il aura vécus pour en éviter les pièges à ses propres enfants ? Comme une personnalité ne se forge jamais seule et qu'elle n'est qu'une résultante d'un passé, d'une histoire, nous dirons ici quelques mots sur la famille dont Henriette est issue.

Le vieil homme peu sentimental s'appelle Edmé, Jacques Genet. Né sans fortune, jeune homme il tente sa chance à l'étranger. Poussé par l'ambition, il part en Espagne comme secrétaire du cardinal Alberoni. De retour en France avec mille livres en poche, il achète plusieurs biens de campagne et la charge de premier huissier audiencier au Châtelet, charge pénible et peu considérée qu'il choisit cependant pour son bon rapport. Une fois installé, cet homme de tête et de raison songe à s'établir. Par l'entremise d'une amie, il fait la cour à une jeune fille pensionnaire au couvent du faubourg

Saint-Germain. Jeanne-Louise de Béarn descend d'une famille très ancienne, dont elle porte le nom sans pourtant avoir été officiellement reconnue. Cette étrangeté vient du fait que ses parents se sont mariés alors que l'un était catholique et l'autre protestant. L'union n'ayant pas été célébrée dans les deux églises, comme la loi l'exigeait alors, la naissance de l'enfant est déclarée illégale.

Le couple engendre une nombreuse descendance dont seuls deux garçons survivent. L'aîné, père d'Henriette, se révèle surdoué dès son plus jeune âge. À quatre ans il poste sa première lettre écrite « entièrement » de sa main. Enfant précoce, il devient un excellent élève. Il fait ses études à Paris au collège de Navarre, puis chez les Jésuites. Partout il gagne les prix d'excellence. Il acquiert la connaissance parfaite de « l'ancienne et moderne littérature » ainsi que des langues vivantes.

C'est alors qu'un drame vient troubler la vie familiale. Le deuxième fils surnommé « Toto » reçoit, dans une rixe de collège, une pierre qui, non seulement le défigure, mais le rend idiot.

Edmé n'a plus qu'un fils ; il reporte tous ses espoirs sur lui. Il devient intraitable ; si bien qu'aux années austères, vouées aux études, s'ajoute, pour Jacques, une vie régentée par un père sans fantaisie et bien trop sévère. Ce dernier a ramené d'Espagne une foule de préjugés et un rigorisme inflexible dans la religion. Ainsi oblige-t-il la maisonnée entière, femme, fils et domestiques à assister tous les jours à la messe, à se confesser deux fois par mois, à ne jamais manquer la grand-messe, les vêpres et les processions... À la maison, il exige qu'en sortant de table, le chapelet et le rosaire soient dits. Jacques, que la religion passionne moins que les lettres, marmonne dans son coin, fait de la résistance, va même jusqu'à se rebeller ouvertement contre ces principes d'un autre âge. Dans cette atmosphère étouffante et austère, il ne rêve que de liberté. Vient pour lui le temps de choisir un état. Le père propose le barreau ou une charge de conseiller au Châtelet, qui irait de pair avec un mariage arrangé avec une riche héritière. Ainsi, la vie du garçon est toute tracée... Eh quoi ! n'a-t-il pas la chance que, dans sa mansuétude, son père aille jusqu'à lui donner le choix ?

Jacques serait bien tenté par le barreau. Mais, embrasser une telle carrière demanderait non seulement qu'il poursuive ses études à Paris, en subissant le joug d'un père impitoyable, mais encore qu'il perde sa liberté d'homme en épousant une jeune fille qu'il n'a encore jamais rencontrée. C'est décidément trop cher payé ! D'autant que Jacques est secrètement amoureux depuis quelques mois. Insoumis, il choisit une troisième voie : la carrière diplomatique. Celle-ci lui promet voyages et éloignement, le temps de souffler, le temps de goûter à une vie libre et sans entrave...

Edmé-Jacques Genet ne l'entend pas de cette oreille. Le mot « liberté » n'est pas encore sur toutes les lèvres. Louis XV gouverne à Versailles ; la Révolution est encore loin et, en attendant, le fils rebelle doit se plier aux volontés paternelles. Edmé se fâche, tempête, il va jusqu'à enfermer son fils dans sa chambre. Ses représailles se révélant insuffisantes, il le met à l'eau et au pain sec. Mais le garçon ne cède pas.

La lutte dure plusieurs mois. Il faut qu'interviennent tous les amis de la famille pour qu'Edmé-Jacques fléchisse enfin. Vaincu, mais furieux, il fait faire un trousseau à son fils. Il lui donne une montre en or ainsi que 1 500 livres d'argent. Et, après une dernière bénédiction, ordre lui est donné de ne plus jamais paraître sous le toit familial.

Le jeune homme gagne l'Allemagne pour y achever son droit public, puis il se rend à Londres où il fête ses vingt et un ans. Vingt et un ans et toute sa fougue ! L'éloignement n'a fait qu'exacerber les sentiments qu'il éprouve pour la jeune Cardon. Il lui écrit des lettres enflammées. Sa majorité atteinte, il lui prend la folle envie de revoir l'objet de son amour. Sur un coup de tête, il regagne la France, revoit sa mère, ses amis... Tous tremblent d'être découverts, tous redoutent d'avoir un jour à affronter la colère du père, car celle-ci est effroyable. Mais Jacques a tout prévu ; pour se déplacer sans être reconnu, il lui vient l'idée farfelue de se déguiser en abbé ! Tout se passe pour le mieux, jusqu'au jour où le fiacre dans lequel il a pris place, casse à la porte du domicile familial ! Fatalité... il se trouve nez à nez avec son père. Surpris, ce dernier considère le jeune abbé puis rentre chez lui. Encore sous le coup de l'émotion, il raconte à sa femme qu'il a rencontré un jeune ecclésiastique dont la roue du fiacre vient de casser. Celui-ci ressemble si « parfaitement » à son fils que, s'il n'avait reçu une lettre le matin même en provenance de Londres, il aurait juré que c'était lui...

Le pauvre homme ! C'est sans compter sur les lenteurs de la malle-poste ! L'amour donne des ailes et le garçon, pressé de regagner Paris, est arrivé plus vite que le courrier ! Cette mascarade dure plusieurs semaines. Jusqu'au jour où le père découvre toute l'affaire : berné, il a été berné ! Ulcéré, Genet entre dans une colère noire. Sans faiblir, les proches plaident la cause du faux abbé. Ils font tant et si bien que, de guerre lasse, le père consent enfin au mariage.

En dehors de ces tribulations vaudevillesques, l'exil forcé du jeune homme n'a pas été infructueux. Loin s'en faut !

Jacques a rapporté dans ses bagages un essai sur l'Angleterre. Dès sa parution, l'ouvrage connaît un certain succès à la cour de Versailles. L'auteur ainsi remarqué se voit appeler par le maréchal de Belle-Isle qui le nomme secrétaire-interprète des départements des Affaires étrangères, de la Guerre et de la Marine.

Le jeune couple quitte Paris pour s'installer à Versailles. Attaché à trois départements, Jacques obtient de travailler chez lui avec l'aide de deux commis. Ce n'est pas encore la fortune, mais c'est déjà un pied à l'étrier. Intelligent, travailleur, Jacques saura non seulement se faire remarquer de ses supérieurs, mais il saura aussi se faire des amis dans les meilleures couches de la société.

II

HENRIETTE ET SA SŒUR JULIE
PREMIÈRE GRANDE ÉMOTION

Henriette n'a que quelques mois quand les Genet s'installent à Versailles. Nous sommes au printemps 1753 et déjà un deuxième enfant s'annonce... Désormais la famille va s'agrandir au rythme accéléré d'un enfant par an. Des dix enfants mis au monde, seule la moitié survit.

Quand la famille Genet déménage, c'est toute la belle-famille qui suit ! Car Jacques prend à sa charge, non seulement son beau-père, sa belle-mère – née Henriette de Quey, elle atteindra un âge avancé avant de mourir paralysée –, mais encore le frère aîné de sa femme ainsi que les deux frères cadets. Rien de moins !

Tout ce petit monde va vivre sous le même toit. Cela implique de la place, un train de vie, de la domesticité... On devine alors aisément que les six mille livres d'appointement fondent comme neige au soleil. Pour faire face à ses dépenses, Jacques emprunte au moins quatre mille livres par mois sur son futur héritage. Il entend ne se priver de rien. Pour mener à bien sa carrière, tenir sa place dans la société, il doit se montrer, recevoir. Et ses efforts portent leurs fruits. Au fil des années sa maison à Versailles devient le rendez-vous « de savants distingués et d'étrangers de premiers rangs ».

Mari amoureux, beau-fils attentionné, beau-frère méritant, en plus de toutes ces qualités reconnues, Jacques se révèle excellent père. Il a tellement souffert des intransigeances et des sévérités de son propre géniteur qu'il a décidé d'élever ses enfants de la manière la plus « opposée ». Il est fidèle à sa parole et ses enfants trouvent en lui « un chef, un guide, un tendre ami et le meilleur des pères », écrit Henriette.

Avec les années qui passent et les enfants qui naissent, les dettes s'alourdissent. Jacques ne nourrit aucune illusion : ses filles ne seront jamais dotées. Dans cette perspective, il se saigne à blanc pour leur offrir l'éducation la plus soignée. Ainsi, dès son plus jeune âge, des professeurs viennent dispenser leurs leçons à la petite Henriette. Parmi eux se trouvent Jean-François Marmontel qui, auteur de tragédies et de contes moraux, est reçu à l'Académie française en 1763, Carlo Goldoni, d'origine vénitienne et fervent défenseur de la comédie naturelle, avec qui elle apprend à parler couramment l'italien. Pour perfectionner son anglais son père n'hésite pas à faire venir une gouvernante de Londres. Avec sa sœur Julie, elle prend des cours de piano, de harpe, de guitare et de chant. Et cette fois c'est le grand Albaneze, célèbre chanteur du conservatoire de Naples, qui est choisi.

Henriette et Julie, les deux aînées, s'entendent à merveille. Leurs goûts, leurs caractères diffèrent en tout, mais loin de s'opposer, ils se complètent. Julie grandit en beauté et surpasse en cela sa sœur aînée qui se révèle moins fine de traits mais plus vive d'esprit. Contrairement à Henriette, Julie montre peu de penchant pour les études. Douce, gaie et câline, en un mot féminine en diable, elle sait amadouer son père quand celui-ci veut lui reprocher le peu d'attention qu'elle porte aux études. Julie est une artiste. Sa passion :

s'asseoir à son piano et chanter pendant des heures. Elle possède un réel talent qui la mènera, plus tard, à participer aux concerts donnés chez Mesdames, filles du roi. Quand Julie ne monte pas ses gammes, elle s'occupe de la maison et « chante » comme un rossignol.

Au contraire de sa sœur, Henriette aime s'enfermer dans le bureau qui lui a été aménagé. En retrait du monde, elle peut lire des journées entières. Et si d'aventure Julie passe devant la porte derrière laquelle sa sœur étudie, elle pousse celle-ci et lance, moqueuse :

– Travaille, travaille, savantesse ; pour moi je cours, je chante et je ris !

Savante, Henriette se défend de l'être, même si elle reconnaît aimer les études avec passion. Elle tient ce goût de son père qui, très tôt, a détecté chez sa fille aînée des dispositions hors du commun. Dès sa prime enfance, pour orner la mémoire surprenante de la fillette, le père lui apprend des vers et lui enseigne des scènes des meilleurs auteurs. Ainsi, après plusieurs mois de leçons, Jacques s'amuse à mettre en scène l'enfant de cinq ans. Le dîner fini, la table de la salle à manger est transformée en théâtre. « Une grande poupée à ressorts était ma confidente, se souvient-elle, et, prenant un son de voix différent, je répondais à toutes les belles et douloureuses choses que j'avais confiées à sa muette discrétion. »

Tous les amis de la famille, comme Duclos, Thomas, Rochan de Chabannes ou encore Marmontel, veulent jouir de ce spectacle, jusqu'au jour où un ami, fort gros et bon vivant, est pris d'un tel accès de rire devant « la pathétique » de la princesse-enfant, qu'il manque mourir d'apoplexie. Prestement on emmène sous le bras la tragédienne ; plus jamais il n'y aura de représentations.

La fillette continue néanmoins à apprendre par cœur poésies, odes et épîtres de l'académicien Thomas, ami de son père. Ces morceaux sont représentés chaque année aux concours de l'Académie. Ils sont généralement couronnés. Aussi, la veille du concours, il y a presse chez les Genet. Chacun veut écouter déclamer l'enfant prodige.

À cette époque un événement va marquer son enfance...

Nous sommes à l'automne de 1757. Henriette a cinq ans. Quelques mois plus tard, très exactement le 5 janvier 1758, elle accompagne son père et sa mère qui se rendent chez des amis pour le dîner (nos déjeuners actuels). Depuis plusieurs jours il s'est abattu sur Versailles un froid mordant. La neige couvre la cour du château. Pour se protéger des intempéries, Louis XV s'est installé à Trianon où des pièces plus petites et sans vents coulis permettent un meilleur chauffage.

Le repas auquel participe la petite Henriette s'achève dans la bonne humeur. On est au creux de l'hiver, les jours sont courts et il fait presque nuit quand les convives sortent de table. Beaucoup de bougies éclairent le salon. Bientôt, les quatre tables de jeu sont occupées. L'enfant est sagement installée auprès de sa mère quand un ami de la maison entre en coup de vent. La mine défaite, il annonce :

– Je vous apporte une terrible nouvelle. Le roi est assassiné !

La scène, rappelons-le, se passe à quelques pas du château. M. Genet sort prendre des nouvelles. Un moment plus tard, il revient et rassure l'assemblée : le coup ne serait pas mortel. Par prudence toutefois, il invite chacun à rentrer chez soi. Afin de donner l'exemple, il fait avancer une chaise à porteurs pour sa femme et sa fille. Assise sur les genoux de sa mère, Henriette se retrouve ballottée dans le froid et la nuit. Elle regagne l'avenue de Paris où sa famille habite et sur son passage remarque que des gens se lamentent, que des femmes sanglotent. Tout Versailles s'émeut, dans les rues, malgré le froid et la neige, règne le plus grand désordre. Le temps d'un effroi, Louis XV, à qui son peuple reproche une vie dissipée, redevient, pour ses sujets « le bien-aimé ». Que s'est-il passé ?

Ce fameux 5 janvier, le roi a quitté Trianon pour le château de Versailles. En bon père, il s'est rendu au chevet de sa fille Victoire qu'une forte grippe cloue au lit dans ses appartements. La visite achevée, Louis XV regagne le carrosse qui l'attend dans la cour de marbre. L'accompagne une faible escorte, dont le dauphin et le duc d'Ayem. Des torches éclairent son passage et personne ne remarque qu'un homme se cache dans un coin. Celui-ci sort de l'ombre, s'élance sur le roi et l'atteint d'un coup de canif dont on apprendra plus tard que la lame faisait huit centimètres.

Damiens est arrêté alors que le roi rejoint ses appartements. Louis XV est-il blessé à mort ? A-t-il quelque chance de rester en vie ? Pourquoi cet attentat ? L'auteur a-t-il été payé pour perpétrer ce crime ? Est-ce seulement un maniaque, un fou ? Ce sont autant de questions que se posent les Versaillais et qui, ce soir, restent sans réponse. Certains croient savoir, d'autres démentent les informations provenant du château. Ordres, contrordres, affolement, prières...

Il faut attendre le lendemain matin pour apprendre, enfin, que le roi est définitivement hors de danger. La bonne nouvelle, c'est M. de Landsmath qui l'apporte. Il est un grand ami des Genet et devant toute la famille réunie au salon, il raconte de sa voix forte de vieux militaire et avec une verve inimitable la scène dont il a été, non seulement le témoin mais l'acteur direct.

M. de Landsmath, écuyer et commandant de la Vénerie, se trouvait précisément au château ce fameux soir... Alors que la tentative d'assassinat lui parvient, sans hésiter il court chez le roi. Il trouve Louis XV allongé sur son lit. Près de lui, la dauphine et Mesdames ses filles sanglotent. Le vieil écuyer, qui en a vu d'autres, s'impatiente :

– Faites sortir toutes ces pleureuses, Sire, j'ai besoin de vous parler seul.

Il est connu pour son franc parler et ses manières de vieux soldat bourru : les princesses se retirent. Landsmath examine la blessure royale et conclut :

– Allons, votre blessure n'est rien, vous aviez force vestes et gilets ! Toussez fort.

Le roi tousse. Puis, prenant le vase de nuit, il invite Sa Majesté « dans l'expression la plus brève » à en faire usage. Le roi lui obéit.

– Ce n'est rien, dit Landsmath, moquez-vous de cela ; dans quatre jours nous forcerons un cerf.

– Mais si le fer est empoisonné ? dit le roi.

– Vieux contes que tout cela, reprend-il ; si la chose était possible, les vestes et les gilets auraient nettoyé le fer de quelque mauvaise drogue.

Le franc-parler du vieux soldat fait merveille et le roi, calmé de ses alarmes, passe une bonne nuit.

Oubliée dans un coin du salon, Henriette écoute sans bouger. Le saisissement de cette nuit, les lamentations des passants, le froid, la neige, la verve incomparable du vieil écuyer resteront à jamais gravés en sa mémoire.

III

LA PROMOTION DE JACQUES GENET
VERSAILLES, VILLE UNIQUE,
VILLE DE TOUS LES DANGERS

En 1762, Henriette atteint ses dix ans. Cette année-là, son père est envoyé à Londres par ses supérieurs. Si nous ne connaissons pas l'objet de la mission, nous pouvons cependant avancer, sans risquer de nous tromper, qu'il y a fait merveille, car, dès son retour, le duc de Choiseul, alors ministre et tout-puissant à la Cour, crée pour son protégé le Bureau des Interprètes. Pour ce faire, il lui octroie un très beau local à l'hôtel des Affaires étrangères, hôtel que Louis XV vient d'inaugurer en grande pompe en présence du dauphin.

L'hôtel a été conçu pour mettre fin aux difficultés causées par la dispersion des différents services administratifs. Le magnifique bâtiment fait suite à celui de la Guerre et de la Marine. Il a été construit en face des Communs et à trois minutes des appartements du roi. Alors qu'il accueille commis et dossiers, les presses de l'Imprimerie royale s'installent sous les combles. À différents étages sont exposés les maquettes des navires de la Flotte royale et les modèles réduits des matériels militaires. La « Salle de France », spacieuse et solennelle, est réservée à la signature des traités.

Pour Genet, cette promotion s'accompagne d'un traitement équivalent à celui des premiers commis des Affaires étrangères « mais assigné sur les trois départements ». Après dix années de bons et fidèles services, voici Jacques enfin sorti de la gêne pécuniaire.

Henriette grandit dans la ville royale où son père occupe, désormais, un poste important. Versailles, ville unique, brillante et fastueuse, grouille d'une foule bigarrée. On y côtoie princes et grands seigneurs, comme la plus grande racaille. Elle offre un spectacle permanent de va-et-vient de carrosses, de chaises à porteurs ou de cavaliers qui passent au galop les grilles dorées du château. Chaque jour offre un nouveau spectacle. Quand il ne s'agit pas du départ ou de l'arrivée de Sa Majesté ou d'un membre de sa famille, c'est une revue militaire, une procession, un départ de chasse...

Le roi chasse au moins deux fois par semaine. Il quitte ses appartements par sa porte privée donnant sur la cour de marbre, celle-là même où il reçut le coup de poignard de Damiens cinq ans plus tôt. Accompagné de quelques courtisans, il prend place dans sa voiture à six chevaux. Suivent écuyers, pages, gentilshommes, valets de chiens et piqueurs. Le spectacle est aussi magnifique que bruyant.

L'été, les jardins et les jets d'eau attirent les badauds. Les jours de fête, la foule se presse aux feux d'artifice. Le menu peuple se mêle aux bourgeois ; les grands bourgeois à la petite noblesse et ainsi de suite.

Henriette grandit dans une cité qui ne cesse de se transformer, qui ne cesse d'évoluer. Aucune ville en France ne peut rivaliser avec elle. Elle est à nulle autre pareille. Quand Paris est la capitale, Versailles reste la ville royale, la ville sur laquelle le monde entier a les yeux rivés ; la ville où chacun espère un jour, sinon s'installer, du moins visiter.

Versailles est un éternel chantier. Tandis que la noblesse, logée trop à l'étroit au château, fait construire ses hôtels particuliers, de nouveaux quartiers s'ébauchent. À la place de l'étang de Glagny, récemment comblé par ordre royal, fleurissent maisons et rues. La ville royale ne cesse de croître (on compte environ quarante mille âmes). Il faut trouver de la place et à moindre frais. Les maisons basses, voulues par Louis XIV dans un souci d'harmonie, se voient surélevées, quand elles ne sont pas carrément remplacées par des immeubles de rapport.

Le 12 juin 1743, le roi a posé la première pierre de la future cathédrale Saint-Louis, tandis que Marie Leczinska fonde le couvent des Augustines pour l'éducation des jeunes filles. Celui-ci ne sera inauguré qu'après sa mort par le roi et ses filles, le 29 septembre 1772.

Toutes ces constructions attirent nombre d'ouvriers, nombre d'artisans. Et Versailles s'adapte. Ceux dont la famille vit au loin, et qui ne savent ni lire ni écrire, recourent aux maîtres écrivains. Bientôt ceux-ci pullulent. La concurrence devient rude. Des enseignes, faisant office de publicité, les représentent plume d'oie à la main. À côté des métiers d'art comme doreurs ou ferronniers, fleurissent ceux plus prosaïques de couturières et de lingères.

La ville du roi attire étrangers et provinciaux en quête d'un travail, d'une bonne affaire ou d'une promotion. Et Versailles se mobilise. Pas moins de quatre cents auberges attendent les visiteurs de toutes sortes. Il y en a pour toutes les bourses. Certains ont grande réputation, comme l'hôtel des Justes ou le Royal, à côté desquels se tiennent des hôtels louches où quelques servantes accortes louent leurs services... Pour les noctambules, les filles de joie hantent la place d'Armes ou les contre-allées des avenues. Près des Halles, d'effroyables baraques abritent des besogneux de toutes catégories mais aussi bon nombre de vagabonds qui espèrent trouver du travail.

Versailles compte ses beaux quartiers où habite la famille Genet, mais aussi ses taudis. Versailles est un miroir aux alouettes. Le palais somptueux fascine et les aventuriers y abondent. Certains quartiers ressemblent à des cloaques. Le boulevard de la Reine, le boulevard du Roi sont bourrés de fondrières où la volaille s'ébat en toute liberté. Dans certains lieux éloignés du château, les lanternes se font rares, le soir, les rôdeurs s'y cachent.

Pas de nuit ne se passe sans tapage ou bagarres. À toute une population grouillante et obscure s'ajoute la bande joyeuse des pages... Ils ont entre dix et seize ans et une fois leur bel habit cramoisi et brodé d'or rangé au placard, c'est toute une bande de jeunes chenapans qui s'égaillent dans les rues. Si la ville est peu sûre, le château est encore plus mal fréquenté. Il se trouve être un palais à courants d'air. Il n'y a en effet que nos républiques et nos temps modernes pour avoir enfermé ceux qui nous gouvernent. À Versailles, tout le monde peut voir le roi pourvu que les visiteurs se présentent convenablement habillés. On circule volontiers dans les grands appartements ; l'accès n'en est refusé qu'aux mendiants et aux moines. Malgré la présence des Suisses, ce va-et-vient permet aux voleurs d'opérer en toute tranquillité. Et c'est ainsi qu'un beau jour, un inconnu commet le plus sacrilège des larcins en s'emparant d'un vase de nuit de Sa Majesté ! Ce vol sera suivi de bien d'autres. En 1757, une montre en or disparaît, puis un diamant appartenant à la dauphine... La police ne sait comment faire face à tous ces maraudages. On rentre au château, on pénètre chez le roi plus facilement que chez un particulier. La foule se presse dans les galeries, dans les escaliers, les appartements... La dauphine – mère de Louis XVI –, bonne et discrète, fait volontiers l'aumône. Les mendiants se passent le mot et envahissent son antichambre. Certaines prostituées réussissent à s'introduire dans le palais. Un soir, on arrête une jeune fille âgée de quatorze ans, une demoiselle Lenoir qui racole les courtisans. Autant d'histoires qui appellent M. Genet à la prudence. Un homme averti en vaut deux et, en bon père de famille, il veille. Il entend bien éloigner de sa progéniture toute relation douteuse. Il a donné comme gouvernante à ses filles une femme nommée Pâris, dont la nièce, jolie blonde, partage en vacances les jeux d'Henriette et de Julie. L'enfant se montre-t-elle trop envahissante, trop effrontée ? Quand Henriette atteint l'âge de la première communion, le père déclare qu'il ne veut plus que la nièce de la gouvernante se mêle aux siens. Cette décision pourrait passer pour de la hauteur, alors que seule la prudence le fait agir. L'avenir va lui donner raison.

Six années passent. Un beau matin M. de Saint-Florentin, futur duc de La Vrillère, convoque M. Genet.

– Avez-vous à votre service une femme âgée nommée Pâris ? questionne le ministre.

Surpris, M. Genet répond que celle-ci a élevé ses enfants et qu'elle est encore chez lui.

– Connaissez-vous sa jeune nièce ?

Une fois encore Genet répond par l'affirmative. Il ajoute cependant que cela fait bien six ans qu'il ne l'a revue, sa porte lui étant restée fermée.

– Vous avez agi bien prudemment, approuve M. de Saint-Florentin ; depuis quarante ans que je suis au ministère, je n'ai pas encore rencontré une intrigante plus audacieuse que cette petite grisette : elle a compromis dans des mensonges notre Auguste Souverain, nos pieuses princesses, Mesdames Adélaïde et Victoire...

Et le ministre de raconter comment la jeune intrigante, qui se faisait passer pour la maîtresse du roi, a réussi à soustraire plus de soixante mille livres à divers Versaillais crédules. Pour accréditer ses dires, elle se faisait accompagner par les personnes à qui elle voulait soutirer de l'argent jusqu'à la porte de glace qui ouvre dans la galerie. À l'aide de complices, elle pénétrait par cette porte « particulière » dans les appartements du roi. Elle alla plus loin. Elle n'hésita pas à compromettre la réputation de Mesdames, filles du roi, en appelant sous le couvert du secret M. Gauthier, chirurgien des chevau-légers, pour accoucher chez elle une femme dont elle prit soin de cacher le visage sous un crêpe noir. Afin de faire croire que la personne était de sang royal, elle fournit au chirurgien des serviettes marquées à la couronne, ainsi qu'une bassinoire et un bol de bouillon en argent portant les mêmes armes.

Aussitôt des bruits courent... la supercherie s'évente. On apprend que c'est un garçon servant chez Mesdames qui a procuré ces objets. Enfermée à la Bastille, la jeune fille avoue ses crimes. Elle est envoyée à Sainte-Pélagie pour le restant de ses jours.

M. Genet en est quitte pour la peur. Il ne peut que se féliciter de son extrême prudence. À Versailles, personne n'est à l'abri d'escrocs.

IV

L'HÉRITAGE ENFIN !
LE PREMIER EMPLOI D'HENRIETTE

En 1767, soit quatorze années après son installation à Versailles, Genet hérite enfin.

Il est bon de vivre à crédit quand on peut étaler quelques quartiers de noblesse. Beaucoup de nobles vivent au-dessus de leurs moyens et ne remboursent jamais. Quand les créanciers se montrent trop pressants, ils avancent une petite somme par-ci par-là et... font attendre. Dans le milieu aristocratique on murmure volontiers que rembourser fait bourgeois, donc petit...

Contrairement à tous ces beaux messieurs, Jacques Genet va réagir, non seulement en vrai bourgeois, mais pis, en homme honnête ! Ainsi va-t-il s'acquitter de sa dette jusqu'au dernier sou. Des quelque cinquante mille écus perçus à la mort de son père, il va lui rester en tout et pour tout cent mille francs ; pas de quoi pavoiser. Car, malgré un bon salaire, il lui reste quatre filles à élever et un fils « au berceau ». C'est dire que malgré l'héritage Henriette ne peut prétendre à aucun parti ; il lui faudra même sérieusement songer à travailler.

À quinze ans, l'aînée des enfants Genet parle l'anglais et l'italien couramment. Elle a appris à jouer de tous les instruments de musique et, en plus d'une jolie voix, elle a acquis une diction parfaite ! Une intelligence vive, brillante mais jamais pédante, couronne le tout. Elle est ce qu'on appelle une jeune fille accomplie. Sa réputation dépasse la ville pour gagner la Cour. Le fait qu'elle lise indifféremment la prose ou les vers, dans les trois langues, va donner l'idée à Mme la comtesse de Choiseul de la faire nommer lectrice des filles de Louis XV.

À quelques jours de ses seize ans, en octobre 1768, Henriette est présentée par la comtesse de Périgord à la cour des princesses. Jacques Genet voit d'un coup tous ses efforts récompensés. Sa fierté ne l'empêche pas d'être inquiet. La Cour est un milieu dangereux, surtout pour une jeune fille. Dans ce « pays-ci », les réputations se font et se défont à une allure record. Nous l'avons vu, les pièges sont nombreux, la malveillance monnaie courante. Mais Henriette n'est pas une petite provinciale ignorante ; elle a grandi à l'ombre du château, elle en connaît les usages sinon les désordres ; elle a, de surcroît, la chance d'appartenir à une famille dont la réputation est excellente, elle-même est tout sauf une tête de linotte. Vient l'heure de la présentation officielle. Avant de se rendre à la Cour, Henriette s'arrête à l'hôtel des Affaires étrangères où l'attend son père. Comme l'étiquette l'exige, elle a revêtu l'habit de cour nommé aussi grand habit. Celui-ci, quelque peu désuet et encombrant, n'en est pas moins majestueux.

Ainsi, magnifiquement parée, Henriette se présente devant son père. Ah, comme Genet aurait préféré voir sa fille au bras d'un bon mari ! Mais il n'a pas le choix. Ému, Jacques fait ses dernières recommandations :

– Les princesses vont se plaire à faire usage de vos talents, lui dit-il, les grands ont l'art de louer avec grâce et toujours avec excès. Que ces compliments ne vous procurent pas un plaisir bien vif ; qu'ils vous mettent plutôt en défiance. Chaque fois que vous recevrez ces témoignages flatteurs, vous aurez quelques ennuis de plus. Je vous préviens, ma fille, des peines inévitables attachées à votre nouvelle carrière, et je vous proteste, dans ce jour où vous jouissez avec transport de votre heureuse fortune, que si j'avais pu vous établir autrement, jamais je n'aurais livré ma fille chérie aux tourments et aux dangers de cour.

Pénétrée de ce discours, la jeune fille essuie quelques larmes. Malgré ses seize ans et toute la joie que lui procure son nouvel emploi, elle n'oubliera jamais ces conseils. Et c'est en songeant à cette mise en garde que, plus tard, elle écrira : « J'avais de bons yeux à la Cour, je les utilisais ; quant à mes oreilles, je m'en méfiais, je redoutais les impressions qu'elles me procuraient : les flagorneries et la calomnie remplaçaient souvent la vérité dans le château de Versailles, aussi je suspendais mes jugements jusqu'à ce que mes yeux m'eussent convaincue. Cette réserve m'avait donné beaucoup d'assurance dans ce que je savais. »

Henriette prend congé de son père. Le cœur battant, elle quitte l'hôtel des Affaires étrangères pour se rendre à quelques pas de là, chez les filles de Louis XV, dont les fenêtres donnent sur le parterre nord.

Mesdames sont au nombre de quatre. Adélaïde, Victoire, Sophie et Louise sont en grand deuil. Après la mort du dauphin, de la dauphine, c'était au tour de la reine Marie Leczinska de disparaître. Elle décédait le 24 juin 1768, et, en octobre de la même année, Henriette entrait au service des princesses. La Cour lui paraît d'autant plus austère qu'elle croule sous l'apparat qui accompagne le décès d'une reine. Cette solennité macabre lui fait une forte impression :

« Ces grands appartements tapissés de noir, se rappelle-t-elle, ces fauteuils de parade élevés sur plusieurs marches et surmontés d'un dais orné de panaches, ces chevaux caparaçonnés ; ce cortège immense en grand deuil ; ces énormes nœuds d'épaules brodés de paillettes d'or et d'argent qui décoraient les habits des pages et même ceux des valets de pied (...) » l'intimident au point qu'elle a peine à ne pas s'évanouir lorsqu'on l'introduit dans l'appartement des princesses. Installée dans le cabinet intérieur de Madame Victoire, aux dorures ensevelies sous les draps noirs, elle ne trouve pas la force de prononcer plus de deux phrases.

Avec les jours qui passent, Henriette prend de l'assurance. Au service de Mesdames, elle apprend le dur métier de lectrice. Elle lit de longues heures par jour, parfois jusqu'à en perdre la voix. Aucune des sœurs ne se ressemble et elle doit s'adapter au caractère de chacune.

« Ces vertueuses princesses n'étaient plus jeunes, explique-t-elle, elles avaient été condamnées au célibat parce que les filles de nos rois ne peuvent épouser que des rois ou des princes héréditaires catholiques, et qu'il ne s'en était point trouvé d'âge à les épouser. Elles s'ennuyaient dans le vaste palais de leur père et passaient leur vie à broder et à se faire lire, quand elles n'étaient pas occupées de devoirs pieux ou à recevoir leur cour. » Dans cet univers solennel et étriqué, Henriette fait l'effet d'un rayon de soleil dans la nuit. Avec la fraîcheur de ses seize ans, elle va devoir apprivoiser les vieilles filles qui l'étonnent autant par leur caractère que par leur façon de vivre.

Adélaïde, l'aînée, née en 1732, a trente-deux ans. Elle a été la seule à obtenir de Louis XV de faire son éducation à Versailles. Des maîtres de toutes sortes lui ont été donnés. Parmi eux figure Beaumarchais. Ce touche-à-tout était alors professeur de harpe ! Le caractère impérieux de la princesse, assoiffée de savoir et de nouveauté, la porte à s'essayer à tous les instruments de musique « (...) depuis le cor jusqu'à la guimbarde » ! Il en sera de même pour les sciences, les lettres, les arts, les langues étrangères et même... pour le tour et l'horlogerie, goût bien Bourbon. Cet esprit curieux qui, selon le duc de Luynes « ne tient pas en place » cache une âme hardie volontiers batailleuse, pour ne pas dire arrogante. Henriette ne cache pas qu'elle ne l'aime pas : « Elle manquait, dit-elle, absolument de cette bonté qui, seule, fait aimer les grands : des manières brusques, une voix dure, une prononciation brève la rendaient plus qu'imposante. »

En un mot, Adélaïde a une forte personnalité. Dans sa jeunesse, ses traits réguliers rappelaient ceux de Louis XV. La charmante physionomie allait très vite se figer. À trente-six ans, elle porte sur le visage les duretés de son caractère.

Avec Madame Victoire, elle se sent d'emblée plus à l'aise. Cette princesse est « belle et très gracieuse ; son accueil, son regard, son sourire étaient parfaitement d'accord avec la bonté de son âme ». Agréable de figure, elle possède un beau teint de brune et de fort beaux yeux. Elle a tendance à l'embonpoint car la gourmandise est son péché mignon. De nature nonchalante, elle aime les bergères moelleuses. Elle se complaît dans une certaine mollesse et laisse volontiers Adélaïde prendre parti pour elle.

Les deux sœurs, bien que de caractère opposé, auront des destinées parallèles : ensemble elles fuiront la Révolution ; en exil en Italie, elles trouveront la mort la même année.

Madame Sophie, appelée Madame Troisième, née le 14 octobre 1735, est d'une rare laideur. Elle s'effarouche à la plus petite occasion, au point que pour reconnaître les gens sans les regarder « elle a pris l'habitude de voir de côté à la manière des lièvres ». Sa timidité est telle qu'à l'approche de certaines personnes elle se tait ; mutisme qui peut durer des années.

Sophie n'abuse pas des services de sa lectrice ; sauvage et renfrognée, elle préfère lire seule et retirée. Malgré toutes les difficultés qu'Henriette rencontre avec cette princesse, elle n'en conserve pas moins son humour : « Il y avait pourtant des occasions, écrit-elle, où cette princesse se montrait tout à fait agréable, gracieuse et montrait la bonté la plus communicative ; c'était lorsqu'il faisait de l'orage : elle en avait peur et tel était son effroi qu'alors elle s'approchait des personnes les moins considérables ; elle leur faisait mille questions obligeantes ; voyait-elle un éclair, elle leur serrait la main, pour un coup de tonnerre elle les eût embrassées (...) », mais sitôt l'orage passé elle reprend son air distant, ne regarde personne. Et chacun se demande : « À quand le prochain orage ? »

Vient enfin Madame Louise. Elle a trois ans de moins que Madame Sophie. Une anecdote humoristique marque son entrée dans la vie. Ainsi, « quand on annonça au roi la naissance d'une nouvelle fille (...) note d'Argenson, on lui demanda si on l'appelait Madame Septième, il a répondu : Madame Dernière. D'où on a conclu que la reine va être bien négligée ».

Elle est petite mais mignonne, a la taille bien prise, le teint pâle, les traits fins, les yeux vifs, le sourire mutin. De nature curieuse, imaginative et plutôt turbulente, ses goûts bourboniens la porte aux exercices violents, comme les courses effrénées à cheval ou la chasse à outrance. À cela il faut ajouter qu'elle possède un cœur excellent, une âme sensible et charitable. La dame d'honneur a à charge de distribuer d'abondantes aumônes aux malheureux qui se présentent. On devine que ce caractère, vaillant et fier, attire Henriette. Louise, lasse des turpitudes de la Cour, vit retirée. Elle accapare les services de la jeune lectrice. Elle la fait lire de longues heures au point que sa voix s'en ressent. Prise de compassion, la princesse lui prépare de l'eau sucrée. Tout en s'excusant de la faire lire si longtemps, elle insiste sur les « nécessités d'achever les lectures qu'elle s'est prescrites ».

V

QUAND HENRIETTE RENCONTRE ET RACONTE LE ROI

Les jours, les semaines passent et Mlle Genet n'a encore aperçu le roi que de loin. La première rencontre a lieu à Compiègne au moment où elle s'y attend le moins.

Les déplacements pour Compiègne, Fontainebleau ou Choisy sont très appréciés du roi. « Les plus grandes affaires, les événements les plus importants ne dérangeaient jamais cette distribution de son temps », note Henriette qui, au service de Mesdames, a l'honneur d'être conviée à un de ces séjours royaux fort prisés des courtisans.

Comme le protocole l'exige, la lectrice enfant a revêtu le grand habit. Ainsi parée, sous le regard bienveillant des vieilles filles, elle s'amuse à tourner sur elle-même pour faire gonfler ses jupes de soie. Le jeu s'avère distrayant ; toupie virevolante, les étoffes volent au-dessus du grand panier. Plus elle prend de la vitesse plus l'étoffe se gonfle, ce n'est qu'une fois transformée en montgolfière qu'elle se laisse choir sur le parquet. Jupe par-dessus tête, elle rit, recommence, quand, brusquement la porte s'ouvre... Apparaît le roi. Rouge de confusion, elle n'a que le temps de plonger dans une révérence.

Trop tard ! Moqueur, Louis XV lance à ses filles :

– Quoi, c'est là votre lectrice ! Il faut renvoyer cette petite au couvent.

Boutade de roi... En vérité, Louis XV aime la jeunesse. Quand il rencontre un page en rupture de service, il lui tire volontiers l'oreille. Et l'arrivée d'Henriette chez les princesses n'est pas passée inaperçue. On la dit si savante que le roi lui-même se montre curieux de rencontrer ce prodige. À Versailles, un jour qu'il croise la lectrice au hasard d'un corridor, il s'arrête à sa hauteur et questionne :

– Est-il vrai que vous parliez plusieurs langues à la perfection, mademoiselle ?

– Sire, bredouille Henriette, je ne connais que l'anglais et l'italien...

– En voilà bien assez pour faire enrager un mari !

Sa Majesté passe, les courtisans suivent, tous rient bruyamment, laissant derrière eux la jeune fille confondue.

Le bon mot du roi illustre parfaitement ce que l'époque pense de l'instruction des femmes. On les initie aux arts d'agrément, aux principes essentiels de modestie, de charité et de moralité, le tout assaisonné d'un minimum de culture générale. Mais point trop n'en faut ! On redoute les femmes « raisonneuses ». Celles-ci risqueraient bien de tenir tête à leur époux... Ainsi pense le commun des mortels. Henriette ne l'ignore pas, mais en rentrant au service des filles de Louis XV, elle s'attendait à trouver chez les princesses un minimum d'éducation. Et quelle n'est pas sa stupéfaction de découvrir qu'il n'en est rien ! Madame Adélaïde mise à part, les trois autres sœurs ont été envoyées en province à l'abbaye de Fontevrault. Ainsi recueille-t-elle l'aveu, de la bouche même de Madame Louise, qu'à douze ans « elle n'avait pas encore parcouru la totalité de son alphabet et n'avait appris à lire couramment que depuis son retour à Versailles » ! En admettant que cette confidence paraisse quelque peu exagérée, il n'en reste pas moins vrai que les religieuses n'avaient reçu aucun enseignement particulier pour former leurs royales élèves. L'abbé Joseph de Piers, docteur en droit, était mort d'apoplexie peu après l'arrivée des petites filles, on ne songea même pas à le remplacer. On se passa tout bonnement de maîtres et d'institutrices.

Le roi, qui s'est si bien désintéressé de l'éducation de ses filles, ne leur consacre guère plus de temps dans leur maturité que dans leur jeunesse. Les visites de Louis XV à ses filles sont brèves. Henriette nous conte que tous les matins celui-ci descend par un escalier dérobé dans l'appartement de Madame Adélaïde. Il prend du café qu'il prépare lui-même. À son habitude il est pressé. Pour ne pas perdre de temps, Madame Adélaïde tire un cordon de sonnette qui avertit Victoire de la visite du roi ; Madame Victoire, en se levant pour se rendre chez sa sœur, sonne Madame Sophie qui, à son tour, sonne Madame Louise... Mais leurs appartements sont vastes. Madame Louise loge dans celui qui est le plus reculé : « Cette dernière fille du roi était contrefaite et fort petite, remarque Henriette ; pour se rendre à la réunion quotidienne, la pauvre princesse traversait, en courant à toutes jambes, un grand nombre de chambres et malgré son empressement elle n'avait souvent que le temps d'embrasser son père qui partait de là pour la chasse ! »

Il y a un autre moment dans la journée où Mesdames rencontrent le roi : c'est à son retour de chasse. Ces jours-là, à six heures, Mlle Genet doit interrompre sa lecture afin que Mesdames se rendent avec les princes au fameux « débotté du roi ». Les princesses, étiquette oblige, passent une ample jupe faite d'or et de broderie sur un grand panier, elles attachent autour de leur taille « une longue queue » qui forme traîne, puis elles s'enveloppent d'un mantelet de taffetas noir pour cacher le désordre de leur parure. Alors, selon un rite immuable, « les chevaliers d'honneur, les dames, les pages, les écuyers, les huissiers » qui portent de gros flambeaux, s'ébranlent en un long cortège. Et voilà que soudain « le palais habituellement solitaire » se trouve en mouvement.

Mais que se passe-t-il à ce fameux débotté où toute la Cour rêve d'être invitée ? Rien... Rien de bien spécial pour les filles du roi qui, une fois embrassées sur le front par Sa Majesté, rentrent chez elles. Cela ne fera guère que quelques minutes de répit pour la lectrice car « au bout d'un quart d'heure Mesdames rentraient chez elles, dénouaient les cordons de leur jupe et de leur queue, reprenaient leur tapisserie, et moi mon livre... » Et ce sera tout pour la journée. Quel ennui !

Henriette n'est pas au bout de ses surprises. Elle doit apprendre à accepter la fantaisie des grands et à ne s'étonner de rien. Elle se figure que le roi se montre roi en toutes circonstances et que jamais il ne se départit de sa majesté. Mais elle découvre avec étonnement que le plus grand monarque de son temps plaisante volontiers. La jeune fille de seize ans va l'apprendre à ses dépens et voici comment : un jour d'été alors qu'elle est seule dans le cabinet de Madame Victoire, le roi entre. Visiblement pressé et agacé de ne pas trouver sa fille dans ses appartements, il demande où est « Coche ».

« Coche ?... » Henriette ouvre de grands yeux étonnés, elle ne sait que répondre. Louis XV répète sa question puis devant son air ahuri s'en repart très contrarié dans ses appartements.

Henriette attend avec impatience le retour de Madame Victoire :

– Mais de qui le roi voulait-il parler ? s'informe-t-elle.

– De moi, répond simplement la princesse.

Louis XV apprécie les surnoms et ne craint apparemment pas de blesser la susceptibilité de ses filles. Il appelle « Loque » Madame Adélaïde, « Graille » Madame Sophie et « Chiffe » Madame Louise. On murmure à la Cour que ces petits noms populaires et bas sont suggérés au roi par ses maîtresses. Les sobriquets sont à la mode : Mme de Pompadour n'appelait-elle pas le duc de Chaulnes mon « Cochon » et Paris-Duverney mon « Nigaud » ? Quant à Madame Adélaïde, dans une lettre adressée à la comtesse de Civrac, elle se nomme : « La grande princesse Madame torchon. »

Si Henriette s'étonne de trouver tant de trivialité chez le roi de France, elle reconnaît cependant que ses manières sont parfaites. Comme tous ceux qui approchent le monarque, elle admire sa démarche « aisée et noble », son port de tête vraiment majestueux, son regard qui sait en imposer sans être sévère. Elle loue sa prestance, l'attitude toute royale jointe à la politesse la plus parfaite.

Tout compte fait, Louis XV ressemble vraiment à un roi, même si dans l'intimité il se laisse aller à quelques familiarités.

VI

L'ANNÉE DE TOUS LES SCANDALES

Quelques mois après son installation à la Cour, Henriette est témoin du scandale qui va défrayer la chronique versaillaise.

Louis XV, monarque blasé, se montre de plus en plus enclin à la mélancolie. Son entourage doit savoir non seulement le désennuyer mais aussi le distraire. Rôle que la Pompadour savait tenir à merveille et que ses quatre filles, devenues bigotes, ne savent pas remplir.

Après la mort de la Pompadour puis celle de la reine Marie Leczinska, Louis semble marquer une pause dans sa vie intime. On le croit assagi ; il n'en est rien. À une favorite en titre, il préfère le parc aux cerfs, imaginé et installé par la Pompadour quand elle a compris qu'elle ne comblerait plus son amant toujours désireux de « chair fraîche ».

Les courtisans s'agitent, les camps se forment. Chacun parie sur la faiblesse du roi et espère faire élire la favorite de son choix. Pour assurer sa position, Choiseul tente de glisser sa sœur sous le royal baldaquin. Le roi goûte... mais ne s'attarde pas. L'affaire se révèle sans suite. Choiseul a échoué. Face à lui se dresse le parti qui travaille à le renverser. Il est urgent de donner une maîtresse au roi, « qui pût avoir un cercle et dans le salon de qui on pût triompher, par la puissance des insinuations journalières », explique fort bien Henriette qui n'écrira ces lignes qu'une fois mûrie et rompue aux intrigues de la Cour. En attendant, du haut de ses seize ans, elle écoute, voit et se tait.

Trois mois après la mort de la reine, « La » Barry comme la nommeront Mesdames, prend possession d'un appartement situé au-dessus de ceux du roi, celui précisément qui appartenait à Madame Adélaïde.

Sous le prétexte fallacieux d'y installer ses salles à manger, Louis XV contraint sa fille aînée à lui restituer l'appartement qu'elle occupe depuis une quinzaine d'années. Il est des plus pratiques puisqu'un escalier dérobé, celui-là même qui permettait au roi de descendre chez sa fille sans être vu des courtisans, le relie aux siens. Adélaïde déboutée, « La » Barry s'installe. Mesdames en viennent à regretter Mme de Pompadour qu'elles nommaient du doux surnom de « Maman-Putain ». Avec elles toute la Cour s'émeut. « Ce prince était encore aimé, nous assure Henriette, on eut désiré qu'un genre de vie, convenable à son âge et à sa dignité, vînt enfin jeter un voile sur les égarements du passé et justifier l'amour que les Français avaient eu pour sa jeunesse. Il en coûtait de le condamner sévèrement. »

La condamnation, sans appel, va venir de son entourage le plus proche. En silence, Madame Louise souffre depuis des années. Elle déteste Versailles avec ses fastes, sa pompe, sa cour et ses courtisans. Elle appelle le grand habit les « cilices du diable ». Elle se sent « captive » de ce monde qui n'est pas fait pour elle. Elle y vit le plus possible cachée, avec le secret espoir de s'enfermer un jour dans un couvent. Cette idée a eu le temps de faire son chemin : « Dès ma seizième année (...) je pris la résolution de demander tous les jours à Dieu qu'il me donnât les moyens de briser les liens qui me retenaient dans le monde. » Elle va trouver les « moyens » dix-huit ans plus tard, le jour où Mme du Barry succède à Mme de Pompadour, elle perd tout espoir de voir son père retrouver une vie saine et régulière. Navrée de douleur, elle décide de faire le sacrifice de sa liberté. Ainsi, dans le plus grand secret, Madame « Dernière » se dispose à rentrer au carmel de Saint-Denis.

« La » Barry est présentée officiellement à la Cour le 22 avril 1769 et, le 30 janvier 1770, Louis XV apprend avec surprise et consternation la décision de sa fille. Louise a chargé l'archevêque de Paris de la délicate mission d'obtenir du roi son consentement à entrer en religion.

Coup de tonnerre sur Versailles ! Appuyé sur le dos de son fauteuil, la tête dans ses mains, tout étourdi de la nouvelle, entre deux silences, le roi s'écrie :

– C'est cruel !... C'est cruel !...

Enfin il se tourne vers l'archevêque et se borne à dire :

– Je répondrai dans quinze jours.

Quinze jours d'attente, de silence, d'espérance, d'inquiétude ; quinze jours où Louise doit cacher son trouble à tout son entourage, car personne, à part son père, n'a connaissance de son projet. Désormais les jours passés à Versailles lui sont comptés. Pressée par le temps, elle fait lire à Henriette des heures de suite. Devenue carmélite, elle s'en excusera auprès de sa lectrice :

– J'ai beaucoup abusé de vos jeunes poumons (...), je savais que je ne pourrais plus lire ici que les livres destinés à notre salut, et je voulais repasser tous les historiens qui m'avaient intéressée.

En attendant, Louise garde son secret. Elle le garde si bien qu'Henriette elle-même ne se doute de rien. Le dernier soir, M. Bertin interrompt la séance de lecture. Il demande à parler à la princesse. Celle-ci sort précipitamment ; quand elle réapparaît, très maîtresse d'elle-même, elle reprend son ouvrage et demande à la jeune fille de poursuivre.

Vient l'heure pour Henriette de se retirer. C'était la dernière lecture, ce sont les derniers moments, les dernières paroles qu'elles échangent et elle ne le sait pas. Comment le devinerait-elle ? Comme chaque soir, Madame Louise lui donne rendez-vous le lendemain à onze heures du matin, dans son cabinet. Le lendemain, à l'heure dite, elle se présente : personne. Elle attend : personne. L'appartement semble désert. Intriguée, elle se renseigne.

Alors seulement, elle apprend que Madame Louise s'est rendue au couvent des carmélites de Saint-Denis pour prendre le voile. La princesse chez les carmélites ? La nouvelle lui paraît tellement incroyable qu'elle court chez Madame Victoire s'informer. Elle la trouve en pleurs, celle-ci vient tout juste d'apprendre l'abandon de sa sœur préférée. Émue, Henriette se jette à ses pieds et mêle ses larmes aux siennes. Puis elle demande naïvement si, elle aussi, aurait le courage de quitter la Cour pour le cloître. La princesse l'embrasse, elle lui montre la bergère à ressorts dans laquelle elle est mollement étendue :

– Rassurez-vous, mon enfant, lui dit-elle, je n'aurai jamais le courage qu'a eu Louise, j'aime trop les commodités de la vie.

Selon d'Argenson il n'y a pas que le confort de la bergère qui la retiendrait. Ce dernier soutient que Mesdames entassaient dans leurs armoires des montagnes de jambons, de mortadelle, de daubes... le tout arrosé de vin d'Espagne. « Elles s'enfermaient, dit-il, pour en manger continuellement et à toute heure. » Voilà de quoi rasséréner la jeune fille. Madame Victoire prise bien trop le confort et la bonne chère pour aller vivre chez les carmélites !

Tandis que Victoire pleure en silence le départ de sa sœur, fidèle à son caractère, Adélaïde vocifère, se fâche, tempête ! Elle reproche vivement au roi d'avoir gardé le secret sur cette affaire. Après la surprise s'installe la consternation. Enfin vient le doute sur une vocation jugée bien tardive. À la Cour, les traits fusent, Mme de Mirepoix se hâte d'appeler la princesse « une folle qui entrait au couvent pour tracasser la cour au nom du ciel ».

Le départ de la princesse, loin d'édifier la Cour, crée un véritable scandale. À toutes ces moqueries, celle qui désormais s'appellera sœur Thérèse de Saint-Augustin, oppose cette simple réponse qui en dit long sur ce qu'elle pense des humains en général et des courtisans en particulier : « J'ai méprisé le monde et aussitôt le monde m'a méprisée, mais en cela nous nous trouvons d'accord. »

Henriette aimait la princesse. Elle vivait dans son intimité. La proximité de tous les jours lui permet d'analyser avec finesse et clairvoyance le mouvement de cœur qui la fit prendre le voile. « On attribue, écrit-elle, la vocation de Madame Louise à différents motifs. (...) Je crois en avoir pénétré la véritable cause. Son âme était élevée, elle aimait les grandes choses ; il lui était souvent arrivé d'interrompre ma lecture pour s'écrier : "Voilà qui est beau, voilà qui est noble !" Elle ne pouvait faire qu'une seule action d'éclat : quitter un palais pour une cellule, de riches vêtements pour une robe de bure. Elle l'a faite. »

Dès qu'elle obtient l'autorisation d'aller rendre visite à son ancienne maîtresse, elle court à Saint-Denis. La carmélite la reçoit à visage découvert dans son parloir particulier, elle lui explique avec simplicité que c'était aujourd'hui jour de lessive et qu'elle vient de quitter la buanderie. Et comme la jeune fille reste toute interdite de trouver un si complet bouleversement chez une princesse, celle-ci lui dit avoir découvert ce qu'elle pressentait, à savoir « que le bonheur n'habite point dans les palais ». Elle prêche le bonheur d'être retirée du monde et invite Henriette à en faire autant.

Mais celle-ci rétorque que ce n'est pas le sacrifice d'un palais qu'elle aurait à faire, mais celui bien plus douloureux d'une famille unie. En bref, si elle nourrit de l'admiration pour un coup d'éclat qui ne manque pas de panache, elle ne se sent aucune vocation. Mlle Genet aime bien trop la vie pour s'enfermer dans un couvent le reste de ses jours !

Elle reverra Madame Louise, devenue mère prieure de Saint-Denis, encore deux ou trois fois. Elle mourra dans son couvent le 23 décembre 1787 à deux heures du matin, à l'âge de cinquante ans. C'est Louis XVI qui lui apprendra la mort de la carmélite :

– Ma tante Louise, lui dit-il, votre ancienne maîtresse, vient de mourir à Saint-Denis, j'en reçois à l'instant la nouvelle ; sa piété, sa résignation ont été admirables, cependant le délire de ma bonne tante lui avait rappelé qu'elle était princesse, car ses dernières paroles ont été : « Au Paradis, vite, vite au grand galop ! »

Et Henriette ajoute finement : « Sans doute qu'elle croyait encore donner des ordres à son écuyer. »

Comme quoi, même enfermée dans un couvent, il n'est pas si aisé d'oublier que Dieu vous a fait naître princesse !

VII

UNE PETITE DAUPHINE NOMMÉE MARIE-ANTOINETTE

Une nouvelle court le long des corridors, traverse les galeries, s'engouffre dans les salons ; une nouvelle qui, jusque-là, se colportait à mots couverts et qui vient d'exploser en plein jour, pour atteindre le fin fond des appartements des trois vieilles filles : le dauphin... on marie le dauphin !

Berry, grand et gros garçon âgé de quinze ans, est devenu, à la mort prématurée de son père, l'héritier de la couronne de France. Un jour il sera appelé à monter sur le trône sous le nom de Louis le XVIe. Même si rien ne presse – Louis XV, son grand-père, se porte au mieux – on pense cependant à le marier. Le roi qui agit pour le bien de l'État n'a pas consulté son petit-fils ; sa personne en tant que telle n'est qu'un rouage de la politique menée par la France. Tandis que le dauphin s'accommode de la nouvelle, dans les appartements du rez-de-chaussée c'est la consternation. Adélaïde et ses sœurs n'ont pas oublié que leur frère, l'ex-grand dauphin, s'opposait à toute alliance avec la maison d'Autriche. N'entendant rien à la politique mais se voulant respectueuse de la mémoire de son frère, Madame Adélaïde avoue « hautement son éloignement pour une princesse de la maison d'Autriche », témoigne Henriette que les coups de colère de Madame n'émeuvent plus. Une fois encore Choiseul, l'instigateur du projet et l'ennemi déclaré de Mesdames, a gagné. En fin politique il a su convaincre le roi de la nécessité de ce mariage. Louis a tranché, ses filles n'ont plus qu'à se soumettre.

Le 13 mai 1770, la Cour se rend en grand équipage à Compiègne pour accueillir la dauphine – on note au passage qu'un certain Campan, futur beau-père d'Henriette, fait partie du voyage. Pour ce rendez-vous historique, Louis-Auguste a pris place dans le carrosse du roi. Ses tantes, Adélaïde, Victoire et Sophie l'accompagnent. Elles s'efforcent de faire bonne figure. La première rencontre se passe au mieux. Vive et gracieuse, Marie-Antoinette fait l'unanimité. Au retour, on prévoit une halte au carmel de Saint-Denis afin de présenter la future dauphine à Madame Louise. Marie-Antoinette est observée à la dérobée par les petites sœurs ; « sa physionomie, écrit l'une d'elles, a tout à la fois l'air de grandeur, de modestie et de douceur. Le roi, Mesdames et surtout Monseigneur le dauphin en paraissent enchantés ; ils disent à l'envi : "Elle est incomparable." »

L'« Incomparable » atteint enfin Versailles ! Le brillant cortège passe les grilles du château sous les hourras. Applaudie, adulée, la princesse sourit – la malheureuse enfant ne sait pas encore combien le peuple français peut se montrer inconstant... Comment le saurait-elle ? En son honneur fêtes, bals, feux d'artifice se succèdent. Et Henriette qui connut la Cour en deuil quand elle y fit ses premiers pas, découvre Versailles sous ses jours les plus brillants. Séduite par la princesse, elle écrit : « Madame la dauphine, alors âgée de quinze ans, éclatante de fraîcheur, parut mieux que belle à tous les yeux. Sa démarche tenait à la fois du maintien imposant des princesses de sa Maison et des grâces françaises ; ses yeux étaient doux, son sourire aimable. Lorsqu'elle se rendait à la chapelle, dès les premiers pas qu'elle avait faits dans la longue galerie, elle avait découvert, jusqu'à l'extrémité de cette pièce, les personnes qu'elle devait saluer avec les égards dus au rang, celles à qui elle accorderait une inclination de tête, celles enfin qui devraient se contenter d'un sourire, en lisant dans ses yeux un sentiment de bienveillance fait pour consoler de n'avoir pas de droit aux honneurs. »

À peine Marie-Antoinette paraît-elle à Versailles que déjà elle étonne. Dans cette cour guindée, elle se montre naturelle et compatissante, deux qualités qui, assurément, manquent le plus aux courtisans !

Gagnées par le charme de leur jeune nièce de quinze ans, Mesdames se veulent au diapason. Elles se réunissent pour lui offrir de magnifiques présents. Mais le plus beau de tous est celui de Madame Adélaïde qui donne à la dauphine « une clé des corridors particuliers du château par lesquels, sans aucune suite et sans être aperçue », elle peut gagner les appartements de ses tantes et les voir en particulier. Si Henriette parle de la clé, c'est qu'elle aura une importance capitale pour son avenir. Grâce au passe-partout la princesse sera chaque jour au contact de la lectrice. Elle va ainsi apprendre à la connaître, à l'apprécier. Enfin les mornes appartements s'égaient. Les trois vieilles filles fondent de bonheur. Elles aiment l'enfance, Adélaïde surtout qui jamais ne résiste à un sourire d'enfant. Marie-Antoinette n'hésite pas à se servir de la clé ; même si sa tante Adélaïde « l'intimide », même si sa tante Sophie « a toujours l'air de tomber des nues » ; il lui reste l'affection de sa tante Victoire qu'elle juge « plus simple ». Dans une lettre destinée à sa mère, l'impératrice Marie-Thérèse, il nous suffit de relever l'emploi du temps qu'elle y décrit pour remarquer que les moments passés avec ses tantes sont nombreux et répétitifs. « Je me lève à dix heures (...) écrit la dauphine, m'ayant habillée, je dis mes prières, ensuite je déjeune et de là je vais chez mes tantes (...). À midi est la messe ; si le roi est à Versailles je vais avec lui et mon mari et mes tantes à la messe (...). À trois heures je vais encore chez mes tantes où le roi vient à cette heure-là. (...) À six heures et demie je vais presque toujours chez mes tantes (...). À sept heures on joue jusqu'à neuf heures, mais quand il fait beau je m'en vais promener et alors il n'y a pas de jeu chez moi, mais chez mes tantes. (...) À neuf heures nous soupons (elle et Monsieur le dauphin), et quand le roi n'y est point, mes tantes viennent souper chez nous, mais quand le roi y est, nous allons après souper chez elles (...). » Ainsi la présence vive et radieuse de la dauphine vient illuminer la vie des vieilles Parques confinées dans leurs habitudes. Mais est-ce bien les tantes que Marie-Antoinette vient voir si volontiers ? N'est-ce pas plutôt qu'elle fuit sa dame d'honneur la duchesse de Noailles, si stricte qu'elle la surnomme « Madame l'Étiquette » ? Il lui paraît certainement plus agréable de faire de la musique avec la lectrice de Mesdames ; leur âge, leurs goûts les rapprochent. Toutes deux parlent l'italien. Pour le plaisir et peut-être aussi pour se soustraire aux oreilles indiscrètes, il leur arrive de converser dans la langue de Pétrarque. La dauphine « parlait cette langue avec grâce et facilité et traduisait les poètes les plus difficiles », assure Henriette qui remarque, en revanche, que si cette dernière parle le français « avec la plus grande aisance, elle a encore beaucoup de difficulté pour l'écrire ».

De même qu'en arrivant à la Cour Mlle Genet s'était étonnée du manque de soin qui avait entouré l'éducation des filles de Louis XV, elle s'étonne de voir combien l'éducation de la fille de l'impératrice d'Autriche a été négligée : « Sa facilité à apprendre était inconcevable et si tous ses maîtres eussent été aussi instruits et aussi fidèles à leurs devoirs que l'abbé Métastase qui lui avait enseigné l'italien, elle aurait atteint le même degré de supériorité dans les autres parties de son éducation. » Même la musique ne lui a pas été correctement enseignée, au point que Marie-Antoinette prétexte les fatigues du voyage et des fêtes données en son honneur pour retarder ses premières leçons de chant. « Mais son motif réel était de cacher à quel point elle ignorait les premiers éléments de la musique », dénonce sa complice amusée.

– Il faut que la dauphine prenne soin de la réputation de l'archiduchesse ! s'exclame Marie-Antoinette avec malice.

Soit ! On cherche un professeur dans la plus grande discrétion ; on trouve... on avance le nom de Campan. Campan fils est reconnu pour ses dons musicaux. Dans le plus grand secret, il donne des leçons à la dauphine. Après trois mois de travail, elle se déclare enfin prête. On fait appeler M. de La Garde. Le maître n'y voit que du feu ; étonné des facilités de son élève, il repart enchanté. L'honneur est sauf !

Louis XV comme toute la Cour est conquis par l'enfant de quinze ans. Tout se passerait pour le mieux si Adélaïde ne montait pas sa nièce contre « La » Barry. « Cette maîtresse a été choisie par habileté pour égayer les dernières années d'un homme importuné des grandeurs, ennuyé des plaisirs, rassasié des voluptés », et Louis, monarque blasé et revenu de tout, tient à cette femme qui, en plus de sa jeunesse et de sa beauté, lui révèle des voluptés encore insoupçonnées. Il sourit volontiers aux enfantillages de la dauphine, mais déplore l'attitude distante qu'elle a adoptée vis-à-vis de la favorite. Marie-Thérèse qui, de sa lointaine Autriche, veille sur les premiers pas de sa fille à la cour de France, l'exhorte à plus de souplesse. Elle dénonce l'emprise que les tantes ont sur elle. Escouade de vieilles bigotes que l'impératrice ne désigne bientôt plus que par « clique abominable ». Elle met Marie-Antoinette en garde et au besoin tempête : « (...) Si vous vous abandonnez à Mesdames, je prévois de grands malheurs pour vous, rien que des tracasseries et des petites cabales qui rendront vos jours malheureux. »

Plus que les exhortations d'une mère à sa fille, c'est davantage les événements qui vont venir changer les habitudes de Marie-Antoinette. Le 14 mai 1771, la princesse de Savoie arrive à Versailles. Quarante-huit heures après, ce laideron devient en grande pompe la femme du comte de Provence et, par voie de conséquence, la belle-sœur de la dauphine. Deux ans plus tard, c'est au tour du comte d'Artois d'épouser Marie-Thérèse de Savoie, moins laide que sa sœur mais fort petite de taille.

« Dès ce moment la plus grande intimité s'établit entre les trois jeunes ménages », regrette Henriette qui retrouve, dans les grands salons vides, sa solitude et ses livres. Oubliées les vieilles tantes ! Pour la dauphine commence une vie plus appropriée à son âge. Avec ses deux belles-sœurs et ses deux beaux-frères, elle s'essaie au théâtre. Le dauphin, sans doute trop timide pour se mettre en scène, reste spectateur. Ces amusements bien innocents doivent rester secrets : on craint trop la censure de Mesdames. Les pièces sont répétées et jouées dans les entresols. Une avant-scène escamotable forme le théâtre.

Henriette, comme le roi et la Cour, ignore tout de ces jeux. Seuls Campan père et fils, sont mis dans le secret. Encore et toujours eux ! Aussi, ce n'est que plusieurs années plus tard que, devenue Mme Campan, elle apprendra ces détails de la bouche même de son mari.

Marie-Antoinette aime l'amusement. Avec les mois qui passent, les trois vieilles Parques s'offusquent de ses espiègleries et de son goût pour la moquerie. L'archaïque Adélaïde se veut la garante des usages de la cour de Versailles et n'entend pas qu'une petite étrangère les bouscule. Louis XV qui a vent des turpitudes de sa petite-fille intervient : « Je trouve bon, dit-il, que dans son intérieur Madame la dauphine déploie toute sa gaieté naturelle, mais dans le public, lorsqu'elle tient sa cour, il faut un peu plus de réserve dans son maintien. »

Henriette a deux ans de plus que la petite dauphine, deux ans qui comptent comme dix pour son expérience de la Cour. Elle a dû en apprendre les usages et les règles et souvent à ses dépens. Elle n'oublie pas ses premiers pas, sa timidité, ses maladresses. Et c'est précisément parce qu'elle n'a pas oublié que d'emblée elle plaît à Marie-Antoinette. Elle sait la distraire et avec tact la mettre au courant de la vie de cour tellement plus guindée, tellement plus stricte que celle de Vienne. Marie-Antoinette a la reconnaissance du cœur. Elle se souvient toujours des services rendus. Aussi ces premiers mois scelleront-ils une confiance qui, au cours des années, se transformera en véritable attachement.

VIII

MORT DE LOUIS XV – AVÈNEMENT DE LOUIS XVI
LE MARIAGE D'HENRIETTE ET DE SES DEUX SŒURS

10 mai 1774. Trois heures de l'après-midi, Louis XV est au plus mal. Il se meurt de la petite vérole.

Courageuses, Mesdames veillent leur père depuis plusieurs jours. Bravant la contagion, elles vont demeurer au chevet du moribond jusqu'au dernier moment. Bien que l'air du palais soit infecté, courtisans et anonymes se pressent à Versailles. Depuis le matin chacun retient son souffle et se demande quel vent nouveau va se lever. Quelle sera la politique suivie ? Le ministre choisi ? Il y a ceux qui espèrent un changement et ceux qui le craignent. À qui iront les charges, les emplois ?

Mêlée à la foule, Henriette prend le temps d'étudier les visages de ceux qui l'entourent. Voilà bientôt six ans qu'elle fréquente la Cour. Derrière les masques elle a appris à deviner l'âme humaine. Et si les traits tendus se veulent uniformes, elle n'en lit pas moins « l'espoir, l'ambition, la joie, la douleur ».

Trois heures un quart, la bougie placée à la fenêtre s'éteint... C'est le signe que le roi est mort. Soudain c'est l'affolement. Dans un même mouvement les courtisans désertent l'antichambre du défunt. Le roi est mort, vive le roi ! C'est la volte-face ; chacun veut aller saluer « la nouvelle puissance de Louis XVI ».

Alors, un bruit terrible se lève, enfle. Les princes, les grands officiers, les courtisans courent rendre hommage aux jeunes souverains, leurs nouveaux maîtres. Henriette qui vit ce moment bouleversant décrit la reine « appuyée sur son époux, un mouchoir sur les yeux ». C'est dans cette attitude « touchante » qu'elle reçoit les premières visites. Mais il faut parer au plus pressé et chacun songe à fuir la contagion. Déjà dans la cour les montures piaffent d'impatience. Les premières voitures s'avancent. En une heure de temps Versailles est déserté. Princes et courtisans se rendent à Choisy, situé à huit kilomètres de Paris. C'est la bousculade, chacun veut partir au plus vite. On dénombre déjà une cinquantaine de cas de petite vérole, et on chuchote qu'une dizaine de personnes seraient décédées ! Mesdames prennent place dans leur voiture particulière ; le roi, la reine, Monsieur frère du roi, Madame, le comte et la comtesse d'Artois s'entassent dans une autre. Suivent la domesticité, les bagages... Toute la Cour est en mouvement. La route de Choisy est tellement encombrée qu'il est impossible d'avancer. Le trajet tire en longueur. Dans la voiture où ont pris place le roi et ses frères règne un silence pesant. Mais ils n'ont que vingt ans, et il suffit que la comtesse d'Artois estropie un mot pour qu'un fou rire général éclate. Les larmes sont essuyées.

Henriette tient l'anecdote de la bouche même de Marie-Antoinette. De ce nouveau règne dont chacun attend des miracles, Mlle Genet est une des premières bénéficiaires. Dès son avènement la reine lui fait savoir qu'elle la veut à ses côtés. Pour ne pas froisser ses vieilles tantes elle propose un arrangement : « Je conservais, écrit Henriette, la place de lectrice, et la jeune reine m'assura auprès d'elle la place de la première de ses femmes. » Il est à noter ici qu'elle est nommée femme de chambre ordinaire avant d'occuper le poste de première femme de chambre et de trésorière en 1788.

Pour garantir son avenir, Marie-Antoinette lui alloue une pension de cinq mille livres. Ainsi pourvue, la souveraine qui ne fait pas les choses à moitié, songe à établir sa nouvelle femme de chambre. Elle pense aux Campan qui, depuis trois générations, comptent parmi les serviteurs les plus zélés de la Cour.

Le grand-père qui avait pour nom de famille Bertholllet, fut le premier introduit à la Cour. Il entra au service de Marie Leczinska au moment de son mariage avec Louis XV en août 1725. Bertholllet prend alors « pour nom de guerre celui de la vallée de Campan qui l'avait vu naître », nom que toute sa famille va adopter après lui. Il épouse une femme de chambre de Madame Adélaïde. De cette union naît un fils, puis une fille qui meurt au berceau. Pierre-Dominique Campan, futur beau-père d'Henriette, reste fils unique. Il fait de très bonnes études à Paris et montre un goût prononcé pour la littérature. Plus tard, alors qu'il est employé dans l'administration des vivres, son père, se sentant vieillir, le fait venir à la Cour pour qu'il prenne sa succession. Habile, Pierre-Dominique Campan sait se rendre indispensable. Lors du décès de la reine Marie Leczinska son zèle ne passe pas inaperçu. Louis XV, satisfait, veut le récompenser. Madame Adélaïde suggère de le prendre à son service et de créer en sa faveur une charge de Maître de la garde-robe avec mille écus d'appointement.

– Je le veux bien, dit le roi, ce sera un titre honorable ; mais dites à Campan qu'il n'en fasse pas pour un écu de dépense de plus dans son ménage, car vous verrez qu'ils ne le paieront pas.

L'histoire ne dit pas si en fin de compte, Campan réussit à se faire payer ! Mais on sait de source sûre qu'il ne cessa, durant son existence, d'augmenter une fortune qui devint considérable. Campan a été, on l'a vu, assez malin pour se faire remarquer de Louis XV et de Madame Adélaïde au caractère pourtant intransigeant et difficile. Il agira tout aussi adroitement avec Marie-Antoinette. La dauphine a-t-elle besoin de prendre des leçons de chant ? C'est Campan fils que l'on présente. La dauphine et les jeunes couples princiers, Artois et Provence, ont-ils décidé d'égayer leur journée par quelque représentation théâtrale ? Ce sont encore les Campan qui sont mis dans la confidence. Campan par-ci, Campan par-là, Campan toujours... Aussi quand Marie-Antoinette cherche un bon parti pour sa femme de chambre, elle se tourne tout naturellement vers les Campan. N'ont-ils pas précisément un fils à marier ? François Campan est veuf. Il a épousé à dix-huit ans Mlle d'Amable Gentil, femme de chambre de la dauphine. Quelques mois plus tard la jeune femme décède, Campan se retrouve libre.

Pour la famille Genet l'union est inespérée, M. Campan a la réputation d'être un homme « aimable, riche et considérable ». Il a toujours servi son souverain avec empressement. Il n'est pas question de tergiverser. Un souhait de la reine équivaut à un ordre. Certes Henriette n'a pas de dot mais sa famille est des plus respectables, et, comme « protégée » de Marie-Antoinette, elle a un bel avenir devant elle.

La jeune reine mène les choses promptement. Elle fait demander Mlle Genet en mariage par François Campan. L'affaire est conclue. Le mariage est célébré le 11 mai 1774, soit le lendemain du décès de Louis XV. Mais la lune de miel ne va pas durer, qu'on en juge plutôt : « Dix semaines après notre mariage, écrit Henriette, il m'annonça qu'il avait eu tort de se marier une seconde fois, qu'il n'avait pas eu le courage de résister aux volontés de son père, au désir de la reine pour notre union, qu'il n'aimait pas la Cour, qu'il n'y voulait aucun emploi, que son intention était de voyager longtemps. » Et il voyagera... très longtemps. Pendant quatre longues années, il fait le tour de l'Italie : Rome, Naples, la Sicile. Enfant gâté il dépense une fortune considérable. Il laisse la pauvre Henriette seule à la Cour, entre un beau-père et une belle-mère qui, « malheureux de la conduite de leur fils, la comblent de tendresse et de soin ». Mais un beau-père ne saurait remplacer un mari !

Bien que François Campan se soit épris de voyages, après dix ans de mariage et quelques visites éclair à Versailles, il prendra le temps de faire un enfant à son épouse. La femme de chambre a trente-deux ans quand elle met au monde Henri Campan qui, on l'imagine bien, restera fils unique.

Le jour de son accouchement, un nombre impressionnant de courriers attendent sa délivrance pour en porter la nouvelle au roi et à la reine, à Monsieur et à Mesdames tantes qui ont toujours gardé de bons rapports avec leur ancienne lectrice.

Henriette ne connaîtra jamais le bonheur conjugal et Marie-Antoinette compatit d'autant plus à la douleur de la jeune femme qu'elle-même est délaissée par son royal époux qui pense davantage à forcer le cerf qu'à forcer son lit !

Les déboires conjugaux rapprochent les deux femmes. Henriette, qui se voit traitée avec affection par la reine, en profite pour être utile à tous les siens. Elle obtient une charge pour son oncle Cardon de Tercil et des avancements pour ses amis. Rien ne lui est refusé.

Marie-Antoinette qui aime faire le bonheur des personnes qui l'entourent, cherche à se « racheter » du mariage malheureux avec Campan. Elle a remarqué la jeune Adélaïde, la troisième fille Genet, quand celle-ci vient au château rendre visite à sa sœur aînée. Sa beauté, sa modestie ont retenu son attention. Elle propose à Henriette de prendre sa sœur à son service, de la doter et de la marier.

Sur la requête de la reine, Henriette court apprendre la bonne nouvelle à son père. Jacques Genet est comblé, voilà trois de ses filles mariées, puisque Julie, d'un an plus jeune que son aînée, s'est unie à dix-sept ans à Joseph Rousseau. « Il était le plus bel homme de Versailles quand elle en était la plus jolie », s'exclame Henriette admirative.

Le mari descend d'une très bonne famille dont les origines commencent à un certain Rousseau, déjà maître des exercices militaires de Louis XIII. Ainsi est-ce la septième génération à exercer ce poste à la cour de France. De cette union avantageuse naîtront quatre fils et trois filles. Plus tard une de ses filles sera nommée lectrice de Madame Élisabeth, sœur de Louis XVI. Un de ses fils prénommé Amédée obtiendra en 1819 de s'appeler Rousseau de Beauplan, du nom de la propriété familiale. Il héritera des dons musicaux de sa mère. En droite ligne de cette généalogie d'artistes, le petit-fils, Arthur de Rousseau de Beauplan, se verra nommer directeur des Beaux-Arts.

Pour la troisième sœur Genet, Marie-Antoinette n'a aucune difficulté à trouver un prétendant. La jeune Adélaïde est ravissante. Quand Mme Vigée-Lebrun, portraitiste attitrée de la reine, la rencontre à la Cour, aussitôt l'œil exercé du peintre s'enthousiasme pour cette beauté : « J'ai peu connu de femmes aussi belles et aussi aimables (...). Elle était grande et bien faite, son visage était d'une fraîcheur remarquable, son teint blanc et rose et ses jolis yeux exprimaient sa douceur et sa bonté. » Élisabeth Vigée-Lebrun, qui ne résiste jamais à croquer une jolie femme, fera son portrait peu avant les événements de 1789.

En attendant, les paris sont ouverts. Marie-Antoinette assure à celui qui demande la main de la demoiselle une des premières charges de finance. Avec tous ces avantages les prétendants ne manquent pas. M. Auguié se présente. De bonne famille, il est déjà pourvu du poste de munitionnaire général des vivres de l'armée et il est fort bel homme.

La reine prend Adélaïde à son service, elle la gratifie d'une pension de sept mille livres et, entre autres, lui fait un très beau présent en diamants. Le contrat est signé de la royale main, suivi des noms prestigieux de la princesse de Lamballe, de la princesse de Chimay, du prince de Montbarrey et du comte de Vergennes.

Cette fois, Marie-Antoinette se montre plus heureuse dans son choix. De ce mariage vont naître trois filles. M. Auguié obtient la recette générale du duché de Bar et de Lorraine, tout en conservant son ancienne place. La charge lui rapporte pas loin de cent mille livres par an.

La reconnaissance d'Adélaïde Auguié pour sa bienfaitrice sera indéfectible. Attachement qui, nous le verrons, la mènera à sa perte.

La seule des trois sœurs à avoir été mal mariée est donc cette pauvre Henriette. Mais elle sera la seule à passer à la postérité. À croire que le bonheur ne saurait être compatible avec la renommée.

Deuxième partie

LA FEMME DE CHAMBRE DE LA REINE

« Cet essaim maudit de Dieu qu'on appelle courtisans. »

« Ah, les cours ! rien ne peut donc les changer, et l'avantage d'y être connu et estimé des souverains est donc payé par les dangers de se voir des ennemis sans les avoir mérités ! »

« Que l'on a de peine, quel que soit son dévouement, à fixer l'opinion de ses concitoyens ! Il y a un moyen assez sûr d'obtenir un suffrage plus éclatant, c'est de mourir ; et en vérité je n'ai pas assez d'orgueil pour désirer ce genre de succès. »

IX

LES PREMIERS « FAUX PAS »
DE MARIE-ANTOINETTE
HENRIETTE TÉMOIGNE ET DÉFEND LA REINE

Louis XVI et Marie-Antoinette sont à peine installés à Choisy que les trois vieilles tantes sont saisies d'un violent mal de tête, premiers symptômes de la petite vérole. Panique ! Il faut de nouveau fuir la contagion et de nouveau déménager. Toute la Cour s'installe au château de la Muette près du bois de Boulogne.

Henriette suit le mouvement, elle laisse Mesdames à leur maladie. Débarrassée des tantes et des longues séances de lecture, des salons feutrés et des bergères moelleuses, la voilà entièrement attachée au service de la reine. Elle n'a que vingt-deux ans, elle vient de se marier et la cour se montre fort gaie. Le château de la Muette est situé si près de Paris que les badauds viennent s'amasser aux grilles. Dès la pointe du jour on entend les cris de « vive le roi » ! Tout sourit au jeune monarque : « Jamais commencement de règne n'excita des témoignages d'amour et d'attachement plus unanimes », écrit Henriette transportée de bonheur. Pourtant... quelques semaines après son arrivée, son mari lui annonce son départ pour l'Italie. Pourtant... Derrière les cris de joie des Parisiens se cache une cruelle vérité :

dans l'ombre, les ennemis de Marie-Antoinette ne désarment pas. Sur le moment qui aurait pu imaginer ? Mais avec le recul Henriette est formelle : « (...) Le parti anti-autrichien ne perdait pas la jeune reine de vue et guettait, avec la malicieuse envie de lui nuire, les fautes qui pourraient échapper à sa jeunesse et à son inexpérience. » Et les premières fautes ne vont pas tarder. Mais ces « fautes » n'auraient-elles pas pu passer pour de simples « erreurs » si on ne les avait pas montées en épingle ?

Chacun veut rendre hommage aux nouveaux souverains. Les vieilles dames comme les jeunes accourent, plongent dans les révérences les plus profondes. Certaines douairières paraissent quelque peu grotesques. La séance est interminable. Henriette, qui est présente, assure que Marie-Antoinette les reçoit toutes avec dignité. Jusqu'au moment où une dame du palais, trouvant le temps long, s'assoit sur le parquet et fait « mille espiègleries ». Déconcertée, la reine porte son éventail devant son visage pour cacher un sourire « involontaire ». Ce sourire ne lui sera jamais pardonné.

« Les fautes des grands ou celles que la méchanceté leur attribue circulent avec la plus grande rapidité (...) et se conservent (...) », note Campan qui sait combien ces erreurs de jeunesse ont fait du mal à Marie-Antoinette. Plus de quinze années après cet événement, elle entendra encore « raconter à de vieilles femmes, au fond de l'Auvergne, tous les détails du jour des révérences pour le deuil du feu roi, où, disait-on, la reine avait indécemment éclaté de rire au nez des duchesses et des princesses sexagénaires qui avaient cru devoir paraître pour cette cérémonie ».

Désormais le titre de « moqueuse » va coller à la peau de Marie-Antoinette. Ses ennemis ne perdent pas de temps :

dès le lendemain de ce jour, ils font circuler une chanson si méchante que des années plus tard le refrain est encore présent à la mémoire de Mme Campan.

« Petite reine de vingt ans,
Vous qui traitez si mal les gens
Vous repasserez la barrière. »

Pour son malheur, la reine ne repassera pas la barrière.

On trouvera mieux : en chantant, puisqu'en France tout se passe en chansons, on la poussera sous le couperet !

La deuxième faute ne tarde pas. À quelque temps de là, lors d'un séjour à Marly, la reine a l'envie naïve de voir le lever du soleil. Jamais encore elle n'a pu admirer l'aurore. Elle demande au roi la permission de se rendre à trois heures du matin sur les hauteurs de Marly. Celui-ci préférant se coucher, par prudence, elle s'entoure de bon nombre de courtisans et ordonne même aux femmes attachées à son service de l'accompagner. Henriette fait partie de la garde rapprochée et assiste, avec la jeune troupe, au lever du soleil. Quoi de plus romantique ?

Malgré toutes les précautions prises, on va faire en sorte que la partie de plaisir, bien innocente, se retourne contre Marie-Antoinette. Peu de jours après, il circule à Paris « le libelle le plus méchant qui ait paru dans les premières années du règne ». Et voilà comment s'écrit l'Histoire. Et voilà comment se prépare une révolution.

Il en faut si peu pour entraîner une nation dont la réputation est d'avoir « la tête légère ». C'est l'expression même de la grande Marie-Thérèse d'Autriche qui ne cesse de mettre sa fille en garde contre la versatilité des Français.

En arrivant à Versailles, la dauphine âgée de quinze ans s'est trouvée, dès les premiers jours, confrontée à des règles strictes, aussi désuètes qu'importunes. Ces règles héritées de Louis XIV se nomment étiquette. Nul ne peut y déroger.

Les femmes de chambre doivent connaître parfaitement et suivre scrupuleusement l'étiquette qui régit chaque minute de la vie des souverains. « Cette étiquette, gênante à la vérité, était calculée sur la dignité royale », écrit la mémorialiste qui fait toutefois la différence entre l'étiquette qui désigne l'« ordre majestueux établi dans toutes les cours pour les jours de cérémonies » dont elle reconnaît le bien-fondé et les « règles minutieuses que poursuivaient nos rois dans leur intérieur le plus secret, dans leurs heures de souffrances, dans celles de leurs plaisirs et jusque dans leur intimité humaine les plus rebutantes ».

Ainsi, dit-elle, quand la reine prend médecine, c'est la dame d'honneur qui doit retirer le bassin du lit, et seulement elle ! Que fait-on de la pudeur ? À la cour de France il n'y a pas de pudeur qui tienne, on souffre, on meurt, on accouche en public. Pour nous convaincre de certaines absurdités que génère le code, elle nous donne l'exemple de l'habillement de la reine. Il « est un chef-d'œuvre d'étiquette, dit-elle, tout y est réglé ». Le rôle de la dame d'honneur n'est pas celui de la dame d'atours et celui de la première femme ne peut se substituer à celui des femmes ordinaires... Elle dénonce un cérémonial ennuyeux et long où chacune veut coûte que coûte remplir son rôle : ainsi quand la dame d'atours passe le jupon et présente la robe, la dame d'honneur verse l'eau pour laver les mains et passe la chemise. Il peut s'écouler des heures avant que la reine ne soit enfin vêtue ! La pompe est poussée jusqu'à l'absurde. Si bien qu'un jour d'hiver – et on sait combien il fait froid à Versailles ! – Marie-Antoinette doit attendre debout et presque nue un temps infini avant de revêtir sa chemise. Pas moins de quatre dames se présentent qui, à tour de rôle, se passent la chemise selon des lois de préséance. Pendant ce temps elle remarque que « la reine tenait ses bras croisés sur sa poitrine et paraissait avoir froid ». À bout de patience, elle l'entend dire entre ses dents : « C'est odieux ! quelle importunité ! »

Il se trouve un autre usage qui est insupportable à Marie-Antoinette : les dîners publics. Chacun, pour peu qu'il soit proprement mis, a la possibilité d'assister au repas de la famille royale. Ce spectacle, très couru, fait le bonheur des provinciaux. « À l'heure du dîner on ne rencontrait dans les escaliers que de braves gens qui, après avoir vu la dauphine manger sa soupe, allaient voir les princes manger leur bouillie et qui couraient ensuite à perte d'haleine voir Mesdames manger leur dessert. » Ces phrases écrites avec humour nous font sourire, mais en vérité, quelle servitude !

« On peut imaginer aisément, ajoute-t-elle plus sérieusement, que le charme de la conversation, la gaieté, l'aimable abandon, qui contribuent en France au plaisir de la table, étaient bannis de ces repas cérémonieux. Il fallait même avoir pris dès l'enfance l'habitude de manger en public, pour que tant d'yeux inconnus dirigés sur vous n'ôtassent pas l'appétit. » Et encore ! Mesdames dont le seul rôle est de veiller à maintenir l'étiquette, ont elles-mêmes selon d'Argenson, du mal à avaler quoi que ce soit en public : « Les princesses soupent peu à leur grand couvert public, puis commandent des petits soupers dans leur cabinet à l'invitation du roi – Louis XV – ; elles se mettent à table à minuit et se crèvent de vin et de viande. » Cela demande un solide appétit et un entraînement auquel les princes nés à Versailles sont soumis dès leur naissance.

Dans la journée, la reine ne peut faire un pas dans le château sans que deux de ses femmes la suivent habillées en tenue de cour. Importunée, elle change l'étiquette. Désormais elle ne sera plus accompagnée que d'un valet de chambre et de deux valets de pied... Aussitôt on crie au scandale d'avoir osé bousculer des règles archaïques.

Henriette, dans ses *Mémoires*, multiplie les exemples et elle ironise : « Toutes les fautes de Marie-Antoinette sont du genre de celles que je viens de détailler. » Pourtant, avec le recul, il lui faut bien reconnaître que « la volonté de substituer successivement la simplicité des usages de Vienne à ceux de Versailles lui fut plus nuisible qu'elle n'aurait pu l'imaginer ». Là ce n'est plus Henriette, mais bien Mme Campan qui parle, une femme qui a vécu les horreurs de la Révolution et qui a l'expérience du passé. Car même si, dans son emploi, elle se montrait en tout prudente, secrète, même si son œil aiguisé savait reconnaître les faux amis comme les faux-semblants, elle ne pouvait imaginer ce qui se tramait dans l'ombre. Il eut fallu alors avoir le cœur corrompu et l'âme perfide pour imaginer l'imaginable !

L'historien Guy Chaussinand Nogaret est formel : « Avant Marie-Antoinette il y eut des reines légères et accusées de l'être avec beaucoup de raisons. » Il donne pour exemple la reine Margot connue pour son libertinage et ses « paillardises », il cite aussi Anne d'Autriche « prise gaillardement à partie dans les mazarinades ». Plus près de Marie-Antoinette nous citerons la petite duchesse de Bourgogne qui défrayait la chronique par ses caprices célèbres. Et que dire des coups de tête et des coups de cœur de la Grande Mademoiselle sous Louis XIV ! « Marie-Antoinette, écrit-il encore, fut la victime d'une véritable entreprise concertée de déstabilisation destinée à atteindre la monarchie dans son symbole » et il ajoute : « Jeune, innocente, profane dans les intérêts qui divisent les hommes, elle fut d'abord, et en toute ignorance, la victime et l'enjeu de la lutte que se livraient les partis (...). » Ainsi quoi que fasse, quoi que dise Marie-Antoinette, ses ennemis en profitent pour déformer son image.

Dans les *Mémoires* de Mme Campan on devine la souffrance d'Henriette. Douloureuse, elle oppose aux « fautes » de la reine les qualités indéniables de celle-ci. Écoutons-la, elle sait de quoi elle parle : « Tous ceux qui connurent les qualités privées de la reine savent qu'elle méritait autant d'estime que d'attachement, bonne et patiente jusqu'à l'excès dans les détails de son service, elle appréciait avec indulgence toutes les personnes qui lui étaient attachées (...). » Le cœur gros, elle continue : « Je trouve du plaisir à pouvoir consigner ici la vérité sur deux qualités estimables que la reine possédait aussi au plus haut degré : la sobriété et la décence. » Marie-Antoinette, contrairement à Mesdames et à la famille royale en général, ne mange que de la volaille rôtie ou bouillie et ne boit que de l'eau. Modeste en son intérieur, elle se baigne vêtue d'une robe de flanelle boutonnée jusqu'au col. Qui mieux qu'une femme de chambre attachée jour et nuit aux pas de la reine peut connaître ces détails, qui ? Mais Soulavi bien sûr. Soulavi qui a osé écrire, dans un livre qu'Henriette traite de « scandaleux » que Marie-Antoinette se baignait nue et qu'elle avait même reçu « dans cet état » un ecclésiastique !

Soulavi qui jamais n'a pu assister au lever de la reine auquel n'étaient admises que des femmes, savait bien sûr ! Quelle duplicité ! Quelle imposture !

X

LA VIE DE CHÂTEAU

Henriette Campan nous a laissé fort peu d'indications sur la charge de femme de chambre de la reine. Certains mémoires comme ceux de Mme du Hausset, femme de chambre de la Pompadour, ou encore quelques échanges épistolaires de femmes anonymes qui exerçaient cette même charge auprès de nos princes ont donné quelques détails sur leur vie, mais le plus intéressant reste l'*Almanach de Versailles* publié par Blaizot. Tout le monde y est cité et la liste n'occupe pas moins de 165 pages ! La maison du roi, de la reine et des membres de la famille royale regorge de serviteurs. Dans cette cour héritée de Louis XV, les charges n'ont jamais été si nombreuses, si variées, si vaines. Henriette ne s'y trompa pas : « Ici chacun se glorifie de l'emploi qu'il exerce et se croit, pour ainsi dire, membre de la couronne pour peu qu'il approche du monarque. »

Les abus sont nombreux. Les gens vivent aux frais du roi et devant un tel gaspillage, malgré son bon vouloir, Louis XVI reste impuissant. À moins de changer les structures mêmes du palais, ce qui serait une véritable « révolution », les quelques modifications apportées font figure de gouttes d'eau dans un océan.

Louis XVI qui aime vivre dans la simplicité affirme à son premier écuyer, M. de Coigny : « J'entends opérer dans ma cour des retranchements indispensables. Ceux qui auront à redire, je les briserai comme du verre. » Tout le monde trouvera à redire... Et c'est finalement la bonne volonté du roi qui se brisera.

La cour de France a la réputation d'être la plus somptueuse et la plus dépensière du monde et personne n'y peut rien, même le roi. Les princes, les prélats, la noblesse, tout ce monde, volontairement asservi par Louis XIV, a pris racine. Ceux qui vivent à la Cour vivent de la Cour et fastueusement. Tenir un rang c'est posséder hôtel particulier, meubles luxueux, bijoux et carrosses, c'est avoir à son service une kyrielle de domestiques, c'est étaler ses richesses et ne pas craindre de perdre des fortunes en une nuit aux jeux des princes ; enfin, tenir un rang, c'est vivre au-dessus de ses moyens. Ce qui est vrai pour les courtisans se révèle, à leur échelle, tout aussi vrai pour les domestiques qui possèdent leurs propres domestiques. Ainsi Henriette a une bonne, nommée Voisin, qui veille sur elle et ne la quitte jamais.

À Versailles tout s'achète, tout se vend, tout se monnaie. « Beaucoup de charges exigeaient la noblesse et se vendaient de 40 000 jusqu'à 300 000 francs », écrit Henriette qui n'oublie pas que simple bourgeoise elle doit à la seule faveur de Marie-Antoinette son poste de femme de chambre. Mais son ascension ne va pas s'arrêter là. Après des années de bons et loyaux services, elle se voit nommée première femme de chambre. Poste de toute confiance convoité par les plus grands et qui, de ce fait, lui attire nombre de jalousies.

Même si ses *Mémoires* laissent supposer qu'elle a tenu ce rôle important bien avant la date inscrite dans l'*Almanach de Versailles*, il n'en reste pas moins vrai que ce n'est qu'en 1788 qu'elle remplace « officiellement » Mme de Miserey, quand celle-ci se retire définitivement dans ses terres près de Péronne.

La baronne de Biache, puisque tel est son titre, est de haute naissance. Elle est en effet la fille de monsieur le comte de Chamant et la petite-fille d'une Montmorency. Ce qui lui vaut en présence de la reine de se faire appeler par le prince de Tingry : « ma cousine ». À cette place est jointe celle, non moins importante, de trésorière.

Pour une Campan c'est le comble de la réussite. Pourtant, elle garde la tête froide. À propos de la faveur, elle cite ces vers de La Fontaine :

« On la conserve avec inquiétude
Pour la préserver avec désespoir. »

Elle ne se fait aucune illusion : « L'art de la guerre, écrit-elle, s'exerce sans cesse à la Cour, mais surtout la faveur, y entretiennent sans interruption une rixe qui en bannit toute idée de paix. (...) L'homme du plus grand mérite doit faire quelques fautes ou commettre quelques erreurs ; on y compte, on les attend, on les grossit, on les fait circuler dans le monde, on les rapporte aux princes (...). » Et elle conclut : « La faveur ne sauve de ces cruelles et persévérantes attaques que ceux qui, par leur poste à la Cour, ne quittent jamais le prince et peuvent se défendre à toutes les heures du jour et de la nuit. » Et précisément la place tant convoitée de femme de chambre de la reine est une charge qui s'exerce par roulement. Primi Visconti le dit clairement : « Les charges de la maison du roi (ou de la reine) sont nombreuses. Ainsi les femmes de chambre de la reine se trouvent être au nombre de vingt. »

Dans ce panier de crabes où chacun guette l'autre dans l'espoir d'un faux pas, c'est déjà un tour de force que de se maintenir, alors que dire de l'ascension d'une Campan ? Ascension qu'elle doit à son caractère mesuré et prudent, mais aussi au fait qu'entre ses sœurs et sa belle famille, il y a toujours auprès des souverains une Genet ou un Campan qui monte la garde. Ainsi, bien que travaillant par quartier, il n'y a pas de temps morts. La présence quasi continue des deux familles alliées renforce la position d'Henriette à la Cour et rend ses *Mémoires* fort intéressants. En effet, même quand elle n'est pas de service, elle reste au courant des moindres faits et gestes des courtisans, des plus petites manœuvres des jaloux. Sa position se révèle inattaquable ; comme l'union fait la force, les deux familles s'épaulent. Elles forment un bloc solide et indissoluble, tout à la dévotion de leurs souverains.

Mme Vigée-Lebrun, au titre envié de peintre attitré de Marie-Antoinette, se rend souvent à Versailles. Impossible de se trouver auprès de la reine sans rencontrer un membre de la famille Campan ou de la famille Genet ! Si la portraitiste rencontre Mme Auguié dont elle dit tant de bien, à mots couverts elle se plaint du côté audacieux d'un certain Campan qui, très imbu de sa charge, se permet envers elle réprimandes et réflexions désagréables.

En plus du souci constant de garder sa position, il faut faire face aux dépenses que la charge entraîne et trouver à s'habiller, à se loger, en un mot à vivre dans cette cour où chacun se doit de briller.

Dans ce but s'installent mille petits trafics qui permettent de gagner de l'argent. Ainsi de grandes dames n'hésitent pas à revendre des habits qui ne leur servent plus. Il n'est pas rare de voir les domestiques se débarrasser de leurs vêtements noirs – pourtant offerts par la famille royale – dès que la durée d'un deuil à la Cour est prescrite par l'étiquette. Voici ce qu'écrit en 1783 et du fond de sa province, une amie d'une femme de chambre de la comtesse d'Artois : « Maman vous prie si, après ce deuil, quelques dames de la Cour se défaisaient de leurs robes noires, de lui en acheter une et, comme elle n'est pas pressée, elle vous prie d'attendre qu'elles soient les trois quarts pour rien (...). »

Dans le but de se créer des revenus supplémentaires, on combine, on revend... Et le « pour boire » devient un droit. Pour les femmes de la reine il en est ainsi des bougies. Il est devenu de règle de remplacer les bougies allumées dans les « petits appartements », dès que Marie-Antoinette les quitte. Ne brûleraient-elles que quelques minutes, elles seraient remplacées. Récupérées, les bougies sont revendues et les bénéfices partagés. Jusque-là rien d'anormal. En revanche, les jours où les bougies ne sont pas allumées, il est prévu que les bénéficiaires du « droit aux bougies » perçoivent une indemnité !

Henriette, qui en entrant au service de Marie-Antoinette bénéficie de la coutume, nous apprend que les femmes de la reine réalisent, grâce aux bougies, un gain d'au moins 50 000 livres par an.

Il n'y a pas de petits profits à la cour de Versailles, chacun se débrouille comme il peut. Quand l'officier – sont appelés officiers tous ceux qui sont pourvus d'office – n'est pas de quartier, il doit pourvoir à sa nourriture et à celle de sa famille. À Versailles les vivres sont chers. Tout a beau être taxé depuis le pain, le beurre, la viande ou le fagot de bois, les commerçants abusent de la situation, et, sur les deux marchés de la ville comme dans les boutiques, on paie le bonheur de vivre dans la cité royale. Aussi les clients ont-ils la possibilité d'acheter à meilleur compte en se rendant au « serdeau ». À l'origine, le rôle des officiers du serdeau consistait à apporter de l'eau sur la table du roi, d'où le nom : « On sert de l'eau. » Par la suite ils seront chargés d'ôter les plats et de les déposer sur la desserte. Comme la plupart des mets restent intouchés, les officiers du serdeau ont l'idée de les revendre dans les baraques conçues à cet effet et qui longent le côté gauche de la place d'Armes. Aussi chaque jour après l'heure du dîner royal se trouvent étalés rôtis, volailles, poissons, fruits et légumes. Le tout vendu à un prix modéré. On appelle cela « acheter au serdeau ».

Henriette y envoie-t-elle sa bonne Voisin pour faire son marché ? Il n'y aurait rien d'extraordinaire à cela puisque les courtisans eux-mêmes n'hésitent pas à y envoyer leurs valets.

Mais il n'y a pas que les baraques du serdeau qui enlaidissent les alentours du château. Les boutiques en bois ont tellement pullulé qu'elles envahissent non seulement toutes les grilles du parc mais encore les portes du grand commun, les petites et grandes écuries... Que vend-on dans ces baraques ? De tout en vérité. Cela va du tapissier, du perruquier, de la repasseuse, du marchand de chandelles ou de fleurs, jusqu'au limonadier.

Tous ces commerces marchent si bien que certaines baraques gagnent les entrées et les montées d'escalier.

On remarque qu'un certain Pierre-Dominique Campan, maître de la garde-robe de la comtesse d'Artois, officier de chambre de la reine et... époux de Mme Campan, est possesseur d'une des boutiques les mieux placées puisqu'elle est située à l'intérieur du château, précisément au pied du grand escalier de la reine, et c'est... un bureau de la loterie royale !

Beaucoup tentent leur chance. Mme de Polignac à qui la reine a donné « un très bel appartement en haut de l'escalier de marbre », en sera une des heureuses bénéficiaires. Un jour de chance, alors qu'elle s'arrête à la loterie, elle gagne dix mille francs ! La reine se réjouit pour son amie de cœur, dont la fortune, à ses débuts à Versailles, n'était pas considérable.

Il va sans dire que Campan, qui séjourne la plupart du temps en Italie, ne tient pas boutique et qu'il l'a mise en gérance. Notons que si Campan fils a obtenu la loterie royale, d'autres titulaires d'offices ont très certainement bénéficié d'une faveur analogue.

Avec le temps les baraques s'amoncellent et enlaidissent Versailles. À la fin de son règne, Louis XVI tente de mettre un peu d'ordre dans toutes ces constructions. Il se trouve que le roi est particulièrement agacé par la présence d'un limonadier dont l'échoppe obstrue l'entrée du célèbre potager. Mais le roi lui-même ne parviendra pas à faire déménager le vieil homme dont le brevet est parfaitement en règle.

En se débrouillant bien on peut trouver à se vêtir, à se nourrir à bon compte, mais se loger à la cour reste l'exercice le plus difficile. En 1783 on compte au château 266 appartements de maîtres et plus d'un millier de chambres. Ce chiffre exorbitant est faible comparé au nombre de gens employés à Versailles.

En 1722, Narbonne recense déjà 4 250 employés. Et ce chiffre, en l'espace de cinquante ans, ne va pas cesser de croître.

Le grand commun édifié de 1682 à 1685 par Louis XV a été construit par Mansart dans le but de recevoir tous les services dits de bouche. Ce bâtiment alliant grandeur et utilité se compose de quatre constructions en quadrilatère entourant une vaste cour. Les sous-sols servent de réserve. Dans l'une des caves on a aménagé les fours où les boulangers cuisent le pain de Sa Majesté. Le rez-de-chaussée est occupé par les cuisines, tandis que le premier étage est réservé aux personnages de qualité qui ont obtenu du roi un office.

Les places sont d'autant plus courues qu'elles sont rares. En tant que « remueuse des enfants de France », Julie Rousseau a le privilège d'habiter rue des Réservoirs, dans les dépendances du château. Entre deux séances avec la reine, Mme Vigée-Lebrun vient volontiers se reposer chez la sœur de Mme Campan dont elle dit l'accueil toujours chaleureux.

Pour sa part, Henriette n'évoque jamais ses problèmes de logement, sauf pour parler de son mari dont elle dénonce l'instabilité, le besoin de toujours voyager et, quand il revient en France, le besoin de toujours déménager... On n'en sait guère plus !

Ce qui est certain, c'est que ses origines versaillaises lui ont beaucoup facilité la tâche. Quand, à quinze ans, elle entrait au service de Mesdames, filles de Louis XV, ses horaires de « bureau » lui permettaient de séjourner chez ses parents qui habitaient tout près du château. Devenue femme de chambre de Marie-Antoinette, elle se doit de loger à la Cour. Quand elle est de service, sa charge exige une présence quasi continue auprès de la reine. La phrase qu'elle a écrite peu après son mariage nous laisse supposer qu'elle vit chez ses beaux-parents : « Il (Pierre-Dominique Campan) partit pour l'Italie et me laissa quatre à cinq ans seule avec son père et sa mère. »

Enfin, quand elle accède à la charge suprême de première femme de la reine, son rôle auprès de Marie-Antoinette est si important, si prenant – elle peut être appelée à toute heure du jour ou de la nuit – qu'elle loge près des appartements royaux. Dans ses *Mémoires* une phrase, une seule nous l'indique : « J'entendis, écrit-elle, frapper à la porte de mon appartement qui ouvrait dans le corridor près de celui de la reine (...). »

Les efforts de Jacques Genet sont enfin récompensés. Les trois sœurs gagnent suffisamment bien leur vie pour que chacune possède une propriété aux alentours de Paris. Julie Rousseau et son mari acquièrent la maison de Beauplan et ses terres, dans la commune de Saint-Rémy-lès-Chevreuse. Adélaïde Auguié et son mari possèdent « un château avec un fort beau parc » situé près de la Machine de Marly à quelques pas de Louveciennes où vit Mme du Barry. Quant à Henriette Campan qui ne peut compter, pour vivre, que sur son seul salaire – quand elle n'est pas obligée d'envoyer de l'argent à son mari – elle s'est acheté une petite maison à Heurtebise qu'elle qualifie de « fermette » ; elle court s'y réfugier pour se reposer des tracas de la Cour.

Jacques Genet n'aura pas la joie de voir sa fille aînée accéder à la charge de première femme de la reine. Au retour d'un voyage à Vienne en compagnie du baron de Breteuil, ambassadeur de la cour de France en Autriche, il est pris d'une fièvre maligne. Il meurt le 11 septembre 1781 à cinquante-trois ans. En plus des trois sœurs, il laisse derrière lui une femme et deux enfants à charge : Sophie qui épousera M. Pannelier et Edmond-Charles qui, attiré par les idées nouvelles, se rendra aux Amériques.

XI

LOUIS XVI ET LA FAMILLE DU ROI VUS PAR MADAME CAMPAN

« Louis XVI avait des traits assez nobles, empreints d'une teinte mélancolique ; sa démarche était lourde et sans noblesse, sa personne plus que négligée, ses cheveux quel que fût le talent de son coiffeur étaient promptement en désordre par le peu de soin qu'il mettait à sa tenue. » La voix « n'avait rien d'agréable ; s'il s'animait en parlant, il lui arrivait souvent de passer du médium (...) à des sons aigus ».

Voilà comment Henriette décrit le roi. Si on compare ce portrait à celui qu'elle a fait de Marie-Antoinette dauphine, on peut dire que chaque trait s'oppose. Quand elle dépeint la jeune femme c'est pour louer sa démarche toute de « grâce », le maintien « imposant » et son goût pour la parure poussé à l'extrême « jusqu'à en faire une occupation principale ». Quand elle parle de mélancolie pour le roi, c'est le mot vivacité qui lui vient aussitôt pour définir la reine. Les descriptions montrent que ces deux êtres n'étaient pas faits pour se rencontrer et que seule la raison d'État a été assez puissante pour en décider autrement.

Quand elle s'essaie à détailler le roi, on sent une véritable retenue. C'est que l'homme est complexe. Soucieuse de vérité, on la devine très vite déroutée par un caractère dont les qualités profondes restent le plus souvent cachées. Le roi manque désespérément de confiance en lui-même.

Elle a cependant assez de jugement pour reconnaître à Louis XVI un esprit délié et une intelligence certaine. Elle dit volontiers que le roi parle « parfaitement » la langue anglaise, qu'il est un « géographe habile », qu'il sait l'histoire même s'il n'en a pas assez étudié l'esprit et aussi qu'il apprécie les « beautés dramatiques », ce qui dénote une finesse de goût, en même temps qu'un esprit d'analyse. Surtout elle reconnaît que le roi possède une qualité rare, ignorée à Versailles où l'attaque est la seule défense connue, où la moquerie tient lieu d'intelligence, c'est la tolérance !

La tolérance est certainement une des qualités les plus méconnues de ce XVIIIe siècle finissant. En cela le roi se trouve en parfait décalage avec son temps. Mais qu'on ne s'y trompe pas : il avait de l'avance sur son époque, non du retard. Henriette insiste encore sur la modestie du personnage ainsi que sur sa simplicité. « Son cœur, écrit-elle, le portait à la vérité, vers des idées de réforme. » Malheureusement, il n'a pas le caractère assez ferme pour tenir tête à la noblesse, à tous ces privilégiés qui vocifèrent à la moindre alerte. Intimidé par ses propres courtisans, il l'est encore plus devant sa femme dont le tempérament est aussi primesautier qu'il se montre embarrassé et mal à l'aise dans la vie courante. Là où elle sait gagner les cœurs avec un sourire, une bonne parole, il les rebute.

Il est redouté pour ses brusqueries subites et difficiles à prévoir qui découragent le courtisan le plus zélé et que ses proches nommaient : « Les coups de boutoir du roi ! »...

Quand Marie-Antoinette s'étourdit de bals, de concerts, de théâtre et de sorties en tout genre, Louis XVI prise le silence, la solitude et une vie bien réglée. Travailleur, il aime à s'isoler dans sa bibliothèque, chef-d'œuvre que nous lui devons et qui s'ajoute aux trésors de Versailles.

On sait que le roi montre un goût très vif pour les arts mécaniques. La maçonnerie, la serrurerie le passionnent et ses mains « noircies par le travail » sont plusieurs fois en présence d'Henriette un sujet de discussion et même de reproche assez vif de la part de la reine, qui aurait désiré pour le roi d'autres délassements.

Mais les passe-temps qui impatientent tant la reine et qui étonnent chez un monarque, ne viennent-ils pas en droite ligne de son aïeul ? Déjà Louis XV et sa fille Adélaïde marquaient un goût certain pour le travail manuel. Et personne ne songeait alors à leur en faire reproche. Pourquoi ? Parce que leurs penchants étaient contrebalancés par une fierté naturelle, une distance affichée chez Louis XV et un côté hautain et autoritaire chez Madame Adélaïde, qui n'entamaient pas leur « majesté ». Rien de tel chez Louis XVI dont les « mains noircies » ne font qu'accentuer le désordre de la mise et le manque de noblesse.

Si Henriette parle librement de la reine, elle se laisse rarement aller à une réflexion personnelle sur le roi. Il y a deux raisons à cela : la première est qu'elle ne voit pour ainsi dire jamais le roi dans son intérieur ; quand elle le rencontre c'est toujours en présence de Marie-Antoinette ou de tierces personnes ; elle le côtoie donc peu. La deuxième est qu'elle ne se sent guère d'affinité pour une personnalité si ambiguë et dont le côté apathique la déconcerte. Elle a surtout du mal, les premières années, à comprendre la froideur de Louis XVI envers Marie-Antoinette. Pour avoir éprouvé, elle-même, l'indifférence d'un époux, elle sait combien la reine souffre dans son orgueil de femme, combien il lui faudra de patience pour amadouer un mari dont elle n'est pas amoureuse.

De sa lointaine Autriche, Marie-Thérèse, qui sait tout sur le couple royal, est aux cent coups. Elle a mis au monde pas moins de dix enfants ! Forte de son expérience, elle conseille sa fille : « Il y a des exemples que les hommes changent, écrit-elle, il faut toujours tenter de ne pas se lasser, et pour cette raison une épouse ne doit pas perdre les occasions et les chercher même avec toutes sortes de prévenances. Ainsi, point de lit à part ! »

Marie-Antoinette écoute-t-elle les conseils de sa mère ? Selon Henriette, la reine tente, comme elle le peut, d'amadouer un mari réfractaire à tout épanchement. L'éducation sentimentale semble s'étendre jusqu'aux détails les plus courants. Un jour que Louis XVI salue les dames qui entourent son épouse avec plus de bienveillance que de coutume, toute heureuse elle s'écrie :

– Convenez, Mesdames, que, pour un enfant mal élevé, le roi vient de vous saluer avec de très bonnes manières.

« Un enfant mal élevé », voilà ce que pense Marie-Antoinette de son époux ! Elle impute la mauvaise éducation du roi à M. de La Vauguyon. Elle reproche au gouverneur d'avoir non seulement mal préparé le roi à son devoir d'époux, mais de lui avoir, en plus, inspiré la crainte des femmes. Après le mariage, La Vauguyon ne désarme pas, il surveille le couple et, selon Henriette, inspire à son ancien élève de l'éloignement pour Marie-Antoinette qui importunée, se fâche :

– Monsieur le duc, lui dit-elle, Monsieur de dauphin est en âge de n'avoir plus besoin de gouverneur, et moi je n'ai pas besoin d'espion !

On ne saurait être plus directe !

Mme Campan dont la franchise est bien connue dit tout aussi crûment : « La reine haïssait M. de La Vauguyon, c'était lui seul qu'elle accusait des choses qui l'affligeaient dans les habitudes et même dans les sentiments du roi. » Et pour nous le prouver, elle ponctue cette affirmation par une anecdote révélatrice qui met en scène une ancienne première femme de la reine Marie Leczinska. Elle fait partie de ces vieilles personnes « qui ont le bonheur de dérouler le fil entier de leur vie au service des rois, sans savoir ce qui se passe dans les cours ». Très dévote, celle-ci côtoie le duc de La Vauguyon ; ensemble ils chantent à la grande messe. La pieuse femme ignore tout des sentiments qui animent Marie-Antoinette contre le gouverneur. Si bien que le jour de la mort de celui-ci, croyant bien faire, elle se précipite en larmes chez la reine pour lui raconter les derniers instants du duc. Elle loue ses actes de piété et dit qu'il a « fait venir ses gens, pour leur demander pardon... »

– De quoi, interrompt la reine avec vivacité, il a placé et enrichi tous ses valets : c'était au roi et à ses frères que le saint homme que vous pleurez devait demander pardon, pour avoir si peu soigné l'éducation des princes dont dépendent les destinées et le bonheur de vingt-cinq millions d'hommes !

Ces paroles ne sont certainement pas celles d'une évaporée, comme trop souvent on se plaît à dépeindre Marie-Antoinette, mais bien d'une femme qui souffre du manque « d'élan » de son époux et qui très justement attribue cette atrophie des sentiments à une pédagogie désastreuse.

Pour être juste, même si le duc de La Vauguyon ne s'est pas montré à la hauteur de l'éducation qu'il aurait dû dispenser à un futur roi, on ne peut pas lui imputer tous les torts. Il faut rappeler ici que Berry – futur Louis XVI – avait un frère aîné nommé Bourgogne qui faisait l'objet d'une véritable adulation de tout son entourage. Cette adoration sans réserve ne pouvait que frustrer le cadet. Bourgogne malade, on hâte le passage « aux hommes » de Berry pour lui donner un compagnon. Devenue la marionnette de son frère, Berry subit tous ses caprices. Il voit son aîné souffrir, enfin agoniser et mourir sous ses yeux. Quel spectacle pour un enfant ! Après la mort de Bourgogne on ne s'intéresse pas davantage au pauvre Berry. Ce laissé-pour-compte que le hasard d'une mort rend héritier du trône de France, qui s'en préoccupe ? Le duc de Croy remarque avec flegme que « Monsieur de Berry paraissait bien engoncé ». Et pour cause !

L'événement marquera Louis XVI à vie. Il sait bien que le défunt lui était supérieur et il va nourrir le complexe de régner à sa place. Madame Adélaïde qui aimait beaucoup l'aîné de ses neveux disait pour vaincre sa timidité : « Parle donc à ton aise, Berry ; crie, gronde, fais du tintamarre comme ton frère d'Artois ; casse et brise mes porcelaines, fais parler de toi ! » Mais les encouragements de la vieille tante, loin de sortir le prince de son silence, l'enfermaient un peu plus en lui-même ; ils arrivaient trop tard, le mal était fait.

Le futur roi n'aura jamais la repartie vive et brillante, ni même le verbe facile dans ce XVIIIe siècle où seuls sont prisés les saillies, le bel esprit. Louis XVI a l'esprit juste mais lent et comme le dit Georges Bordonove : « ... en ce monde de causeurs étincelants, il ne pouvait donc plaire. »

Même si Henriette ne se sent aucune affinité avec le roi,

même si elle déplore la faiblesse de son caractère, elle ne se trompe pas sur les qualités intrinsèques de l'homme. Ses sentiments vont évoluer. Dix-neuf années passées au service des souverains lui donneront le temps de mieux apprécier le roi. Son cœur de femme ne s'arrête pas aux dehors peu amène de Louis XVI ; derrière les brusqueries, les « coups de boutoir » elle entend battre le cœur et elle devine l'âme. Avec le temps elle reconnaît que « ce prince unissait à tant d'instruction toutes les qualités du meilleur époux, du plus tendre père, du maître le plus indulgent ». Ainsi pense Campan, une femme réfléchie, soucieuse de dire la vérité. Mais la Cour ? Mais les courtisans ? Tout ce monde virevoltant, frivole et jaloux ne s'intéresse qu'à ce qu'il voit, se dit, à ce qui plaît, à ce qui étonne ! Et le roi n'étonne personne. Il se montre en tout appliqué, sérieux. Pourtant il n'est pas dénué d'humour, comme cette anecdote le prouve :

Le 4 juillet 1776, le Congrès de Philadelphie proclame l'indépendance des États-Unis et décide d'envoyer en Europe trois délégués chargés de chercher des appuis européens. C'est ainsi que le docteur Franklin arrive à Versailles le 21 décembre de la même année. Aussitôt on donne des fêtes en son honneur. Il paraît à la Cour dans son costume de cultivateur américain. Henriette décrit : « Ses cheveux plats sans poudre, son chapeau rond, son habit de drap brun », qui contrastent étrangement « avec les habits pailletés, brodés, les coiffures poudrées et embaumantes des courtisans de Versailles ». La nouveauté charme « toutes les femmes françaises à la tête légère ». Le personnage venu du nouveau monde déclenche un tel engouement qu'à l'exposition des porcelaines de Sèvres, qui a lieu à Versailles même, on vend, sous les yeux du roi, le médaillon de Franklin ayant pour légende : « Eripuit cælo fulmen sceptrum que tyrannis. * »

Selon son habitude, Louis XVI ne dit mot sur ce qu'il entend et voit, même si son bon sens le porte à blâmer les excès des courtisans. La comtesse Diane fait partie de ceux qui se toquent pour le délégué des Américains, au point d'en devenir risible. Pour dénoncer la sottise de la dame, le roi fait exécuter dans le secret, par la Manufacture de Sèvres, un vase de nuit au fond duquel est gravé en médaillon la fameuse légende, et il l'envoie comme présent d'étrennes à la comtesse !

La famille royale se compose de cinq enfants. Louis XVI a deux sœurs, Clotilde et Élisabeth. Plus jeunes que leurs frères, elles sont encore en « éducation » quand la dauphine arrive à Versailles. Clotilde que l'on surnomme « gros Madame » est dotée d'un physique ingrat au contraire d'Élisabeth, qui a pour elle le regard bleu, de beaux cheveux châtain clair et l'air toujours rieur :

– Dieu m'a donné la gaieté ! dit-elle volontiers.

La joie est une des plus irrésistibles puissances du monde. Et Marie-Antoinette ne résiste pas au charme de sa toute jeune belle-sœur. Elles lient amitié, mais une fois de plus cela déplaît. Mme de Marsan alors gouvernante des princesses va lui faire « un crime de sa gaieté et des jeux innocents qu'elle se permettait dans son intérieur », s'insurge Henriette. Clotilde partie se marier au Piémont, la reine aura tout loisir d'étendre son amitié avec la sage et douce Élisabeth. Ces deux femmes au caractère si différent

* Il a arraché au ciel la foudre et aux tyrans leur sceptre.

vivront enfermées à la prison du Temple le même calvaire. Seule la mort les séparera.

De l'insaisissable comte de Provence, la mémorialiste signale qu'il « avait dans son maintien plus de dignité que le roi ». Aussi qu'il « aimait la représentation et la magnificence ». Et finement elle ajoute : « Sa mémoire prodigieuse servait son esprit en lui fournissant les plus heureuses citations. » Ne serait-ce pas là une façon habile et détournée d'insinuer que le prince se montrait plus brillant que profond ?

Des trois frères c'est le troisième, le comte d'Artois qui, en général, plaît le plus. Il est le boute-en-train de la famille. Pour le malheur de la reine il lui servira de chevalier servant. Henriette le décrit « d'une figure agréable, adroit dans les exercices du corps, quelquefois impétueux, occupé de plaisirs et recherché dans sa toilette ». En résumé, un « dandy » avant l'heure.

Les trois jeunes ménages semblent bien s'entendre. Ils se voient souvent, prennent leur repas ensemble le jour où leur dîner n'est pas public – étiquette oblige ! La réunion du soir a lieu chez Mme la comtesse de Provence. « Cet usage qui n'avait point eu d'exemple à la Cour, fut l'ouvrage de Marie-Antoinette et elle l'entretint avec la plus grande persévérance », écrit Campan.

L'écho n'est pas innocent. Dès son arrivée à Versailles, Marie-Antoinette montre un goût prononcé pour les réunions intimes, on dirait aujourd'hui qu'elle avait « l'esprit de famille ». Ce goût de la simplicité marque sa nature profonde.

XII

L'ABBÉ DE VERMOND, BÊTE NOIRE DE MADAME CAMPAN

Comme chaque matin l'abbé de Vermond fend la foule des courtisans qui encombrent l'antichambre de la reine. La mine compassée, le regard baissé, la silhouette grise, il se glisse jusqu'aux cabinets particuliers. Il lui suffit de se présenter et c'est le sésame : les portes gardées lui sont aussitôt ouvertes. Il entre ou plutôt il se faufile. Il n'a pas prononcé un mot et personne ne l'a remarqué.

Personne ?... Pas exactement ; Henriette affirme que chaque jour que Dieu fait, elle voit l'abbé s'enfermer, une ou plusieurs heures, avec sa royale pupille sous prétexte de lui faire la lecture. Mais quelle lecture ? « Je crois, dit-elle, qu'il n'en a pas lu un seul volume, dans toute sa vie, à son auguste élève » et tout aussitôt l'accuse « d'avoir par un calcul adroit mais coupable cherché à se faire aimer » de son élève plutôt que de l'instruire. Pourquoi ? Dans quel but ? On sait que la petite dauphine, en arrivant à Versailles, parlait mieux la langue française qu'elle ne l'écrivait. Ce que l'on sait moins c'est que cet état dura plusieurs années, alors que sa vivacité naturelle la portait à apprendre vite. La femme de chambre en déduit que Vermond aurait laissé sciemment son élève dans l'ignorance dans le but de se rendre indispensable. Cela lui permet de revoir toutes les lettres expédiées à Vienne, manière habile pour lui de se mêler de la vie la plus privée, la plus intime de la dauphine puis de la reine de France.

Ce n'est pas une hypothèse mais une certitude pour Henriette depuis qu'elle a entendu le petit abbé de pacotille s'en vanter avec une fatuité insoutenable, dévoilant du même coup « le caractère d'un homme plus flatté d'être initié dans les secrets intimes, que jaloux d'avoir rempli dignement les importantes fonctions d'instituteur ». En appuyant sur ces « importantes fonctions », on devine Campan outrée, rouge de colère ; on sait quelle valeur elle donne à l'éducation. A fortiori celle destinée à former une reine.

Voilà pour son rôle d'enseignant. Quant à celui de confesseur, c'est pire. Vermond confie dans une lettre datant du 21 janvier 1769, soit quelques mois après être arrivé à Vienne : « J'ai fait céder pour le temps que je passerai ici, mes répugnances pour la confession aux vues de Sa Majesté l'impératrice. » Un ecclésiastique qui avoue sa « répugnance » pour la confession, mérite-t-il le titre d'abbé ? La phrase marque l'homme au fer rouge, elle révèle sa capacité à la dissimulation, à la fourberie. Le portrait qu'Henriette en fait est édifiant : « Vilain, bavard, fin et brusque à la fois, et fort laid et affectant l'homme singulier ; traitant les gens les plus élevés comme ses égaux, quelquefois même comme ses inférieurs. » Alors la question se pose : qu'est-ce qui permet à un simple abbé une telle insolence, une telle certitude d'immunité si ce n'est l'infaillible protection d'un personnage très haut placé ?

Ah ! l'abbé de Vermond ! À sa seule évocation Campan la prudente, Campan la mesurée, se transforme en lionne.

Elle ne peut cacher ni sa défiance ni son aversion pour ce personnage trouble, au rôle obscur, dont elle dit que « les historiens parleront peu parce que son pouvoir était de rester dans l'ombre ». Ah oui ? Eh bien parlons-en justement ! Qui était Vermond ? D'où venait-il ? Qui l'avait placé là ? Voilà les questions qui viennent à l'esprit et auxquelles nous tâcherons de répondre.

Mathieu-Jacques de Vermond (1753-1798) remplit, depuis huit ans, les fonctions de bibliothécaire au collège Mazarin, lorsque l'attention commence à se fixer sur lui, c'est-à-dire à l'époque où est arrêté le mariage du dauphin avec l'archiduchesse d'Autriche. L'impératrice formule alors le vœu qu'on lui envoie un ecclésiastique pouvant servir à la fois de confesseur et de professeur de français à sa fille. Mercy-Argenteau, ambassadeur de l'impératrice à la cour de France, traite de l'affaire après entente avec Choiseul – alors ministre des Affaires étrangères – avec l'évêque d'Orléans. Des négociations aussi hâtives qu'hasardeuses aboutissent au choix de l'abbé de Vermond dont on dit pourtant les idées philosophiques contraires aux idées prônées par Marie-Thérèse, et de qui on dit encore qu'il n'a de son état que l'habit ! Il n'a aucune aptitude spéciale à enseigner à une future reine de France ; mais qui s'en préoccupe ? Certes pas Vermond, qui flaire l'aubaine. Sans scrupules, celui-ci accepte la mission et part pour Vienne. Une fois sur place il manœuvre si adroitement qu'après quinze mois de cour assidue auprès de l'impératrice, celle-ci exprime le désir qu'il accompagne sa fille en France et lui reste attaché à titre permanent. Bien joué, Monsieur l'abbé !

Louis XV, qui n'a rien à refuser à sa nouvelle alliée, s'incline. Le 18 avril 1770, il fait délivrer à Vermond un brevet de lecteur de la future dauphine. Cet emploi érigé en titre d'office lui assigne un traitement de six mille livres.

En plaçant auprès de Marie-Antoinette un homme tel que l'abbé, à quoi songeait Marie-Thérèse ? À l'instruction de sa fille ? À son alliance avec la France ? Aux deux sans doute. Se peut-il cependant que la grande impératrice d'Autriche, qui passait pour être fin politique, se soit laissé berner par un Vermond au point de lui faire toute confiance ? Ne serait-ce pas plus raisonnable de penser que c'est Mercy-Argenteau qui, voyant ce qu'il pouvait tirer d'un Vermond, a monté toute la combinaison ? En diplomate avisé on peut imaginer qu'il a persuadé l'impératrice de l'influence nécessaire de l'abbé. Marie-Thérèse, on le sait, craignait de livrer sa fille, une enfant de quinze ans, à une cour aussi corrompue que Versailles. En qualité de lecteur il offre le précieux avantage de suivre Marie-Antoinette pas à pas : « Tant que je serai secondé par cet ecclésiastique, je crois pouvoir répondre qu'il n'arrivera jamais de grands inconvénients », écrit le comte de Mercy qui se félicite de son choix.

À la solde de Vienne, Vermond se montre, dès les premiers jours, un intermédiaire zélé, en même temps qu'un bon informateur sur la cour de France. À la fois espion et mentor, Vermond s'arroge le rôle de confident et de conseiller de Marie-Antoinette. Il représente le dernier lien entre l'impératrice et sa fille. Et cette dernière, qui voue un véritable culte à sa mère, va se montrer sans défiance envers son lecteur. Manipulée par plus fort qu'elle, Marie-Antoinette va passer chaque jour, une ou plusieurs heures, seule avec l'abbé. Et ce tête-à-tête va durer pas moins de dix-neuf années ! Il faut reconnaître que le personnage poussé par l'orgueil, l'amour du pouvoir comme celui de l'argent, remplit son rôle à merveille. Marie-Thérèse paraît fort contente du tandem Mercy-Vermond. Déjà le 6 janvier 1771 elle écrit : « Vous avez plus besoin que jamais, ma fille, des conseils de Mercy et de l'abbé », puis le 4 mai 1773 : « En suivant les conseils de Mercy vous ne ferez que suivre les miens (...), il pense en bon Français comme bon Allemand », le 3 octobre de la même année : « L'abbé, indépendamment de vous être si attaché et utile, est si honorable qu'il mérite toutes mes attentions ». Jusqu'aux derniers mois de sa vie l'impératrice martelle à sa fille : « Je suis charmée que Vermond se trouve avec vous, j'y ai toute ma confiance. » (Vienne 1er de l'an 1780.)

L'abbé, ombre sinueuse mais ombre omniprésente, ne semble intéresser personne à la cour de Versailles, sauf Henriette et son beau-père, qui dénoncent la mauvaise influence de l'abbé sur Marie-Antoinette. « Enivré de la réception que la cour de Vienne lui avait faite, n'ayant rien vu de grand avant cette époque, l'abbé de Vermond n'admirait et n'estimait que les usages de la famille impériale ; il ne cessait de tourner en dérision l'étiquette de la maison de Bourbon ; la jeune dauphine était sans cesse excitée par ses sarcasmes à s'en dégager, et ce fut lui qui, le premier, lui fit supprimer une infinité d'usages dont il ne jugeait ni la sagesse ni le but politiques. Tel est le portrait exact de cet homme. » Et comme pour bien se faire comprendre, elle ajoute : « On trouvera peut-être que je peins sévèrement le caractère de l'abbé de Vermond ; mais comment pourrais-je voir sous des couleurs favorables un homme qui après s'être arrogé le rôle important de confident et de conseiller unique de la reine, la dirige avec si peu de prudence (...). »

Si Henriette ne cache pas son antipathie pour le vilain petit abbé, l'aversion semble bien réciproque. Une femme de chambre ! Que risque-t-il ? Quand les Campan servent leur souverain, lui Vermond n'a de compte à tenir que de la lointaine Marie-Thérèse ! Et comme il se sait indispensable...

Certains suggèrent que l'aversion d'Henriette pour l'abbé ne serait que jalousie, qu'elle aurait rêvé, en plus de son rôle, être nommée lectrice de la reine. En admettant ! Cela ne resterait qu'une querelle de serviteurs. Rien de plus. Mais décidément non ! La thèse ne tient pas. Son aversion pour l'abbé vient de plus loin, de plus profond, de plus viscéral. Et pour preuve le beau-père Campan, homme mesuré et prudent par excellence, va très rapidement lui aussi se heurter à l'orgueil implacable de Vermond.

Ainsi l'abbé, qui se tenait encore à peu près tranquille sous Louis XV, va chercher coûte que coûte à renforcer ses positions dès l'avènement de Louis XVI. Pour ce faire, il est prêt à tout. Il n'y a plus d'amis qui tiennent, il n'y a plus que des ambitions à combler, une place à défendre et à consolider. De par sa charge de bibliothécaire de la reine, Campan côtoie journellement Vermond. Les deux hommes se connaissent, chacun tient son rôle ; et jusqu'à la mort de Louis XV aucune anicroche ne vient ternir leurs rapports. Mais voilà que la dauphine devenue reine voit ses espérances déçues. Elle rêvait de rappeler aux affaires Choiseul, un de ses rares alliés à la Cour. Dans un moment d'abandon, la reine de vingt ans confie ses regrets à Campan.

Vermond a vent de la conversation ; furieux, il va trouver le bibliothécaire :

– Monsieur, lui dit-il, la reine eut hier l'indiscrétion de vous parler d'un ministre (...). La jeune reine m'ayant fait l'aveu de cet entretien, j'ai dû comme instituteur et comme ami, lui faire les représentations les plus sévères sur le tort qu'elle avait eu de vous communiquer les détails qui sont à votre connaissance (...).

Puis il menace :

– Je viens, en ce moment, vous annoncer que si vous continuez à profiter de la bienveillance de votre maîtresse pour vous initier dans les secrets de l'État, vous aurez en moi l'ennemi le plus prononcé. La reine ne doit avoir ici que moi pour confident des choses qui doivent être ignorées.

« M. Campan lui répondit qu'il n'enviait pas le rôle important et dangereux qu'il s'attribuait dans la nouvelle cour, que lui se bornerait aux fonctions de sa charge, assez satisfait des bontés constantes dont la reine l'honorait, pour ne rien désirer de plus. »

Réponse prudente d'un homme rompu aux intrigues et qui redoute encore plus les intrigants. Sa position réfléchie et sage lui vaudra d'accéder aux charges les plus hautes. Ainsi en juillet 1789 il succédera comme secrétaire du cabinet de Marie-Antoinette à Vermond, quand celui-ci, balayé par la Révolution, courra dès les premières secousses se réfugier à Vienne !

Mais revenons à ce début de règne. Si Vermond réussit, à coup d'assommoir, à consolider sa position auprès de Marie-Antoinette, il reste à gagner le bon vouloir de Louis XVI. Et Vermond tremble devant le jeune monarque qui, d'après Henriette, ne lui adresse jamais la parole et se contente de hausser les épaules en guise de réponse.

Fin diplomate, le petit abbé décide de contourner la difficulté en écrivant directement au roi. Il rappelle habituellement la confiance dont Louis XV l'honorait et en manière d'excuse glisse, rusé, qu'il ne peut « jouir de l'honneur de rester auprès de Sa Majesté sans avoir obtenu le consentement du roi ».

Louis XVI se contente de lui renvoyer sa lettre sur laquelle il a écrit : « Je consens à ce que l'abbé de Vermond continue ses fonctions auprès de la reine. » Réponse pour le moins laconique mais qui permet à Vermond de conserver son poste et cette fois en toute quiétude.

Une seule fois le roi va montrer de la reconnaissance à l'abbé : le jour où Marie-Thérèse d'Autriche vint à trépasser. Nous sommes à la fin de l'année 1780. À l'arrivée du courrier de Vienne le roi apprend la mort de l'impératrice. Trop touché par la nouvelle, il charge Vermond de la délicate mission d'annoncer à Marie-Antoinette le décès de sa mère. Il lui demande de le faire avertir du moment où il entrerait dans la chambre de la reine, l'intention de Sa Majesté étant d'y arriver juste un quart d'heure après lui. À l'heure dite le roi arrive, Vermond sort. En passant, Sa Majesté lui dit : « Je vous remercie, Monsieur l'abbé, du service que vous venez de me rendre. »

Et Henriette qui décidément ne peut cacher son antipathie, profite de cette anecdote pour attaquer son ennemi de toujours : « C'est la seule fois, écrit-elle, pendant l'espace de dix-neuf ans, que le roi lui ait adressé la parole. » Les Campan devront attendre 1789 pour être enfin débarrassés de Vermond. Avec le temps il a acquis si mauvaise réputation que la reine lui conseille de partir.

Peu après ce départ qui ressemblerait plutôt à une fuite, Marie-Antoinette confie à Henriette que l'abbé était torturé de jalousie à l'idée que Campan, le beau-père, occupait sa place de secrétaire de cabinet, qu'il avait toujours été l'ennemi déclaré de sa famille « sans avoir pu la desservir dans son esprit ».

XIII

LES AMUSEMENTS DE MARIE-ANTOINETTE

Le chapitre VI des *Mémoires* de Mme Campan commence par cette phrase : « L'hiver qui suivit les couches de la comtesse d'Artois fut très froid ; les souvenirs du plaisir que des parties de traîneaux avaient procuré à la reine dans son enfance, lui donnèrent le désir d'en établir de semblables. » La référence aux couches de la belle-sœur de Marie-Antoinette pour parler des parties de traîneaux – amusements bien innocents et qui, une fois de plus, vont être reprochés à la reine – n'est pas anodine. En effet, si la reine a déjà beaucoup souffert à l'annonce de la grossesse de la comtesse d'Artois, elle va devoir, étiquette oblige, assister à l'accouchement en présence de toute la famille royale. Ce jour-là, elle trouve assez de force, assez de générosité, pour dissimuler son chagrin. L'accouchement est long. Enfin, après des heures d'attente, l'enfant est mis au monde. Un prince ! La comtesse ne cache pas son bonheur :

– Mon Dieu que je suis heureuse ! s'écrie-t-elle, se frappant le front.

L'exclamation toute naturelle touche le cœur de la reine au point le plus sensible : après cinq années de mariage, elle n'a aucun espoir de devenir mère, puisqu'il n'y a pas eu consommation.

À ce moment difficile Campan la fidèle se tient auprès de sa maîtresse. Elle devine sa souffrance et elle remarque que, non seulement Sa Majesté a la force de caractère de ne rien laisser paraître, mais qu'elle donne au contraire « toutes les marques de tendresse à la jeune accouchée » au point qu'elle ne la quitte qu'une fois replacée dans son lit.

Après une journée aussi longue qu'éprouvante, Marie-Antoinette regagne ses appartements. Il lui faut pour cela traverser les escaliers, la salle de garde... Henriette l'escorte au milieu d'une foule immense et fort mélangée. Dès qu'elle reconnaît la reine, des voix de femmes s'élèvent. Les mégères sont là qui l'attendent et la huent sur son passage. Elles se bousculent pour la suivre jusqu'aux portes de ses cabinets « en lui criant, avec les expressions les plus licencieuses, que c'était à elle de donner des héritiers » !

Sous les vociférations, Marie-Antoinette presse le pas. Ses appartements privés enfin atteints, elle éclate en sanglots.

Nous ne sommes qu'en 1775, et déjà les « poissardes » envahissent Versailles, déjà elles accablent la reine. Mais en quoi est-elle fautive ? Quand même le roi « commençait à se plaire dans la société de la reine », il n'avait pas encore « usé des droits d'époux », murmure Henriette. Alors ce mari qui n'est pas un mari et encore moins un amant, n'a qu'une chose à offrir à sa femme : la liberté. La liberté de s'amuser, la liberté de s'étourdir, pour ne plus penser, pour ne plus souffrir. Mme Campan pose la question : hormis le roi, « qui pourrait oser combattre par de froids ou solides raisonnements les amusements d'une reine, vive, jeune et jolie ? » Qui donc si ce n'est la grande Marie-Thérèse !

Si Henriette sait quels liens étroits unissent la mère et la fille, si, dans ces années 1775 à 1780, elle a connaissance d'une correspondance, elle n'est pas assez intime avec la reine pour en connaître la teneur. Vermond garde le secret. Quant à Marie-Antoinette, elle se tait ; les lettres ne sont guère à son avantage. À travers ses lignes sa mère la tance plus qu'elle ne la loue. De sa lointaine Autriche Marie-Thérèse surveille celle qui reste à ses yeux la petite « Antonin ». Et elle la traite plus souvent en petite fille grondée qu'en reine de France !

L'impératrice est une femme d'ordre. Elle envoie deux lettres à chaque début de mois : une destinée à Mercy-Argenteau, l'autre à sa fille. Le courrier arrive à Versailles vers le milieu du mois et repart avec une lettre de Marie-Antoinette et deux lettres de l'ambassadeur : la première est nommée « rapport ostensible », la seconde « rapport secret », dans laquelle tous les faits et gestes de Marie-Antoinette sont consignés, ainsi que les dernières nouvelles de la Cour. Vermond est évidemment l'informateur de Mercy.

Ainsi quand le roi se tait, l'impératrice veille. Le 30 mai 1776, elle s'alarme : « Depuis plus d'un an, il n'y a plus question ni de lecture, ni de musique, et je n'entends que des courses de chevaux, des chasses de même et toujours sans le roi, et avec bien de la jeunesse non choisie, ce qui m'inquiète beaucoup (...) » et elle prévient : « (...) tous ces plaisirs bruyants où le roi ne se trouve pas ne sont pas convenables ».

Quelques semaines plus tard Marie-Thérèse sermonne sa fille sur les outrances qu'elle affiche dans ses coiffures : « (...) je ne peux m'empêcher de vous toucher un point que bien des gazettes me répètent trop souvent : c'est la parure dont vous vous servez ; on la dit depuis la racine des cheveux trente-six pouces de haut, et avec tant de plumes et de rubans qui relèvent tout cela ! Vous savez que j'étais toujours d'opinion de suivre les modes modérément, mais de ne jamais les outrer. Une jeune et jolie reine, pleine d'agréments, n'a pas besoin de toutes ces folies ; au contraire la simplicité de la parure fait mieux paraître, et est plus adaptable au rang de reine. »

Aux exhortations à plus de tempérance, à moins de frivolité, Marie-Antoinette, le cœur meurtri, oppose sa peine : « Ce n'est pas être reine que de n'avoir pas les honneurs d'un dauphin. » Toutes ses souffrances tiennent dans cette phrase : que vaut une reine stérile ? Le peuple ne l'a-t-il pas poursuivie jusqu'à ses appartements pour lui reprocher de ne pas donner d'héritier à la couronne de France !

À part Marie-Thérèse dont les sages conseils sont fort peu écoutés, qui d'autre pourrait prévenir Marie-Antoinette du danger qu'elle encourt ? Certes pas les courtisans qui se battent pour être invités aux fêtes, aux bals, au jeu – « ce goût était excité sans cesse par cette foule de gens empressés (...) ». Certes pas non plus par les princes. « À l'exception du roi le plaisir seul occupait toute la jeune famille », déplore Campan. Une fête mirifique est donnée à Brunoy, le très beau château que le frère du roi a acheté en 1774. Les réjouissances y sont d'une splendeur inouïe. Se succèdent tableaux vivants, tournois, feux d'artifice. Henriette qui a eu la « grâce particulière » d'y être conviée, en garde un souvenir ébloui.

Pour se consoler d'être né le second, Provence dépense des sommes folles. Après avoir aménagé un pavillon près des potagers de Versailles pour Mme de Balbi, sa maîtresse, il s'installe au palais du Luxembourg pour lequel il débourse trois millions de livres rien qu'en réparations. Il n'a de cesse de réclamer de l'argent à son frère et Louis XVI cède régulièrement. Malgré les difficultés du Trésor, le traitement de Monsieur est fixé à 1 164 000 livres en 1782. Mais cela ne suffit pas. L'année suivante il reçoit un don de 5 millions de livres, puis l'année d'après 7 millions de livres. C'est un trou sans fond !

Quant à Artois, le dernier frère qui occupe à Versailles le premier étage de l'aile gauche, il mène grand train. Aux magnifiques soupers auxquels il convie ses amis, se succèdent les bals ou le jeu où chacun mise fort gros. Habillé somptueusement, il fait broder ses habits de perles et de diamants. Ses amis sont, pour les principaux, le comte de Vaudreuil, le baron Besenval, le prince de Hénin, le vicomte d'Adhémar, autant de joyeux lurons qui formeront bientôt, et pour son malheur, la garde rapprochée de la reine. Saisi d'anglomanie, Artois copie ses amis d'outre-Manche et organise des courses de chevaux à Fontainebleau. Des sommes considérables sont mises en jeu.

Malgré les sermons de Marie-Thérèse, la reine suit cette jeunesse dorée et avide de plaisirs, pour laquelle rien n'est trop beau, rien n'est trop grand, rien n'est trop dangereux. Sur un coup de tête, le jeune beau-frère parie cent mille francs à Marie-Antoinette qu'il fera bâtir, en moins de cent jours, un petit château au bois de Boulogne. Pour mener à bien l'opération et dans les meilleurs délais, l'architecte Bélanger recrute huit cents ouvriers. Ainsi naît Bagatelle.

Malgré une liste civile des plus confortables, Artois est toujours à court d'argent. Tandis que son frère Provence amasse dans les œuvres d'art, lui jette l'argent par les fenêtres. Et une fois de plus, malgré ses réprobations, le roi éponge les dettes. Quand Louis XVI se révèle incapable de morigéner ses propres frères, par quel miracle tiendrait-il tête à une jeune et jolie femme ?

Aux débordements des frères du roi, Campan oppose la retenue de Marie-Antoinette dans ses dépenses. Elle remarque qu'à Trianon celle-ci n'entreprend pas de travaux coûteux. Quand elle embellit les jardins, elle n'agrandit pas le bâtiment et garde le mobilier en l'état, au point que la reine couche, dit-elle, dans « un lit très fané », celui-là même qui servait à la comtesse du Barry au temps de Louis XV. Et c'est par allusion aux dépenses effrénées de la famille royale qu'elle écrit : « Le reproche de la prodigalité, généralement fait à la reine, est la plus inconcevable des erreurs populaires qui se soient établies dans le monde sur son caractère. Elle avait entièrement le défaut contraire, et je pourrais prouver qu'elle portait souvent l'économie jusqu'à des détails d'une mesquinerie blâmable, surtout pour une souveraine. » Il est vrai que quand l'exécution des travaux des jardins de Trianon s'élève à deux cent mille livres, on est loin, très loin, des trois millions dépensés par Monsieur pour rénover le Luxembourg !

Alors, pourquoi tant d'injustice ? Avec l'esprit de synthèse et le sens du raccourci, Henriette nous en donne l'explication dans une lettre :

« Le peuple, écrit-elle, est si fortement imbu de l'idée vraie que toute la magnificence des grands est puisée dans ses trésors, qu'il ne murmure jamais contre les choses auxquelles il peut prendre part, et est toujours prêt à s'irriter contre celles auxquelles il n'est point admis. »

Elle illustre son propos par l'anecdote suivante :

« La reine Marie-Antoinette a fait deux fois illuminer son petit jardin de Trianon ; quelques centaines de malheureux fagots furent brûlés dans les fossés pour faire ressortir les différentes nuances de verdure des arbres étrangers ; mais la Cour était seule admise à ces fêtes, et il semblait, à entendre les étranges propos qui furent tenus, qu'elle avait brûlé toutes les forêts nationales et épuisé les fonds publics.

Pourquoi ? Parce que le peuple n'était ni ne pouvait être admis à ces amusements. »

Dans le souci constant de dire la vérité, elle éclaire le caractère de Marie-Antoinette d'une lumière surprenante.

« Cette princesse était plutôt essentiellement avare, et sera désignée dans l'histoire comme prodigue, parce qu'elle n'était pas généreuse. Jamais de la vie elle n'a tiré sur le trésor royal une seule ordonnance ; son tort était de ne pas savoir donner à propos. » Voici un exemple frappant.

« Le roi lui donna 300 000 livres à ses couches du premier dauphin, et 150 000 livres à celles de ses autres enfants. Cet argent était destiné à faire des présents à sa maison. La reine employa une vingtaine de mille livres en présents, seulement pour Vermond, son accoucheur, et pour sa garde ; elle envoya aux paroisses et aux hospices 50 000 livres et garda le reste. Toute sa chambre fut mécontente. Elle aurait dû faire un présent distingué à sa dame d'honneur et à son palais, qui s'était empressé de lui rendre ses devoirs pendant ses couches ; elle aurait dû de même faire un présent à chacune de ses femmes, à ses chirurgiens, etc. »

« Les dons des princes, commente-t-elle, ont un autre mérite que la valeur intrinsèque, ils sont la preuve d'une distinction honorable ; on s'en vante comme d'une faveur, et je connais beaucoup de gens, devenus infortunés, qui ont supporté toutes les privations imaginables plutôt que de se défaire d'un présent de la famille royale.

« Un savant de la cour de Berlin fit hommage à la reine d'un ouvrage sur l'histoire naturelle ; elle accepta, et n'envoya rien à l'auteur. La cour de Berlin la blâma si ouvertement, que M. le comte Dumoutier, notre ambassadeur, en écrivit à M. de Montmorin : en vain. M. de Reineval me renvoya la lettre en me priant de suivre une chose aussi importante. J'en parlai plus de vingt fois. Jamais on ne dit : "Je ne veux pas." Mais ma persévérance fut inutile ; la reine n'envoya point de présent, car en prenant l'habitude de ne pas donner, on finit par ne pas en concevoir la nécessité. »

Ces côtés « pingres » confèrent une mauvaise réputation à la souveraine. Ainsi on lui fait un crime de se retirer à Trianon, quand les vieilles tantes jouissent tranquillement du château de Bellevue, Artois de Bagatelle, Élisabeth de sa maison acquise par le roi dans l'avenue de Paris ! Quant à la comtesse de Provence, en plus de Luxembourg et du château de Brunoy, elle achète une maison à Montreuil, et personne n'y trouve à redire !

Campan souligne que « Versailles devint, pour tous les membres de la famille royale, le séjour le moins agréable ». On prise les jardins anglais, la vie simple. Et Marie-Antoinette ne fait que suivre la mode en créant le fameux Hameau dont naîtra tant de légendes absurdes. Tellement absurdes qu'à la Révolution, quand la populace y pénétrera, elle sera fort déçue.

Cependant elle doit admettre que si la reine ne dépense guère pour Trianon, elle dépense follement pour ses toilettes ! Dès son lever elle choisit les robes qu'elle désire porter dans la journée ; choix difficile, car pour chaque saison douze nouvelles toilettes de gala, plus douze robes de fantaisie, plus douze robes de cérémonie sont commandées, sans compter les cent autres robes achetées chaque année.

Ah ! Rose Bertin, petite marchande de mode à l'ascension fulgurante, qui n'aura cesse de lancer Marie-Antoinette dans de folles dépenses ! Et Campan de reconnaître cette fois que « l'admission d'une marchande de mode chez la reine fut suivie de résultats fâcheux pour Sa Majesté ». À la Cour comme à la ville, toutes les femmes veulent l'imiter, on désire la même parure, les mêmes plumes, les mêmes guirlandes. Les dépenses des ménages s'en ressentent, les dettes s'accumulent ; dès lors on murmure « que la reine ruinerait toutes les dames françaises ». Peu dépensière dans beaucoup de domaines, elle gagnera la mauvaise réputation de « prodigalité » pour des futilités qui bientôt ne l'intéresseront plus.

En attendant, la reine, entraînée par le comte d'Artois, s'étourdit de bals et certains soirs joue de grosses sommes. Si toutes ces folies la distraient, elles ne sauraient remplir un cœur tendre qui ne demande, faute d'être pris, qu'à s'émouvoir et à donner. Elle va trouver à combler ce vide en la personne de la princesse de Lamballe.

« C'est à l'époque des parties de traîneaux que la reine se lia intimement avec la princesse de Lamballe, qui parut enveloppée de fourrure avec l'éclat et la fraîcheur de ses vingt ans ; on pouvait dire que c'était le printemps sous la martre et l'hermine. » Belle image que nous livre Henriette et qui va aussitôt séduire Marie-Antoinette. La position de la jeune femme la rend des plus intéressantes ; la voilà à dix-huit ans veuve et sans enfant. Belle-fille du duc de Penthièvre, elle vit retirée. Marie-Antoinette, prise de compassion, décide de la fixer à Versailles et dans ce but rétablit en sa faveur la charge de surintendante. Cette première amitié se verra chassée par une autre. Dès que la comtesse de Polignac paraît, elle exerce sur tous ceux qui l'approchent un véritable engouement. On peut aisément comprendre que Marie-Antoinette se laisse prendre. Mais Henriette ? toujours si prudente, toujours si maîtresse d'elle-même ! On peut imaginer que sa jeunesse succombe au charme aussi irrésistible qu'indéfinissable de la comtesse. On est surpris, en revanche, de voir que, malgré les années, la faiblesse d'Henriette subsiste en Campan.

Voici comment elle décrit cette créature de rêve. Pour le caractère : « Elle n'avait que de l'esprit naturel, point de prétention, point de savoir affecté. » Pour le physique : « Sa taille était moyenne, son teint d'une grande fraîcheur, ses yeux et ses cheveux très bruns, ses dents superbes, son sourire enchanteur, toute sa personne était d'une grâce parfaite. » Pour ses goûts : « Elle n'aimait pas la parure, on la voyait presque toujours dans un négligé, recherchée seulement pour la fraîcheur et le bon goût de ses vêtements, rien n'avait l'air d'être placé sur elle avec apprêt, ni même avec soin. Je ne crois pas lui avoir vu une seule fois des diamants, même à l'époque de sa plus grande fortune (...). » Pas un défaut ne vient altérer ce beau portrait, pas une once de mauvais goût ! Campan « la raisonneuse » semble conquise par Yolande, une femme fine, racée et rare, dont le seul défaut est de s'être mal entourée. Indéniablement Yolande de Polignac a quelque chose de plus, indéfinissable mais puissant, qui lui attire les bonnes grâces des autres. Son comportement, sa manière d'être, fascinent par leur sincérité. La jeune femme au caractère dolent sait gagner les cœurs par une simplicité non feinte, une authenticité remarquable. Cette qualité ne peut qu'impressionner dans une cour où chaque geste, chaque parole sont calculés.

« J'eus l'occasion de la voir dès le commencement de sa faveur, écrit Henriette ; elle passa plusieurs fois des heures entières avec moi, en attendant la reine. Elle m'entretint avec franchise et ingénuité de tout ce qu'elle entrevoyait d'honorable et de dangereux à la fois dans les bontés dont elle était l'objet. La reine recherchait les douceurs de l'amitié ; mais ce sentiment, déjà si rare, peut-il exister dans toute sa pureté entre une reine et une sujette, environnée d'ailleurs de pièges tendus par l'artifice des courtisans ? Cette erreur bien pardonnable fut fatale au bonheur de Marie-Antoinette, parce que le bonheur ne se trouve pas dans les chimères. »

Campan a raison : Marie-Antoinette, jeune femme malheureuse, s'est longtemps bercée de chimères. Chimère que de vouloir posséder sa propre société ! Chimère que de chercher les douceurs de l'amitié ! Chimère que de s'étourdir pour fuir sa vie !

Quand Marie-Antoinette pense combler un vide, elle ne fait que le creuser. Une reine ne peut jouer qu'un seul rôle : le sien. Elle se doit d'être reine en tous lieux, en toutes circonstances et de montrer de la distance envers tous.

XIV

MARIE-ANTOINETTE MÈRE DE FAMILLE

Les années passent et Marie-Antoinette cache, tant bien que mal, sa frustration d'enfant.

Pour combler ce vide, Henriette remarque qu'elle fait en sorte de s'entourer d'enfants appartenant aux gens de sa maison et qu'elle se montre toujours très tendre avec eux. Son désir le plus vif : élever un enfant comme si c'était le sien. Le hasard va lui en donner l'occasion.

Un jour que la reine se promène près de Louveciennes en calèche, « un petit villageois de quatre à cinq ans, d'une figure agréable, brillante de santé et dont les grands yeux bleus et la belle chevelure blonde » sont admirables, se jette sous les sabots des chevaux... Le postillon se précipite pour relever l'étourdi, aucune blessure n'est constatée. Alors que sa grand-mère sort de la chaumière, affolée, pour prendre le garnement, la reine debout dans la calèche, les bras tendus, s'écrie que le sort lui a envoyé cet enfant, qu'il est à elle...

– A-t-il sa mère ? s'enquiert-elle.

– Non Madame, ma fille est morte l'hiver dernier, en me laissant cinq petits-enfants sur les bras.

– Je prends celui-ci et je me charge de tous les autres ; y consentez-vous ?

– Ah ! Madame, ils sont trop heureux répond la paysanne, mais Jacques est bien mauvais, voudrait-il rester avec vous ?

Pour toute réponse elle prend le petit Jacques sur ses genoux. Puis elle donne l'ordre de continuer la promenade. Mais l'enfant lance des cris si perçants et envoie tant de coups de pied qu'il faut abréger la randonnée.

L'arrivée de Sa Majesté dans ses appartements à Versailles tenant « ce petit rustre par la main » fait sensation. Il hurle qu'il veut sa grand-mère, son frère Louis, sa sœur Marianne ! On nomme la femme « d'un garçon de toilette » pour lui servir de bonne. Et... deux jours plus tard on présente un ange à la reine ; « L'habit blanc, les dentelles, l'écharpe rose à frange d'argent, le chapeau décoré de plumes, avaient remplacé le bonnet de laine, le petit jupon rouge et les sabots »... Mais la question se pose : l'enfant est-il plus heureux pour cela ?

Marie-Antoinette qui s'est personnellement investie dans cette affaire, veille sur son éducation, elle l'appelle « mon enfant » et lui montre la plus grande tendresse. Ainsi, chaque jour, Jacques a le privilège de déjeuner et de dîner avec la reine et parfois avec le roi. Marie-Antoinette tient parole ; toute la famille du garçon bénéficie de ses largesses. Elle restera fidèle à sa parole, même au-delà de la mort ; dans le contrat de mariage de Marie-Madeleine, on note trois mille livres provenant des bénéfices donnés par la défunte Mme Capet. Pourtant le dénommé Jacques, sauvé de la pauvreté, ne nourrit aucune reconnaissance envers la souveraine. Au contraire, « la peur d'être traité comme un être favorisé », écrit Henriette consternée, va faire de lui le plus sanguinaire des terroristes de Versailles. Il suivra, en cela, les traces de Zamore, le petit Noir que

Mme du Barry adopta et qui la trahit jusqu'à devenir son principal accusateur.

Bientôt la comtesse d'Artois met au monde un deuxième garçon qui prend le titre de duc de Berry. Encore un héritier à la couronne de France. Et pour la reine, toujours « Rien », comme l'écrit Louis dans ses carnets... de chasse !

Henriette ne cache pas son admiration pour la force de caractère que révèle Marie-Antoinette devant ce drame intime qu'elle vit depuis sept longues années.

Quand les historiens tombent d'accord pour reconnaître que Marie-Antoinette montre du courage dans l'infortune, ils parlent de la reine face à la Révolution et passent sous silence les souffrances de la femme, ni amante, ni mère.

« Le roi n'a pas le goût de coucher à deux », avoue-t-elle dans une lettre à sa mère. Et Henriette qui n'a pas encore eu la chance de connaître les joies de la maternité, admire l'héroïsme avec lequel Sa Majesté cache son chagrin : « Rien ne lui faisait rompre le silence, écrit-elle, et quelques larmes qui s'échappaient involontairement de ses yeux étaient les seules traces que son service ait pu voir de ses pensées secrètes. »

Un événement de taille va illuminer la vie de la reine : son frère, l'empereur Joseph II, annonce sa venue à Versailles sous le nom d'emprunt de Falkenstein. Joseph est le grand frère dont la petite « Antonin » garde un souvenir ébloui : « Elle vantait, écrit Henriette, son esprit, son amour du travail, ses connaissances militaires, son extrême simplicité. »

Pourtant très vite Marie-Antoinette déchante ; son frère affiche « des manières bizarres, une franchise qui dégénérait souvent en rudesse, une simplicité dont on remarquait visiblement l'affectation ». Toutes ces extravagances le font rapidement passer pour un prince plus singulier qu'admirable. Dès son arrivée à Versailles, il dédaigne les appartements préparés pour lui au château, ce qui d'emblée froisse la susceptibilité de sa sœur.

Bavard, imbu de sa personne, il se permet de critiquer en présence de la famille royale les usages de la Cour et l'étiquette qui la régit. Pour toute réponse, Louis XVI se tait et se contente de sourire, alors que la reine souffre d'une franchise qu'elle juge déplacée. Joseph reproche à sa sœur ses toilettes, ainsi que le rouge qu'elle met sur ses joues. Il réprouve cette mode, et un jour il va jusqu'à se moquer ouvertement de la reine de France :

– Encore un peu sous les yeux, mettez du rouge en furie comme Madame ! dit-il en montrant une dame qui se trouve dans la chambre.

Arrivé à Versailles, Joseph se croit tout permis. Alors qu'Henriette est en compagnie de son beau-père dans un des cabinets intérieurs de Sa Majesté, l'empereur entre. Sachant que Campan remplit les fonctions de bibliothécaire, il veut s'entretenir des volumes qui devraient composer la bibliothèque de la reine. Connaissant le peu de goût de sa sœur pour les livres, il ironise :

– Il n'y a sûrement pas ici d'ouvrages sur les finances, ni sur l'administration !

Et, tenant Campan par le bouton de son habit, il parle avec véhémence et sans ménagement sur le gouvernement français. La scène dure plus d'une heure. Henriette et son beau-père sont aussi étonnés que gênés : un empereur qui se laisse aller à de tels propos ! Prudents, ils décident de ne rien révéler de ce discours qu'ils jugent aussi maladroit que déplacé.

Mais cet homme arrogant ne sera pas venu pour rien à Versailles. Il va rendre un fier service au couple royal. Grâce à son franc parler et à la façon qu'il a de se croire au-dessus de tous, un beau matin il va trouver le roi et, sans détour, aborde le sujet délicat de l'alcôve. Ainsi parvient-il à convaincre Louis XVI de pratiquer l'intervention chirurgicale qui lui permettra de procréer. Il réussit là où le bon Lassone, premier médecin du roi, a si longtemps échoué. L'opération du phimosis, somme toute banale, est un succès.

Depuis des années les courtisans et toute la Cour « s'entretenaient tout bas des obstacles » qui s'opposaient aux espoirs de donner un héritier à la couronne. Chacun y allait de son couplet, on murmurait, on supposait... Enfin c'est le miracle, se rappelle Henriette : « Vers les derniers mois de 1777, la reine étant seule dans ses cabinets, nous fit appeler mon beau-père et moi et, nous présentant sa main à baiser nous dit, nous regardant l'un et l'autre comme des gens occupés de son bonheur, qu'elle voulait recevoir nos compliments ! Qu'enfin elle était Reine de France. » Ce cri de bonheur de Marie-Antoinette, cette confidence incroyable qu'elle fait, non pas à Lamballe ou à Polignac, ses meilleures amies, mais à sa femme de chambre et à son bibliothécaire, montrent ici la confiance qu'elle leur porte. Elle a déjà maintes fois éprouvé la capacité de se taire des Campan, et sa joie est telle qu'elle doit la communiquer sur-le-champ.

Après avoir longtemps caché ses larmes, Marie-Antoinette exulte et dès le 30 août 1777, elle écrit à sa mère : « Je suis dans le bonheur le plus essentiel pour toute ma vie. Il y a déjà plus de huit jours que mon mariage est parfaitement consommé. » Elle va jusqu'à donner des détails : « L'épreuve a été réitérée hier encore plus complètement que la première fois. »

Comme d'habitude Henriette et son beau-père sauront se taire, puisque, dit-elle, « le bruit de cette union tant retardée ne se répandit pas dans le public ». Et elle calcule que c'est tout juste une année après la confidence que naît Madame Royale.

Le 11 décembre 1778 la reine sent les premières douleurs. Des *Te Deum* sont aussitôt donnés dans toutes les cathédrales. Enfin le 19 décembre, peu avant midi, Madame, fille du roi, vient au monde. L'étiquette veut que l'accouchement soit public. Un flot de curieux se précipite quand le médecin crie : « La reine accouche ! »

Alors, se souvient Campan, « il ne fut plus possible de remuer dans la chambre qui se trouva remplie d'une foule si mélangée qu'on pouvait se croire sur une place publique ». Dans cette incroyable bousculade elle remarque que deux Savoyards se sont juchés sur des meubles pour mieux voir la reine. Et, l'extraordinaire c'est que personne n'y trouve à redire !

Marie-Antoinette qui a attendu sept années avant d'être femme, subit sept longues heures de supplice public avant d'enfanter. Quand on lui présente la jeune princesse, elle presse l'enfant sur son cœur et murmure ces paroles désormais célèbres et que Campan a retenues pour la postérité : « Pauvre petite, lui dit-elle, vous n'étiez pas désirée mais vous ne m'en serez pas moins chère. Un fils eût plus particulièrement appartenu à l'État. Vous serez à moi, vous aurez tous mes soins, vous partagerez mon bonheur et vous adoucirez mes peines. »

Et la reine tient parole. Bouleversant toutes les habitudes de la Cour, elle élève sa fille elle-même. Dans une lettre datée du 25 novembre 1778, soit quelques semaines avant les couches de sa fille, Marie-Thérèse s'étonnait : « On dit que vous voulez nourrir vous-même votre enfant, cela dépend du roi et du médecin ; j'avoue qu'à leur place je ne vous l'accorderais pas. C'est très bien de vous offrir. » Marie-Antoinette ne s'offre pas, elle veut ! Elle veut pour ses enfants ce qu'il y a de mieux et dans ce domaine jamais personne ne lui dictera sa conduite. Elle n'écoutera que son instinct de mère. Elle a souffert du manque de tendresse d'une impératrice plus occupée des affaires de l'État que de sa nombreuse famille – elle a mis au monde pas moins de seize enfants ! Après la mort de Marie-Thérèse, Marie-Antoinette aimera évoquer son enfance. Henriette l'entendra souvent regretter que sa mère n'ait pas eu le temps de veiller à son éducation. Avec simplicité, elle avoue bien volontiers qu'elle aurait valu beaucoup mieux « si elle avait eu le bonheur de recevoir directement des leçons d'une souveraine aussi sage et aussi digne d'admiration ».

Peu de temps après ses relevailles, la reine va être témoin d'une bien curieuse histoire.

Un beau matin le beau-père d'Henriette reçoit une lettre du curé de la Madeleine à Paris, qui a pour objet de lui demander un rendez-vous secret. Campan rencontre le curé qui le prie de remettre à la reine une boîte contenant son anneau nuptial. Un mot d'explication l'accompagne : « J'ai reçu sous le secret de la confession l'anneau que je remets à Votre Majesté avec l'aveu qu'il lui a été dérobé en 1771 dans l'intention de servir à des maléfices pour l'empêcher d'avoir des enfants. »

De retour à Versailles, Campan remet aussitôt l'anneau à la reine qui, très troublée, reconnaît celui qu'elle avait perdu en se lavant les mains sept ans plus tôt.

L'anecdote montre combien Marie-Antoinette, dès son

arrivée à Versailles, était environnée d'espions, même dans son intérieur le plus particulier. Mais le plus troublant dans cette affaire reste la position de la reine. La prudence n'est pas son fort, pourtant elle choisit de ne pas chercher à connaître l'auteur du « crime ». Comme si elle craignait de découvrir une vérité. Car la question se pose : qui avait intérêt à ce que le couple royal reste stérile ? Le parti autrichien, aurait pu avancer Mme Campan, façon habile de se décharger sur un parti, plutôt que sur des personnes. Mais elle se tait. Elle se contente de livrer l'anecdote et de ne l'accompagner d'aucun commentaire. Pourquoi ? Parce qu'elle sait que Marie-Antoinette n'avait pas de pire ennemi que son beau-frère.

Quand Henriette Campan rédige ses *Mémoires*, les frères du roi sont en vie. Dans l'ombre de sa retraite, l'aîné, le comte de Provence, attend son heure. Et chacun sait que le futur Louis XVIII, homme sournois et ténébreux, nourrit depuis l'enfance une ambition : devenir Régent et successeur légitime de son frère. Après sept années d'espoir, ses ambitions se sont trouvées sérieusement ébranlées à la naissance du premier enfant du couple. En effet, la venue au monde de la princesse a bousculé cruellement ses plans. De sa plume il en a fait l'aveu au roi de Suède : « J'y ai été sensible, je ne m'en cache pas... Je me suis rendu maître de moi à l'extérieur fort vite et j'ai toujours tenu la même conduite qu'avant, sans témoigner de joie, qui aurait pu passer pour fausseté... et qui l'aurait été... L'intérieur a été plus difficile à vaincre, il se soulève encore quelquefois... mais... je le tiens du moins en respect, si je ne puis le soumettre entièrement. »

La mémorialiste est forcément au courant des terribles suspicions qui pèsent sur le comte de Provence, mais à l'heure où elle rédige ses mémoires, il est l'héritier du trône de France et la prudence élémentaire lui dicte de se taire. Ce qu'elle fait. Toutefois, sa droiture ne l'empêche pas de nous livrer l'anecdote. À nous d'en tirer les conclusions.

Avec les mois qui passent Marie-Thérèse, qui se sent vieillir, tempête : « Il nous faut absolument un dauphin ! » Elle n'aura pas la joie de connaître son petit-fils. Car le 29 novembvre 1780, l'impératrice d'Autriche meurt d'une pneumonie.

Le funeste sortilège est définitivement rompu, quand le 22 octobre 1781, soit un après la mort de sa mère, Marie-Antoinette met au monde un fils. Henriette est auprès de la reine. Toujours présente, toujours indispensable, elle nous rapporte fidèlement la scène : au moment de la venue au monde de ce deuxième enfant attendu de tous les Français, il règne un si grand silence dans la chambre que l'accouchée croit avoir mis au monde une deuxième fille. Chacun retient son souffle... L'émotion est à son comble jusqu'à l'instant où le roi, les yeux remplis de larmes, s'approche de son épouse et lui annonce :

– Madame, vous avez comblé mes vœux et ceux de la France ; vous êtes mère d'un dauphin.

Marie-Antoinette mettra au monde deux autres enfants. En 1785 elle donne le jour à un deuxième fils, futur Louis XVII (l'enfant du Temple) et en 1786 naît la petite Sophie-Béatrice qui décèdera onze mois plus tard.

Les maternités successives transforment la reine. Elle quitte, peu à peu, la vie frivole, pour se consacrer entièrement à ses enfants. La mère, dont la tendresse trouve enfin à s'exprimer, va se révéler admirable dans son nouveau rôle.

Troisième partie

LA PREMIÈRE FEMME DE LA REINE

« Comment peut-on croire qu'en remplissant les doubles, je puis dire les triples fonctions de lectrice, de première femme et de trésorière de la reine, ne la quittant presque jamais, passant presque toutes les matinées près d'elle, veillant le soir auprès de son lit, et l'ordre de chose nous assignant, comme chambre de la reine, une place aux représentations, aux cérémonies qui se passaient toujours dans la chambre, je n'aie pas vu et bien vu. Je ne sortais pas avec la reine, mon rang ne m'en donnait pas le droit ; mais passant sa vie dans ses cabinets sans son service d'honneur, (...) elle me racontait presque tout ce qu'elle apprenait dans le monde. Elle aimait à parler et était très communicative. »

XV

LES DIFFÉRENTS RÔLES D'HENRIETTE AUPRÈS DE LA REINE

Jusque-là, la charge de femme de chambre commandait à Henriette de se tenir dans l'ombre. Elle se contentait de servir la reine selon un cérémonial minutieux, de l'accompagner dans ses promenades, de se montrer attentive à ses désirs, de savoir les deviner, au besoin de les devancer. Prompte à exécuter les ordres, à rendre service, elle savait aussi écouter, parfois conseiller. Cependant toujours discrète et effacée, elle ne sortait jamais de sa réserve.

Si, dès les premiers jours, son intelligence, son sérieux, son tact ont su séduire Marie-Antoinette, avec les années ces mêmes qualités vont conquérir le roi. Sa loyauté est à toute épreuve. Son éducation lui a donné une haute idée de la monarchie et le sens de l'honneur qui ne la quitteront pas.

Dès que la situation du pays devient préoccupante, Marie-Antoinette éprouve le besoin de s'entourer de fidèles. Et elle sait que les membres de la famille Genet-Campan sont plus que des serviteurs, qu'ils sont des alliés. Quant à la Cour, il est de bon ton d'afficher son mécontentement ou de fronder ; Henriette veille sur la reine, dévouée, efficace.

Plus la politique devient embrouillée, plus la France s'enfonce dans le mécontentement, plus la reine est vilipendée, plus le rôle de la femme de chambre devient prépondérant. Ses responsabilités se diversifient et augmentent. Nommée au poste suprême de Première femme, elle partagera l'intimité de Marie-Antoinette ainsi que tous ses secrets. En toutes circonstances Henriette doit subodorer la conduite à tenir, déchiffrer les non-dits.

De plus en plus souvent la reine se retire à Trianon avec le souhait d'y vivre loin de toute étiquette. Quand Madame Élisabeth l'accompagne, les dames d'honneur et les dames du palais n'y résident pas. Sur cette maison, au goût discret et raffiné, elle est seule à gouverner. Les domestiques ne portent pas la livrée royale mais la sienne qui est rouge et argent. Le mot d'ordre est : « De par la reine. » Les invités sont triés sur le volet et la liste fait beaucoup de mécontents.

Marie-Antoinette séjourne parfois un mois de suite au Trianon, on y joue au tric-trac, au billard, certaines dames s'adonnent à la tapisserie. Jusqu'au jour où il lui prend l'envie de jouer à la comédie. Cela devient une affaire de famille. Louis XVI assiste à toutes les représentations. Tandis que le comte d'Artois joue, Monsieur et les princesses regardent et applaudissent. Mais pas de théâtre sans public ! Aux premières loges sont admises les lectrices, les femmes de la reine ainsi que leurs sœurs, leurs filles : « Cela composait une quarantaine de personnes », écrit Henriette. En clair cela veut dire que toute la gent féminine Genet-Campan est présente, alors que la Cour n'est pas admise... Que de jalousie en perspective !

M. Campan tient à lui seul un rôle important dans ces représentations. Est-ce en souvenir d'un petit théâtre de fortune monté par les Campan, et grâce auquel la dauphine avait pu exercer ses premiers talents de comédienne ? Marie-Antoinette confie au beau-père d'Henriette les fonctions d'ordonnateur, de répétiteur et de souffleur... C'est trop, beaucoup trop pour un seul homme, pensent les courtisans jaloux. Ainsi le duc de Fronsac prend ombrage ; premier gentilhomme de la chambre, c'est à lui que devrait revenir l'emploi... Un duc supplanté par un Campan ! Il écrit lettre sur lettre à la reine en se plaignant de ne pas avoir ses entrées à Trianon. Elle répond : « J'y vis en particulier et M. Campan y sera toujours chargé des ordres relatifs aux fêtes intérieures que je veux y donner. » De ce jour-là le « petit » duc de Fronsac, pour se venger, ne manque pas de l'appeler avec ironie : « Mon collègue Campan ! ».

Quand la reine nourrit le projet de nommer la duchesse de Polignac gouvernante des enfants de France, elle sait que le poste, de toute confiance, donné à sa plus chère amie va soulever un tollé général parmi les courtisans. Henriette, qui connaît la détermination de Marie-Antoinette quand il s'agit de ses enfants, confie : « Je ne doutais nullement qu'elle (la reine) finît pas compter pour rien les obstacles qu'elle y entrevoyait ; je ne me trompais point : peu de jours après la duchesse fut pourvue de la charge de gouvernante. » Si Marie-Antoinette a déjà pris sa décision, pourquoi met-elle sa femme de chambre dans la confidence ? Tout simplement parce qu'elle espère que celle-ci saura expliquer les raisons qui l'ont poussée à ce choix. Henriette n'est pas dupe du rôle que la reine veut lui faire jouer pour la circonstance. Finement elle dit : « Elle savait que je recevais beaucoup de monde. » Elle a en effet le rare privilège d'être, à tout instant, au contact de la reine. Aussi les plus grands seigneurs viennent-ils la voir ; on la sollicite, on la prie, on espère qu'elle sera l'intermédiaire, le porte-parole... Certains viennent se renseigner... Devant tout ce beau monde, il lui faut garder la tête froide et trier le grain de l'ivraie. Mais elle est une tombe, sauf quand on lui commande habilement de faire passer le message ! Et dans ce cas bien sûr, elle s'exécute.

Quand Henriette ne sert pas d'intermédiaire, elle sert de garde du corps. Un certain Castelnaux, conseiller au parlement de Bordeaux, s'est déclaré fou amoureux de la reine. Elle le décrit : « Pâle, hâve comme les gens dont l'esprit est égaré », elle ajoute que « son aspect sinistre inspirait un sentiment pénible ». En un mot si le personnage ne semble pas méchant, il est inquiétant. Castelnaux, ce vieux fou, qui jamais ne parle à personne, se débrouille pour être partout : au théâtre, à la chapelle, au dîner du roi, au grand couvert. Il fait toujours en sorte de se placer bien en vue. À Trianon il passe la journée entière à faire le tour du jardin, si bien que la reine en se promenant ne peut faire autrement que de le rencontrer.

La présence quasi continue de ce déséquilibré devient si pesante que Marie-Antoinette finit par charger Henriette de l'en débarrasser, sans toutefois qu'aucune violence ne lui soit faite. Pour mener à bien l'entreprise, elle fait appel au grand avocat de Sèze qui, une fois au courant, prend rendez-vous avec l'insensé. Il le rencontre longuement et semble l'avoir persuadé, car après réflexion l'amoureux transi annonce qu'il se retire dans sa province. Le temps que la femme de chambre coure transmettre la bonne nouvelle à Sa Majesté... Castelnaux se rétracte. Il avoue qu'il lui est décidément impossible de vivre loin de la reine !

– Eh bien, qu'il m'ennuie ! Mais qu'on ne lui ravisse pas

le bonheur d'être libre, s'exclame Marie-Antoinette contrariée mais charitable.

L'amour que Castelnaux porte à la reine va atteindre son comble quand il apprendra l'arrestation de Varennes. Fou de douleur, il tentera de se suicider. Au moins Castelnaux était-il fidèle...

Enfin, deux événements de taille vont venir secouer le sceptre et entrebâiller les portes de la Révolution, deux événements qui « vinrent jeter dans toutes les classes de la société, l'esprit de sarcasme et de dédain, non seulement sur les rangs les plus élevés, mais sur les têtes augustes ; je veux parler d'une comédie et d'une grande escroquerie ». Ces deux événements vont être les deux premières marches qui conduiront la reine à l'échafaud. Henriette y aura son rôle à jouer. Elle va servir, comme chaque fois, avec tout le dévouement dont elle est capable.

Beaumarchais vient d'écrire « son monstreux et plaisant » *Mariage de Figaro*. Œuvre où les mœurs et les usages des grands sont livrés à la dérision populaire. La pièce de théâtre, jugée trop sulfureuse, est aussitôt censurée. Mais « critiquer et rire » étant devenu la disposition de l'esprit français, les courtisans veulent en entendre lecture. Le baron de Breteuil et tous ceux qui forment la société corrompue de Mme de Polignac se présentent comme les ardents défenseurs de la pièce. Dans les corridors de Versailles il n'est bientôt plus question que de Beaumarchais. Les sollicitations deviennent si pressantes que le roi décide de juger lui-même.

Cette lecture doit rester secrète. Louis XVI veut choisir une personne sûre, en qui il ait toute confiance. Vermond, comme lecteur attitré de Marie-Antoinette, est d'emblée écarté par le roi qui se méfie du personnage. Le choix se porte sur Henriette, ancienne lectrice de Mesdames.

Et c'est ainsi qu'un beau matin, elle reçoit un billet de la reine qui la convoque à trois heures. Il lui indique seulement « de ne point venir sans avoir dîné », l'entrevue risquant de durer fort tard. Intriguée, la femme de chambre se présente à l'heure dite dans le cabinet intérieur de Sa Majesté. Marie-Antoinette est seule avec le roi. Leur font face un siège et une table plutôt petite sur laquelle est posé un « énorme » manuscrit et plusieurs cahiers.

Le roi explique que c'est la comédie de M. de Beaumarchais.

– Je l'ai déjà parcourue mais je veux que la reine connaisse cet ouvrage, dit-il.

D'une voix juste et modulée, Henriette lit, mais souvent le roi l'interrompt pour se récrier :

– C'est de mauvais goût !

– On ne la jouera donc point ? s'enquiert la reine.

– Non, certainement, vous pouvez en être sûre, affirme le roi.

Mais déjà le roi n'est plus écouté de personne, une partie de la société parie que la pièce sera jouée, l'autre non. Henriette prête l'oreille et se tait. Se rappelant la réaction du roi, elle est bien persuadée que la pièce ne verra jamais le jour. Elle est malheureusement la seule à le croire. Malgré l'avis de Louis XVI, malgré la censure, M. de Vaudreuil annonce une représentation qui doit être donnée chez lui à la campagne. Campan, le beau-père, y est invité. On dit le texte édulcoré. Beaumarchais jure avoir supprimé tous les passages qui pourraient « blesser le gouvernement ». Mais il n'en est rien. Campan est le seul à en faire la remarque. Caricaturant Bazile dans le *Barbier de Séville*, il lance à la cantonade :

– Ma foi, Messieurs, je ne sais pas qui l'on trompe ici, tout le monde est dans le secret !

« Tout le monde », cela fait trop pour Louis XVI qui capitule. Beaumarchais triomphe. La représentation du *Mariage de Figaro* est fixée au 27 avril 1784. Le rideau s'ouvre : il est rouge, lourd, il est ensanglanté, mais qui s'en préoccupe ? Certes pas les courtisans ; des tonnerres d'applaudissements accueillent la pièce au texte sulfureux. N'est-il pas de bon ton de se moquer de soi, des autres et... du gouvernement ?

Peu de temps après, « une intrigue sourde, combinée par des escrocs et qui se préparait dans l'ombre d'une société corrompue, devait essentiellement attaquer le caractère de la reine et porter l'atteinte la plus directe à la majesté du trône et au respect qui lui est dû », écrit ainsi Mme Campan plusieurs années après la Révolution. Mais quelle est la part de réflexion d'Henriette dans cette phrase ?

Quand éclate l'affaire du collier, elle a trente-deux ans. Elle compte déjà dix-sept années de vie de Cour. Elle est rompue aux intrigues, elle sait parer les coups bas, rester sourde aux insinuations. Depuis l'affaire de Beaumarchais elle a pu constater la pusillanimité du roi, elle a pu sonder la dégénérescence de toute une société. Que le roi défende et aussitôt on parle « d'oppression » et de « tyrannie », mots de révolte prononcés si légèrement par les courtisans et qui seront bientôt hurlés par le peuple.

Devine-t-elle alors que le monde qui l'entoure se trouve au bord du gouffre ? Qu'il suffit d'un pas, d'un seul, pour que la société bascule ? Sans doute pas. À la Cour, personne ne pressent l'imminence de la catastrophe. Le trône de France est de droit divin et par essence inébranlable. Pourtant, cet été 1784, les nuages s'amoncellent sur Versailles sans que personne n'y prenne garde. La machination montée par un cardinal véreux et une aventurière est en marche ; machination qui va jeter la royauté dans la spirale infernale qui l'entraînera inexorablement dans la chute finale.

Henriette va vivre en première ligne cette machiavélique aventure, puisqu'elle joue le rôle d'intermédiaire : « Je vais parler, écrit-elle, de cette fameuse intrigue du collier acheté, disait-on, pour la reine par le cardinal de Rohan. » Et quoi qu'il lui en coûte, elle promet : « Je n'omettrai pas une seule des circonstances qui ont été à ma connaissance (...). »

Et voici, en quelques lignes, comment la ténébreuse affaire commence. En 1774, la reine a acheté au joaillier Boehmer des girandoles qu'elle paie en plusieurs fois et sur sa cassette personnelle. Entre-temps le roi offre à sa femme une parure composée de rubis et de diamants ainsi qu'une paire de bracelets.

Flairant l'aubaine, Boehmer s'est mis en tête de rassembler un assortiment de beaux diamants trouvés dans le commerce pour créer un collier à plusieurs rangs. Comme il se propose de faire acheter ce bijou par Sa Majesté, il contacte M. Campan pour que celui-ci en parle à la reine. Prudent, il refuse tout net de servir d'intermédiaire. Qu'à cela ne tienne ! Boehmer contourne l'obstacle. Il passe par le premier gentilhomme du service à l'année du roi qui n'a ni la prudence ni l'honnêteté de Campan. Ainsi contacté, le roi présente le collier à la reine qui le refuse tout net, disant « que la construction d'un navire serait une dépense bien préférable » à un bijou évalué à 16 000 francs ! Boehmer débouté s'occupe de faire vendre son collier dans différentes cours d'Europe. Trop cher ! Personne n'en veut. Boehmer revient à la charge auprès du roi qui, en présence d'Henriette, propose de nouveau le collier à la reine. Pour la deuxième fois elle refuse. Mais le joaillier a de la suite dans les idées, il multiplie les démarches et obtient enfin une audience de la reine :

– Madame, s'écrie Boehmer, je suis ruiné, déshonoré si vous n'achetez mon collier. Je ne veux pas survivre à tant de malheurs. D'ici, Madame, je pars pour aller me précipiter dans la rivière.

Ce chantage ne semble pas ébranler la reine.

– Les gens honnêtes n'ont pas besoin de supplier à genoux, dit-elle.

Furieuse, elle le fait sortir.

Après cette scène aussi ridicule que déplacée, elle n'entendra plus parler de Boehmer. Jusqu'au jour où le très riche et très prudent financier M. de Saint-James prévient la reine que Boehmer, loin d'avoir renoncé, s'occupe toujours de la vente du collier, et qu'il serait bon, pour la tranquillité de Sa Majesté, de savoir ce qu'il en a fait.

Forte de ce conseil, Marie-Antoinette demande à Henriette de se renseigner, au besoin de rencontrer le joaillier « sous prétexte d'intérêt pour lui ».

La femme de chambre s'exécute. Elle contacte Boehmer qui lui apprend, tout heureux, que le bijou a été vendu à Constantinople pour la sultane favorite. Satisfaite de la réponse, la reine se croit à l'abri de tout chantage.

Le temps passe, Sa Majesté met au monde le 27 mars 1785 le duc d'Angoulême, son troisième enfant. Pour fêter la naissance, le roi lui fait présent d'une épaulette et de boucles de diamants. Pour cela il s'est adressé à Boehmer ! Celui-là même que la reine évite de rencontrer depuis des mois ! Sur les recommandations de Louis XVI, le joaillier remet lui-même les bijoux à Marie-Antoinette. Muni de tous les culots il en profite pour glisser une lettre... Une lettre ? Très étonnée, la reine la lit tout haut. Dans cet écrit Boehmer dit combien il est heureux de la voir « en possession des plus beaux diamants connus d'Europe », enfin il la prie « de ne point l'oublier ».

Pensant avoir affaire à un illuminé, à un maniaque, dans un geste de colère, elle brûle le papier à une bougie et s'exclame :

– Cet homme existe pour mon supplice ; il a toujours quelque folie en tête (...).

La reine et sa dévouée servante ignorent alors que le supplice ne fait que commencer. Jamais Marie-Antoinette n'aurait dû brûler la lettre ; elle était la seule preuve de son innocence.

XVI

RÔLES DE MADAME CAMPAN (suite)

Nous n'avons pas pour objet de narrer toute l'affaire du collier universellement connue, mais plutôt de montrer le rôle important qu'Henriette a joué dans cette intrigue.

Elle est à la fois le messager et l'intermédiaire de la reine. Celle-ci l'avait déjà chargée de rencontrer Boehmer ; mais la deuxième entrevue, c'est le joaillier qui la provoque. Henriette et la reine ne savent rien de ce qui s'est tramé dans l'ombre entre un Boehmer qui cherche coûte que coûte à faire du profit, un Rohan ambitieux mais stupide et une intrigante nommée Lamotte aussi rusée que perfide.

Au mois d'août 1785 Henriette n'est pas de service auprès de la reine. Dès le premier du mois, elle se retire dans sa maison d'Heurtebise pour y goûter un repos bien mérité. Rien n'indique alors qu'elle va vivre un été mouvementé. Mais à peine a-t-elle le temps de s'installer dans sa maison des Champs, qu'elle reçoit la visite de Boehmer.

Nous sommes au 3 août. Il fait beau ; elle rencontre le joaillier dans son jardin. Il se dit inquiet du silence de la reine, et il vient demander à la trésorière si elle a été chargée de « quelque commission pour lui ».

Elle tombe des nues : de quelle commission s'agit-il ? Elle ne sait rien. Absolument rien. Si bien que le déphasage entre les protagonistes rend le dialogue des plus surréalistes.

– Aucune, répond Henriette, si ce n'est que Sa Majesté a décidé de ne plus acheter de bijoux de sa vie.

– Mais la réponse à la lettre que je lui ai présentée, à qui dois-je m'adresser pour l'obtenir ?

– À personne. Sa Majesté a brûlé votre placet sans même avoir compris ce que vous vouliez lui dire.

– Ah ! Madame, cela n'est pas possible, la reine sait qu'elle a de l'argent à me donner !

– De l'argent, monsieur Boehmer ? Il y a longtemps que nous avons soldé vos derniers comptes pour la reine.

– Madame, vous n'êtes pas dans la confidence ? On n'a pas soldé un homme que l'on ruine en ne le payant pas, lorsqu'on lui doit plus de quinze mille francs !

– Avez-vous perdu l'esprit ? Pour quel objet la reine peut-elle vous devoir une somme si exorbitante ?

– Pour mon collier, Madame.

– Quoi ! Encore ce collier pour lequel vous avez inutilement tourmenté la reine pendant plusieurs années ! Mais vous m'aviez dit que vous l'aviez vendu pour Constantinople ?

– C'est la reine qui m'avait fait ordonner cette réponse à tous ceux qui m'en parleraient.

Alors pour la première fois dans ce dialogue de sourds un nom est prononcé : Boehmer qu'Henriette traite de « fatal imbécile » avoue que c'est Mgr le cardinal de Rohan en personne qui s'est fait l'intermédiaire de la reine dans cet achat.

Stupéfaite, elle proteste :

– Vous vous êtes trompé ! La reine n'a pas adressé la parole une seule fois au cardinal depuis son retour de Vienne ; il n'y a pas d'homme plus en défaveur en sa cour.

– Vous vous êtes trompée vous-même, Madame ; elle le voit si bien en particulier que c'est à son éminence qu'elle a remis trente mille francs qui m'ont été donnés pour premier acompte, et elle les a pris, en sa présence, dans le petit secrétaire de porcelaine de Sèvres qui est auprès de la cheminée de son boudoir...

– Et c'est ce cardinal qui vous a dit cela ?

– Oui, Madame, lui-même.

– Ah ! quelle odieuse intrigue ! s'écrie Henriette bouleversée.

Mais elle n'est pas au bout de ses peines. Le complot va se révéler beaucoup plus abject qu'elle ne le soupçonne ce jour-là.

Contre l'avis d'Henriette, Boehmer affolé se présente à Trianon. La reine refuse de le recevoir, mais convoque sa trésorière.

– Savez-vous que cet imbécile de Boehmer est venu demander à me parler, en disant que vous le lui aviez conseillé ? Que me veut-il, le savez-vous ?

Henriette relate son entrevue avec le joaillier. Incrédule, Marie-Antoinette lui fait répéter plusieurs fois l'entrevue. Pareille infamie la dépasse. « C'était un dédale pour elle, écrit Campan, son esprit s'y perdait. » Pour un esprit droit, il y a de quoi !

Le 15 août, le cardinal est appelé dans le cabinet du roi. La reine est présente ainsi qu'Henriette, qui rapporte fidèlement la scène.

– Vous avez acheté des diamants à Boehmer ? questionne le roi.

– Oui, Sire, répond le cardinal.

– Qu'en avez-vous fait ?

– Je croyais qu'ils avaient été remis à la reine.

– Qui vous avait chargé de cette commission ?

– Une dame appelée Mme la comtesse de Lamotte-Valois, qui m'avait présenté une lettre de la reine, et j'ai cru faire ma cour à Sa Majesté en me chargeant de cette commission.

La reine, restée silencieuse jusque-là, intervient :

– Comment, Monsieur, avez-vous pu croire, vous à qui je n'ai pas adressé la parole depuis huit ans, que je vous choisissais pour conduire cette négociation et par l'entremise d'une pareille femme ?

– Je sais que j'ai été cruellement trompé ; je paierai le collier ; l'envie que j'avais de plaire à Votre Majesté m'a fasciné les yeux ; je n'ai vu nulle supercherie et j'en suis fâché.

Tout en prononçant ces paroles, le cardinal sort de sa poche la lettre de la reine à Mme de Lamotte qui le charge de la commission.

Le roi prend la lettre et la parcourt.

– Ce n'est, dit-il, ni l'écriture de la reine, ni sa signature. Comment un prince de la maison de Rohan et un grand aumônier de France a-t-il pu croire que la reine signait « Marie-Antoinette de France » ? (Les reines ne signent jamais que de leur seul prénom.)

Le cardinal s'embrouille, il ne sait plus où il en est. Il est si pâle que, pour se maintenir debout, il doit s'appuyer à la table.

– Sire, je suis troublé pour répondre à Votre Majesté d'une manière...

– Remettez-vous, monsieur le cardinal et passez dans mon cabinet, vous y trouverez du papier, des plumes et de l'encre ; écrivez ce que vous avez à me dire.

Les réponses écrites sont tout aussi embrouillées, aussi

le roi ordonne-t-il à Rohan de sortir. Dans la galerie, le cardinal est aussitôt arrêté.

Il y aura procès.

Henriette offre au roi de s'y rendre et de déclarer ce que Boehmer lui a dit le jour où elle l'a reçu dans sa maison de campagne.

– Étiez-vous seule avec Boehmer lorsqu'il vous a dit cela ? questionne Louis XVI.

– Oui, j'étais seule avec lui dans mon jardin.

– Eh bien ! Cet homme niera le fait ; (...) nous ne devons plus compter sur sa sincérité ; vous auriez l'air d'être envoyée par la reine et cela n'est pas convenable.

Un procès contre un Rohan et qui plus est un prince de l'Église est impensable ! « Une grande partie de la noblesse et la totalité du clergé virent essentiellement dans l'affaire du cardinal de Rohan un attentat, les uns contre le rang des princes, et les autres contre le privilège d'un cardinal », s'émeut Henriette, qui ajoute que tout ce beau monde se déchaîne « contre l'autorité et principalement contre la reine ». Résultat : Rohan est « totalement acquitté ». C'est un camouflet sans précédent pour Marie-Antoinette qui, à partir de ce moment, va être livrée sans défense à la calomnie et à la haine.

En apprenant le verdict, Henriette se précipite chez la reine pour la consoler. Désormais elle remplira souvent ce rôle en évitant toutefois les secrets gênants qui pourraient un jour lui être reprochées.

Quand Henriette était entrée au service de la reine, son beau-père dont elle « révérait l'esprit et l'expérience » lui avait recommandé de fuir toute espèce de confidences : « Elles n'attirent, lui avait-il dit, qu'une faveur passagère et dangereuse ; servez avec zèle, avec toute votre intelligence et ne faites jamais qu'obéir. Loin d'employer votre adresse à savoir pourquoi un ordre, une commission qui peuvent paraître importants, vous sont donnés, mettez-la à vous garantir d'en être instruite. » Henriette qui n'a pas oublié les recommandations données par M. Genet à ses débuts à la Cour, n'oubliera pas davantage la leçon de prudence dispensée par son beau-père. Elle possède l'aptitude, aussi exceptionnelle que rare, de savoir écouter et faire sienne l'expérience des autres. Dans la scène qui suit elle aura l'occasion de mettre en pratique les sages conseils de son beau-père.

Cela se passe à Trianon. Comme chaque matin Henriette entre dans la chambre de la reine. Ce jour-là elle trouve sa maîtresse en pleurs. Des lettres sont éparpillées sur le lit. Entre deux sanglots, Marie-Antoinette lance :

– Ah ! je voudrais mourir... Ah ! les méchants, les monstres !... Que leur ai-je fait ?

Évitant toute question, Henriette s'affaire. Elle offre à la reine de l'eau de fleur d'oranger, de l'éther... mais la reine ne veut rien, et rien ne peut arrêter son chagrin.

– Laissez-moi, dit-elle, si vous m'aimez, il vaudrait mieux me donner la mort.

Effondrée, elle pleure sur l'épaule de sa femme de chambre, qui, plus tard écrira : « Je vis qu'une grande et secrète peine déchirait son pauvre cœur, qu'elle avait besoin d'une confidente qui se devait d'être son amie. »

À part la prudence, qui l'assure que la reine a besoin d'une confidente ? Est-ce un prénom murmuré ? Est-ce une écriture qu'elle reconnaît ? Des mots déchiffrés ? Quelle est donc cette secrète peine qu'elle devine sans la nommer ? Pourquoi décide-t-elle sans hésiter qu'il lui faut aller quérir Mme de Polignac ? Qui peut provoquer chez une femme un tel désespoir ? Si ce n'est un chagrin d'amour, une trahison, une dénonciation qui aurait un rapport avec un amour... Enfin ce nom serait-il celui du comte de Fersen ? Le beau Suédois qui, dès les premiers regards, a fait chavirer le cœur de Marie-Antoinette.

L'affaire se révèle suffisamment grave pour qu'Henriette décide d'appeler au secours. Elle se rappelle qu'un piqueur attend toujours aux antichambres prêt à se rendre à Versailles. Elle court le trouver et lui ordonne de ramener, sur-le-champ, Yolande de Polignac. Dix minutes plus tard la duchesse fait irruption à Trianon. Elle s'élance vers la reine qui lui tend les bras. « J'entendis encore les sanglots et je sortis », rapporte Henriette soulagée.

Un quart d'heure passe. Apparemment calmée, la reine sonne pour faire sa toilette. Surgit le comte d'Artois. Avec « empressement » il demande à s'entretenir avec sa belle-sœur. Il vient tout exprès de Compiègne où il chassait avec le roi. Tiens donc, avec le roi ! Pourquoi Louis XVI envoie-t-il son frère en émissaire ? L'objet du tourment aurait-il un rapport avec le roi ? Artois reste une bonne demi-heure en compagnie de Marie-Antoinette et de Yolande de Polignac. Enfin il prend congé et fait dire à Henriette que la reine la demande. Quand elle entre dans le boudoir, elle trouve les deux amies assises côte à côte sur le canapé. Comme par enchantement le visage de Marie-Antoinette a retrouvé sa grâce et son sourire.

La reine tend les mains à sa femme de chambre :

– Je lui ai fait tant de peine, dit-elle en s'adressant à la duchesse, que je dois hâter d'en alléger son pauvre cœur. Puis elle ajoute : Vous avez sûrement vu dans les plus beaux jours d'été un nuage noir qui vient tout à coup menacer de fondre sur la campagne, et de la dévaster ; il est chassé bientôt par le plus léger vent et laisse reparaître le ciel bleu et le temps serein ; voilà précisément l'image de ce qui m'est arrivé dans la matinée.

Quelles étaient ces menaces et pourquoi éprouve-t-elle le besoin de se disculper si sa femme de chambre ne sait rien ? Enfin la reine termine en disant « que le roi reviendrait de Compiègne après y avoir chassé, qu'il souperait chez elle, qu'il fallait que je fisse demander son contrôleur, pour choisir avec lui, sur ses menus de repas, tous les mets qui convenaient le plus au roi, qu'elle voulait qu'il n'y en eût point d'autres de servis le soir sur sa table, que c'était une attention qu'elle désirait que le roi pût remarquer ». Pourquoi cherche-t-elle tant à plaire à son époux ? Qu'a-t-elle à se faire pardonner ? Curieusement l'anecdote n'est pas sans nous en rappeler une autre, en bien des points similaires, et que voici :

Au cours d'une chasse on remet au roi un paquet de lettres. Il quitte l'équipage pour en prendre connaissance. Bientôt il suffoque de chagrin. Attirés par le bruit des sanglots, les écuyers trouvent le souverain en pleurs. Les lettres accusent Marie-Antoinette d'entretenir des relations coupables avec Fersen. Les détails sont si précis qu'ils bouleversent Louis XVI. Sous le choc le voici incapable de remonter à cheval et c'est en voiture qu'il regagne Versailles.

Ces deux anecdotes, semblables en bien des points, ne feraient-elles qu'une ? Le paquet de lettres – quand l'un a été envoyé à la reine, le double a pu être remis dans le même temps au roi –, la chasse, les affreuses accusations, les larmes de la reine, celles du roi... Enfin les précautions avec lesquelles Henriette traite l'affaire. Par deux fois elle répète : « J'ignorais toujours ce qui avait pu donner à la reine une si vive et courte alarme. » Vraiment ? On a peine à le croire.

Elle nous livre l'anecdote en prenant soin de ne nous

donner aucun point de repère en ce qui concerne la date. Cependant quelques indices nous mettent sur la piste. Ainsi quand la reine sonne pour faire sa toilette, Campan écrit : « Je fis entrer ses femmes. » Cette phrase prouve que déjà elle ne fait plus partie « des femmes », mais qu'elle remplit le rôle plus délicat de « première femme ». Un rôle infiniment plus important qui la met au courant de tous les faits et gestes de sa maîtresse. Cela situerait l'anecdote entre l'automne 1788 et le début de l'été 1789, précisément à l'époque où Axel de Fersen revient s'installer près de Paris après avoir couru le monde pour échapper à un amour impossible avec la reine de France. Les écrits de Saint-Priest sont précis : « Fersen se rendait à cheval dans le parc, du côté de Trianon, trois ou quatre fois la semaine ; la reine en faisait autant de son côté, et ces rendez-vous causaient un scandale public (...). » Saint-Priest dénonce la complicité de Yolande de Polignac qui paraissait approuver la faveur de la reine pour un étranger qui était tout sauf un intrigant.

La mémorialiste en se taisant ne fait qu'adopter les résolutions prises par tous les intimes de Marie-Antoinette. C'est la conspiration du silence sans doute imposée par la reine elle-même. Chacun évite, dans une singulière unanimité, de citer le nom de Fersen. Pas une seule fois Mercy, toujours au courant du moindre potin, ne mentionne le nom du beau Suédois.

Pourtant, devant le Tribunal révolutionnaire, une femme de chambre de la reine, qui n'aura pas les mêmes scrupules, rapportera que « quelqu'un quittait secrètement la reine la nuit ». Quand une simple femme de chambre s'avoue au courant, que dire de la première des femmes ? Henriette connaissait bien sûr la « liaison » de Marie-Antoinette et de Fersen ; fidèle à la reine, elle se tait. Plus tard fidèle à sa mémoire, elle emportera le secret dans sa tombe.

XVII

INTUITIONS DE MARIE-ANTOINETTE

La princesse Sophie-Béatrice meurt le 13 juin 1787. Dernière née de la famille royale, elle n'avait que onze mois et tétait encore. « Ce premier malheur, écrit Campan, avait été, selon ce que disait la reine, le début de tous ceux qui s'étaient succédé depuis ce moment. »

Comme aiguisée par l'affliction, Marie-Antoinette développe un sixième sens, celui de la prémonition.

Plus que quiconque elle sait quand le roi prend le mauvais parti. Le danger, elle le pressent intimement et au plus profond, au plus vrai d'elle-même ; mais qui l'écoute ? Qui la concerte ? Sa souffrance sera décuplée du fait de n'être pas entendue. Le jour où Louis XVI annonce qu'il consent à la convocation des états généraux, bouleversée par la nouvelle, Marie-Antoinette sort de table. Elle gagne sa chambre à coucher. Comme elle se place dans le renforcement de la première croisée, le visage tourné vers le jardin, elle fait signe à Henriette d'approcher. Une tasse de café à la main – qu'elle prend comme à l'ordinaire debout – elle lui dit :

– Grand Dieu ! Quelle nouvelle va se répandre aujourd'hui ! Le roi accorde la convocation des états généraux.

Son visage a pris une expression douloureuse. Levant les yeux au ciel, elle ajoute :

– Je le crains bien, cet important événement est un sinistre premier coup de tambour pour la France.

À ces mots quelques larmes perlent au bord de ses paupières. Incapable de finir son café, elle remet sa tasse à Henriette.

Le soir, elle revient sur l'importante décision :

– C'est le Parlement qui a mené le roi jusqu'à la nécessité d'avoir recours à une mesure depuis longtemps considérée comme funeste au royaume. Ces messieurs veulent restreindre la puissance royale (...).

Son destin la pousse au cœur d'événements qui se révéleront les plus tragiques de l'histoire de France. Avertie, elle souffre jusqu'à la torture, mais comment convaincre un époux qui ne voit rien, n'entend rien, qui, aveugle et sourd, avance en tâtonnant, écoutant les uns, écoutant les autres, hésitant sur tout jusqu'à la fatalité.

Le 4 mai 1789, veille des états généraux, est prévue une grande procession. Une foule immense se presse aux grilles du château. Les rues sont noires de monde. Chacun veut être témoin de ces journées mémorables. Les cloches de Versailles sonnent depuis l'aube. À dix heures du matin le cortège royal s'ébranle. Pour la dernière fois la Cour déploie toute sa splendeur. Précédé des pages et des fauconniers paraît le carrosse royal où ont pris place le roi, ses frères et les jeunes ducs d'Angoulême, de Berry et de Bourbon.

La foule acclame vivement le roi tandis qu'elle se tait au passage de la reine et des princesses. Les carrosses s'arrêtent devant l'église de Notre-Dame. Les souverains et les princes descendent de voiture. Les représentants des états généraux les accueillent. Commence une lente et solennelle procession entre la garde suisse et les gardes français. Pas moins de deux mille hommes, cierge en main, parcourent gravement le trajet jusqu'à la cathédrale Saint-Louis. Au passage de la reine des femmes du peuple crient : « Vive le duc d'Orléans ! » Ainsi elles acclament le cousin du roi, le pire ennemi de la monarchie, l'adversaire déclaré de Marie-Antoinette. Sous le camouflet la reine chancelle, mais très vite elle se reprend.

Le lendemain, pour l'ouverture des états généraux, Henriette pare la reine d'une superbe robe mauve, blanc et argent. Une plume d'autruche orne magnifiquement la coiffure. Malgré ses trente-quatre ans et quatre maternités, Marie-Antoinette est encore fort belle. Le port de tête altier, la démarche aérienne, elle se rend avec le roi à la première séance des états généraux. Alors que Louis XVI est vivement acclamé, un silence glacial l'accueille. Cette fois elle ne vacille pas sous l'affront. Imperturbable et distante elle paraît être ailleurs. Seule la pâleur de son visage marque une quelconque émotion. Cette femme éprouvée vit ces journées comme un automate. Toutes ses pensées sont accaparées par le dauphin. Âgé de six ans, il se meurt dans son lit à Meudon. Un an plus tôt elle écrivait à son frère Joseph : « Mon fils aîné (...) a toujours la fièvre, il est maigre et affaibli. » Les mois ont passé, maintenant elle sait que sa mort est inéluctable et elle souffre de ne pas être à son chevet.

En plus de ses alarmes pour le royaume, en plus de son chagrin, Marie-Antoinette doit essuyer les tracasseries des gens de la Cour. Auprès du jeune malade, une guerre ouverte s'est déclarée entre le duc d'Harcourt, gouverneur du dauphin et la duchesse de Polignac, la gouvernante. Poussé par d'Harcourt, le jeune prince témoigne de la prévention contre la duchesse qu'il sait être la meilleure amie de sa mère. Par deux fois l'enfant la fait sortir en disant :

– Sortez, Duchesse, vous avez la fureur de faire usage d'odeurs qui m'incommodent toujours.

Pourtant elle ne porte jamais de parfum !

Plus graves, ces parti pris rejaillissent sur Marie-Antoinette. Le dauphin boude sa mère. Et alors qu'elle lui fait porter des friandises, le gouverneur les refuse et la prie de ne rien donner au dauphin que les médecins n'aient pas agréé. Ainsi, dans ces jours funestes, la reine doit se battre sur tous les fronts.

Quand Mme Campan rapporte ces scènes pénibles, on peut la croire. Par sa sœur, la jolie Julie Rousseau, attachée dès les premiers jours comme « berceuse » au service du prince, elle sait tout de l'évolution de la maladie, elle est au courant de tout ce qui se passe dans l'entourage de l'enfant. Mais Julie, ignorant cabales et jalousies, soigne le dauphin avec amour et tendresse. Elle se montre si dévouée que, deux jours avant de mourir, le prince lui confie :

– Je t'aime tant Rousseau, que je t'aimerai encore après ma mort.

Le dauphin meurt dans la nuit du 3 au 4 juin 1789. En deux ans, presque jour pour jour, la reine a perdu deux enfants sur quatre.

Depuis des semaines, Marie-Antoinette se couche tard. Son chagrin est tel qu'elle ne trouve plus de repos. La nuit, quand elle s'endort, les cauchemars l'assaillent, et si elle reste éveillée surgissent des signes de mauvais augure qui la terrorisent. Ainsi, quelques jours avant la mort du dauphin, un fait curieux vint l'avertir de l'imminence du danger.

Sur les quatre bougies placées près de la reine, une première s'éteignit. Henriette la ralluma, après s'être assurée que portes et fenêtres étaient bien fermées. Mais la seconde puis la troisième s'éteignirent à leur tour. Dans un mouvement d'effroi, Marie-Antoinette prit la main de sa femme de chambre :

– Le malheur peut rendre superstitieuse, lui dit-elle ; si cette quatrième bougie s'éteint comme les autres, rien ne pourra m'empêcher de regarder cela comme un sinistre présage.

Et la quatrième bougie s'éteignit...

Les événements vont alors se succéder avec « la rapidité d'un torrent ». La noblesse, le clergé rivalisent avec le tiers état qui vote l'abolition des privilèges. Le mouvement est lancé. Le mot « liberté » est sur toutes les lèvres. Au Palais-Royal, sous l'égide du duc d'Orléans, une foule d'excités se réunit.

La Cour est inquiète et tergiverse. Bientôt c'est l'insurrection du 14 juillet. Le 15 juillet le roi se rend à l'Assemblée nationale. Il y va à pied avec ses frères, sans cortège, sans gardes. Il prononce des mots qui ne manquent ni de courage, ni de panache :

– Je me fie à vous, je ne veux faire qu'un avec ma nation et, comptant sur l'amour et la fidélité de mes sujets, j'ai donné ordre aux troupes de s'éloigner de Paris et de Versailles.

Durant les heures sombres, Henriette tient compagnie à la reine. Elle témoigne qu'une foule aussi immense qu'impressionnante a envahi les cours du château en scandant que la famille royale doit paraître au balcon. La reine remet alors à Henriette la clé des portes intérieures qui conduisent chez le dauphin. Elle lui ordonne d'aller trouver la duchesse de Polignac et de lui ramener elle-même son fils pour le montrer au peuple. La reine sait trop bien quelle mauvaise réputation la duchesse s'est faite grâce à l'avidité de sa famille et de ses amis, aussi s'arrange-t-elle pour que celle-ci ne paraisse pas.

Henriette s'exécute. Yolande de Polignac comprend que l'ordre lui commande de ne pas accompagner le prince. C'est un désaveu de la reine pour la gouvernante en titre qui s'exclame :

– Ah ! Madame Campan, quel coup je reçois !

La duchesse pleure en embrassant tour à tour l'enfant et la première femme de la reine. Pour elle a sonné le temps de la disgrâce.

Le prince remis à sa mère, Henriette descend se mêler à la foule. Elle veut savoir qui sont ces gens, ce qu'ils veulent au juste. Elle remarque que certaines personnes sont déguisées en paysan ou en ouvrier. Leur langage, leur maintien dénoncent des origines plus raffinées. Alors qu'elle tente de se fondre dans la foule, une femme, dont le visage est caché par un voile de dentelle, la tire violemment par le bras en l'appelant par son nom :

– Je vous connais très bien, précise celle-ci, dites à votre reine qu'elle ne se mêle plus de nous gouverner ; qu'elle laisse son mari et nos bons états généraux faire le bonheur du peuple.

À peine fait-elle un pas qu'un homme la tire par l'autre bras. Il est vêtu comme un fort des halles, mais il a pris soin de cacher une partie de son visage par un chapeau dont il a rabattu les bords :

– Oui, oui, répétez-lui souvent qu'il n'en sera pas de ces états-ci comme des autres qui n'ont rien produit de bon pour le peuple, que la nation est trop éclairée en 1789 pour n'en pas tirer un meilleur parti et qu'il n'y aura pas à présent de député du tiers prononçant un discours un genou à terre ! Dites-lui bien cela, entendez-vous ?

Certes, Henriette a bien entendu, mais elle a surtout retenu la haine, la violence qui accompagnaient ces phrases. Comme la reine paraît au balcon, l'affreuse femme reprend :

– Ah, la duchesse n'est pas avec elle ?

– Non, répond l'homme, mais elle est encore à Versailles ; elle est comme les taupes, elle travaille en dessous, mais nous saurons piocher pour la déterrer !

Ces propos effraient Henriette au point qu'elle a du mal à regagner le château.

Le même jour vers quatre heures de l'après-midi, alors qu'elle traverse la terrasse pour se rendre chez Madame Victoire, elle surprend trois hommes qui discutent sous les fenêtres de la salle du trône. Elle trouve la princesse seule dans son cabinet. Comme les fenêtres donnent sur la terrasse on a pris soin de baisser les stores afin de la prémunir du dehors. Avec discrétion, elle montre à son ancienne maîtresse les trois hommes qui se promènent. Madame Victoire reconnaît aussitôt l'un d'entre eux : il se nomme Saint-Huruge et comme par hasard travaille pour le compte du duc d'Orléans !

Le duc d'Orléans d'un côté, l'argent de l'autre. On vocifère, on achète et la population se laisse faire. À Versailles on sait les jours où on a versé de l'argent dans Paris. Une ou deux fois la reine empêchera sa femme de chambre de se rendre dans la capitale. Quand elle avait connaissance que l'on avait semé beaucoup d'écus dans les faubourgs, il n'était pas nécessaire d'être devin pour savoir que le lendemain il y aurait des désordres. Henriette aura un jour en main un écu de six francs qui avait « sûrement servi de paiement à quelque misérable la nuit du 12 juillet ». Elle y a lu gravé assez profondément : « Minuit, 12 juillet, trois pistolets. » Sans doute les mots d'ordre pour la première insurrection.

Le 16 juillet au matin il y a réunion chez le roi pour débattre de la question : doit-il quitter Versailles avec les troupes dont il vient d'ordonner la retraite ou se rendre à Paris pour calmer les esprits ?

D'évidence la reine a choisi : elle veut partir et mettre sa famille à l'abri en attendant que les esprits se calment. Dans cette perspective, le soir même, elle demande à Henriette d'ôter de ses écrins tous ses bijoux pour les réunir dans un petit coffre qu'elle compte emporter avec elle. Puis elle brûle « une grande quantité de papiers ».

Le 17 au matin il y a encore réunion chez le roi. Avant de s'y rendre Marie-Antoinette remet à sa première femme un papier plié non cacheté avec l'ordre de ne l'ouvrir qu'une fois le départ décidé. Elle ne doute pas alors que la fuite est le seul parti raisonnable à prendre. C'est toujours son fameux instinct qui la guide, mais ce matin du 17 juillet personne ne tiendra compte de son avis, pas même son époux qui, las des palabres et incapable de trancher, finira par s'exclamer :

– Enfin, Messieurs, il faut se décider, dois-je partir ou rester ? Je suis prêt à l'un comme à l'autre.

Vers dix heures du matin la reine regagne ses cabinets. Déçue, fatiguée, elle annonce à Henriette qu'elle n'a pas été écoutée. Il a été voté, à la majorité, que l'armée partirait sans le roi et que celui-ci se rendrait, dès le lendemain, à l'Hôtel de Ville de Paris.

– L'avenir nous fera voir si on a choisi le bon parti, dit-elle désappointée.

L'écrit, confié quelques heures plus tôt par Marie-Antoinette, n'ayant plus lieu d'être, Henriette le remet à sa maîtresse qui le lit tout haut. Il contenait ses ordres pour le départ et stipulait que Mme Campan devait les suivre tant pour ses « fonctions auprès de sa personne que pour servir d'institutrice à Madame ». Ainsi la reine avait tout prévu, sauf de rester à Versailles. Quand elle déchire le papier ses yeux sont baignés de larmes. L'angoisse la poigne :

– Lorsque je l'écrivis, dit-elle, j'espérais bien qu'il me serait utile ; mais le sort en a ordonné autrement ; je crains bien que ce ne soit pour notre malheur à tous.

Quelques heures plus tard, Marie-Antoinette a la douleur d'assister à la fuite de tous ceux qui, jusqu'à ce jour, faisaient partie de sa garde rapprochée. Le comte d'Artois, le prince de Condé, leurs enfants, partent en même temps que les troupes. Le duc, la duchesse de Polignac, leur fille, ainsi que d'autres, s'en vont aussi. Les rats quittent le navire et la reine est bien trop surveillée pour se permettre la consolation d'embrasser, une dernière fois, celle qui avait été son amie la plus chère. Faute de mieux, elle prie le beau-père d'Henriette de le faire pour elle. Elle le charge de remettre une bourse de cinq cents louis à la voyageuse. Campan restera jusqu'à la dernière seconde en compagnie de la duchesse. Il l'aide à monter dans la voiture ; vêtue en femme de chambre, elle prend place sur le devant de la berline, puis elle recommande à Campan de ne pas l'oublier et de parler souvent d'elle à la reine. Enfin sonne l'heure du départ ; dans la nuit d'été résonne le crépitement des sabots sur les pavés de la cour, le grincement cahotique des roues... Marie-Antoinette ne peut retenir ses larmes. Jusqu'à la fin de sa vie elle regrettera de ne pas avoir fui cette nuit-là, alors que tout était encore possible.

Le 17 juillet, Louis XVI quitte Versailles pour Paris. Comme prévu il se rend à l'Hôtel de Ville.

Dès lors « le silence de la mort régnait dans tout le palais, les craintes étaient extrêmes ». Au cas où le roi serait retenu prisonnier, Marie-Antoinette a prévu de se rendre à l'Assemblée. Dans l'éventualité elle fait préparer une robe et ordonne de tenir ses attelages prêts. Elle écrit un discours qu'elle essaie d'apprendre par cœur. Henriette se souviendra des premières phrases : « Messieurs, je viens vous remettre l'épouse et la famille de votre souverain ; ne souffrez pas que l'on désunisse sur la terre ce qui a été uni dans le ciel. » Paroles douloureuses qui résonnent dans un palais désert. L'attente est une telle torture qu'à tout instant la reine entrecoupe ses phrases de la plainte : « Ils ne la laisseront pas revenir ! »

Les heures s'écoulent lentement, si lentement... Six heures du soir, le premier page du roi gagne le château à bride abattue. Il apporte une bonne nouvelle : Louis XVI est libre ; il est en route pour Versailles.

Quand le roi paraît, l'émotion de la famille est à son comble.

– Heureusement, dit-il, il n'a pas coulé de sang, et je jure qu'il n'y aura jamais une goutte de sang français versé par mon ordre.

Le roi, très chrétien, tiendra parole. Il aime la France, son amour est réel, profond. Et c'est cet amour même qui le paralyse. Il croit en son peuple. Et parce qu'il place toute sa confiance en lui, il ne songe pas à sauver la famille royale. Sa famille.

Pas de sang !

XVIII

DE VERSAILLES AUX TUILERIES

Quand les favoris et les proches de la reine sont en fuite, les Campan demeurent fidèles auprès de leurs maîtres. Henriette partage les affres de la famille royale. En restant, elle a fait le choix de courir les mêmes dangers qu'elle. Son angoisse est perptétuelle depuis que la nation gronde jusque sous les fenêtres du château, depuis que le malheur a fondu sur Versailles.

Désormais Marie-Antoinette compte ses amis. Elle écrit : « C'est bien dans les moments comme ceux-ci que l'on apprend à connaître les hommes et à voir ceux qui vous sont attachés ou non. »

C'est un sauve-qui-peut général. Chaque soir une voiture franchit les grilles dorées pour ne plus revenir. Versailles se vide de ses occupants. La reine ne se fait guère d'illusions sur les courtisans ; un jour qu'elle se confie elle prononce ces paroles amères :

– La noblesse nous perdra, mais je pense que nous ne pouvons nous sauver sans elle.

Tandis qu'au château Louis XVI confère avec ses conseillers, la Révolution s'organise. Au Palais-Royal, fief du duc d'Orléans, on prépare secrètement l'expédition. Tout est bien orchestré. Il est prévu d'envoyer une armée de femmes marcher sur Versailles. Maillard commandera la troupe. On compte sur le bon cœur du roi : jamais il ne fera tirer sur des mères, des épouses !

Les premières, elles se présentent aux grilles du château et Henriette frémit quand elle entend toutes les furies qui portent un tablier blanc, hurler qu'ils sont destinés à recevoir les entrailles de Marie-Antoinette. Parmi elles se sont glissés des hommes déguisés en femmes. Pour contenir la foule, La Fayette a ordonné la fermeture de toutes les issues. On a fait ranger les gardes du corps et le régiment de Flandres sur la place d'Armes.

Henriette n'est pas de service ce jour-là, aussi est-ce son beau-père qui tient compagnie à la reine jusqu'à deux heures du matin. Quand celui-ci se retire, Sa Majesté lui recommande de rassurer sa belle-fille. Surtout, qu'il lui dise bien qu'elle n'encourt aucun danger puisque M. de La Fayette répond de son armée.

Épuisée, la reine se couche enfin. Elle a donné ordre aux deux femmes de son service de se mettre au lit – parmi elles se trouve la sœur d'Henriette. Et pour la première fois de leur vie, ce soir du 5 octobre, Mme Auguié et Mme Thibault décident, d'un commun accord, de désobéir à leur souveraine. Chacune fait appel à sa propre femme de chambre et toutes quatre veillent assises contre la porte de la chambre de Sa Majesté.

Quatre heures du matin ! Des coups de fusils, des cris résonnent dans le palais. Tandis que Mme Thibault réveille Marie-Antoinette, Adélaïde court ouvrir la porte de l'antichambre qui donne dans la grande salle des gardes. La foule se presse. Un garde du corps tente de la contenir. Le visage en sang, il crie à la femme de chambre :

– Madame, sauvez la reine, on vient pour l'assassiner !

Précipitamment, Adélaïde referme la porte, tire le verrou. Elle recommence à la porte suivante, gagne la chambre de la reine et dit :

– Sortez du lit, Madame, ne vous habillez pas ; sauvez-vous chez le roi !

Épouvantée, Marie-Antoinette se jette hors du lit. Les deux femmes la conduisent à l'œil-de-bœuf, mais la porte du cabinet de toilette, qui donne dans cette pièce, est fermée de l'autre côté. Prise de panique, Adélaïde frappe de toutes ses forces. Enfin un domestique entend... Il vient ouvrir... La reine entre dans la chambre de Louis XVI : personne ! Le roi est lui-même parti à la recherche de sa femme, mais, par les corridors secrets qui passent sous l'œil-de-bœuf. Paraît alors Mme de Tourzel, gouvernante des enfants de France, tenant par la main Madame et le dauphin. Le roi n'ayant pas trouvé la reine est revenu sur ses pas. La famille est enfin réunie, et elle est saine et sauve.

La question se pose maintenant : dans cette nuit du 5 octobre, qui a guidé la foule aux appartements royaux ? Qui, si ce n'est quelqu'un qui connaissait les lieux ?

Beaucoup de gens affirmeront avoir reconnu le duc d'Orléans. À quatre heures et demie du matin, certains l'ont vu en redingote et chapeau rabattu, en haut de l'escalier de marbre, indiquant de la main la salle des gardes qui précède l'appartement de la reine. Mme Campan tient ces faits de plusieurs personnes dignes de confiance. Une certaine Mme Eliot les démentira en disant que le duc d'Orléans déjeunait chez elle à Paris ce jour-là. Mais ce témoignage ne tient pas ; car entre cinq heures du matin et l'heure du petit déjeuner – neuf heures – le cousin du roi avait tout le temps de regagner la capitale !

Maintenant la populace crie sous les fenêtres : « À Paris, à Paris ! »

Il faudra donc se résoudre à quitter Versailles. Ce 6 octobre est une journée cruelle pour la reine. Elle convoque Henriette et son beau-père pour leur confier ses effets les plus précieux. Elle décide de n'emporter avec elle que son coffret de diamants.

Grâce au comte de La Tour du Pin à qui on a laissé, provisoirement, le gouvernement de Versailles, ordre est donné à la garde nationale de laisser prendre tout ce que la femme de chambre et son beau-père décideront d'emporter. Un moment Henriette reste seule avec la reine. L'émotion de cette dernière est telle qu'elle peut à peine parler, des larmes inondent son visage. Sans un mot, elle embrasse sa première femme puis elle donne sa main à baiser à M. Campan. Dans ce moment déchirant, c'est presque une supplique qu'elle leur adresse :

– Venez de suite vous établir à Paris ; je veux vous loger aux Tuileries ; venez, ne me quittez pas, de fidèles serviteurs dans des moments semblables deviennent d'utiles amis ; nous sommes perdus, entraînés peut-être à la mort ; les rois prisonniers en sont bien près.

Fidèle, Henriette fait partie du tragique voyage qui emmène la famille royale à Paris. Le soir même, incapable de trouver le sommeil malgré la fatigue, elle écrit à des amis : « J'ignore si j'aurai la force de vous tracer les scènes affligeantes qui viennent de se passer presque sous mes yeux. Mes sens égarés ne sont point encore calmés, mes rêves sont affreux, mon sommeil pénible. » Et elle raconte : « Le voyage a duré sept heures et demie, pendant lesquelles nous avons entendu sans cesse un bruit continuel de trente mille fusils chargés à balles, que l'on chargeait et déchargeait en signe de joie du bonheur de mener le roi à Paris. On criait, mais inutilement : “Tirez droit !” Malgré cette attention, les balles quelquefois venaient frapper sur les ornements des voitures ; l’odeur de la poudre nous suffoquait et la foule était si prodigieuse que le peuple, pressant de toutes parts les carrosses, leur faisait éprouver le mouvement d’un bateau. Si vous voulez vous former une idée de cette marche, représentez-vous une multitude de brigands non vêtus, armés de sabres, de pistolets, de broches, de scies, de vieilles pertuisanes, marchant sans ordre, criant, hurlant, précédée d’un monstre, d’un tigre (...) qui depuis les troubles, s’est livré à son goût pour le meurtre et a, à lui seul, coupé toutes les têtes des malheureuses victimes de la fureur populaire. »

Même si le duc d’Orléans continue de déverser son fiel contre Marie-Antoinette, il émane de sa personnalité un tel charme, une telle douceur, aussi une telle noblesse dans le maintien hérité de siècles d’histoire, qu’il suffit qu’elle apparaisse pour que ses adversaires les plus forcenés deviennent ses plus zélés partisans. Ainsi, dès le 7 au matin, après une première nuit cahotique passée aux Tuileries, les mêmes furies qui, la veille, accablaient d’injures la famille prisonnière, viennent sur la terrasse des Tuileries se placer sous les fenêtres de la reine en demandant à la voir. Inquiète, Henriette se tient près de sa maîtresse. Elle assiste alors à une scène aussi étonnante qu’inattendue.

Sa Majesté se présente. Une femme prend alors la parole et lui conseille d’éloigner d’elle « tous les courtisans qui perdent les rois et d’aimer les Parisiens ». Avec calme et fermeté Marie-Antoinette répond qu’elle les avait aimés à Versailles et qu’elle les aimerait de même à Paris.

– Oui, oui, s'insurge une autre femme, mais au 14 juillet vous vouliez assiéger la ville et la faire bombarder et au 6 octobre vous deviez vous enfuir aux frontières !

Avec patience et bonté la souveraine répond qu'elle avait cru de faux bruits, qu'il n'en était rien.

Alors une troisième femme intervient. Cette fois, elle s'adresse à la reine en allemand. Sans se départir de son calme, Marie-Antoinette répond qu'elle est si bien devenue française qu'elle en a oublié sa langue maternelle.

La déclaration déclenche une véritable ovation. Les femmes lui proposent de faire un pacte avec elle.

– Et comment puis-je faire un pacte avec vous, puisque vous ne croyez pas à celui que mes devoirs me dictent et que je dois respecter pour mon propre bonheur ?

Elles demandent alors les rubans et les fleurs de son chapeau. Marie-Antoinette s'exécute de bonne grâce. Rubans et fleurs sont partagés par toute la troupe qui, émue de l'accueil, crie :

– Vive Marie-Antoinette ! Vive notre bonne reine !

Abasourdie par une volte-face pour le moins inattendue, Henriette referme les croisées. Mais elle n'a guère le temps de s'attarder. Il y a beaucoup à faire pour rendre le séjour de la famille royale convenable. La veille au soir, quand les carrosses poussiéreux s'étaient arrêtés devant les Tuileries, rien n'était prêt pour les y recevoir. Le vieux château était occupé par des gens de la cour. On les délogea *manu militari*, aussi est-ce dans leurs meubles que la famille royale s'était installée.

Le dauphin habitué à Trianon et aux splendeurs de Versailles trouve que tout est sombre et bien laid aux Tuileries. L'enfant âgé de quatre ans et demi a vécu tous ces jours affreux sans bien comprendre ce qui se passait, depuis il s'effraie facilement. Comme le lendemain de son arrivée à Paris, il entend du bruit dans les jardins, il se jette dans les bras de sa mère en criant :

– Bon Dieu, Maman, est-ce qu'aujourd'hui serait encore hier ?

Resserrée sur elle-même, la famille royale va mener au château de ses ancêtres une vie moins confortable mais plus intime, plus calme. Henriette remarque que les souverains trouvent quelques consolations auprès de la « douceur » de Madame, de la « grâce et de la vivacité d'esprit du dauphin » et la « tendresse » de Madame Élisabeth. Petit à petit la reine reprend ses habitudes. Le matin elle veille personnellement à l'éducation de sa fille. Elle entreprend des ouvrages de tapisserie. « L'aiguille est la seule chose qui lui procurait quelque distraction », son esprit est bien trop préoccupé des dangers qui la menacent. Tout en travaillant à son canevas, elle mène la conversation. Les entretiens ont pour unique objet la Révolution. Et Henriette l'entend, sans cesse, revenir sur le même sujet : pourquoi et comment a-t-elle soulevé tant de haine chez les Français ?

La princesse de Lamballe, qui, héroïque, a rejoint Marie-Antoinette pour partager son sort, donne quelques soirées dans ses appartements aux Tuileries. Mais la reine qui, autrefois, courait à ces réceptions, préfère rester en famille. Quant à la noblesse, qui n'a pas déserté Paris, elle se fait un devoir de se présenter chez le roi. Les premiers jours, l'affluence est considérable aux Tuileries. En signe de protestation les femmes portent des bouquets de lys ainsi que des nœuds de ruban blanc dans leur coiffure.

Les sentinelles arrêtent tous ceux qui n'arborent pas la cocarde nationale et les jeunes royalistes se font un mérite de se soustraire à la loi. Se produisent alors dans Paris des rixes fâcheuses. Dans l'espoir d'obtenir le calme, Louis XVI multiplie les démarches vis-à-vis de l'Assemblée. Il conseille plus de retenue dans ses rangs. Mais c'est peine perdue. Ceux qui croient servir leur roi par la rébellion ne font que le desservir. Les souverains apprennent à se méfier de leurs ennemis comme de leurs amis, et Marie-Antoinette, qui était toujours très entourée à Versailles, connaît la vraie solitude. Elle écrit : « Je suis toute la journée seule chez moi, mes enfants sont mon unique ressource. » Dans son malheur il lui reste un espoir : « Si au moins nos souffrances actuelles pouvaient rendre nos enfants heureux ! C'est le dernier vœu que je me permette. »

Henriette occupe au château un appartement si proche de celui de la souveraine que seul un corridor les sépare. Cette proximité va lier les deux femmes. Désormais elle sera la confidente de tous les instants. Plus tard, quand les événements se précipiteront, il arrivera à Marie-Antoinette de courir se réfugier chez la première de ses femmes pour cacher une émotion, un chagrin. L'appartement de Mme Campan restera l'unique endroit où elle ne sera pas épiée.

La reine occupe le rez-de-chaussée. Son appartement se compose d'une chambre et d'un minuscule cabinet de toilette. Un salon juxtapose la salle de billard et la salle à manger. Le reste de la famille s'est installé au premier étage. Le roi occupe une chambre, un salon de réception ; les deux enfants ont chacun leur chambre et Madame Élisabeth une chambre et un salon. Deux escaliers réunissent les étages : un grand, puis un petit qui accède directement aux chambres du roi et du dauphin. Seules la reine et Mme de Tourzel, gouvernante des enfants de France, en possèdent la clef.

Même si Marie-Antoinette n'est pas libre – la garde nationale surveille les allées et venues de tous les citoyens –, isolée du reste de la famille, elle peut recevoir plus aisément. On sait ainsi que Axel de Fersen, son ami de cœur, lui rendra plusieurs fois visite. Mais de cela la première femme, fidèle et secrète, ne parlera jamais.

À cette époque Henriette doit faire face à des problèmes personnels. Son mari qui ne reçoit plus de revenus de la France – la loterie a été fermée, et pour cause ! – continue néanmoins à jeter l'argent par les fenêtres. Les temps sont durs et elle craint la ruine. Afin de se prémunir de dettes éventuelles, elle demande une séparation de biens qu'elle obtient en 1790. En plus du souci d'élever seule son fils, s'ajoute la maladie de son beau-père qui, dans la nuit du cinq au six octobre, « passa, dit-elle, de la plus belle santé à un état de langueur » dont il ne se relèvera pas. Bien que psychologiquement atteint, Campan restera au service des souverains jusqu'à son dernier souffle. Il mourra en septembre 1791.

XIX

LES DIFFÉRENTS PROJETS D'ÉVASION PROPOSÉS AU ROI

Les projets d'évasion se succèdent. Certains montés à la hâte paraissent plus romanesques que sérieusement préparés. Louis XVI tergiverse, hésite et, à force, finit par froisser les plus zélés royalistes.

Ainsi en sera-t-il du comte d'Inisdal. Au mois de mars 1790 vers dix heures, le comte se présente chez Mme Campan. Il insiste pour la voir en particulier :

– Cette nuit, dit-il, on doit enlever le roi.

Tout est prévu. Manque le consentement du roi. Au courant du projet, celui-ci ne donne aucune réponse franche. Le comte qui a davantage confiance en l'esprit d'initiative de la reine, insiste pour qu'elle soit mise dans le secret. La réponse doit lui parvenir avant minuit.

Henriette s'étonne que l'on vienne la chercher « pour obtenir un consentement qui aurait dû être la base de tout projet concerté ». Enfin, elle fait remarquer que le roi est avec la reine et sa famille, et qu'elle ne peut se présenter à pareille heure sans éveiller les soupçons. En revanche son beau-père, qui a ses entrées chez le roi, peut se charger de ce genre de mission.

Campan accepte de servir d'intermédiaire. Quand il

entre au salon, le roi joue au whist avec la reine, Monsieur et Madame. Madame Élisabeth se tient près de la table et se contente de regarder. Campan explique à la reine ce qui l'amène. Chacun se tait. Devant un tel silence, Marie-Antoinette intervient :

– Monsieur, entendez-vous ce que Campan vient de nous dire ?

– Oui, j'entends, répond le roi tout en continuant sa partie de cartes.

Le comte de Provence, selon son habitude, s'exprime en reprenant un passage de comédie :

– Monsieur Campan, répétez-nous « s'il vous plaît, ce joli couplet ».

Mais, à son tour, il presse son frère de répondre.

Silence...

La reine s'impatiente :

– Il faut pourtant bien dire quelque chose à Campan !

Laconique, le roi finit par lâcher ces quelques mots :

– Dites à M. d'Inisdal que je ne puis consentir à ce que l'on m'enlève.

– Vous entendez bien, souligne la reine qui se méprend sur les intentions de son époux, le roi ne peut consentir à ce qu'on l'enlève.

Le comte d'Inisdal se montre fort mécontent de la réponse. Il était prêt à tous les sacrifices pour sauver le roi et voilà qu'il est remercié comme un simple domestique !

– Je vois, dit-il, il veut d'avance jeter tout le blâme sur ceux qui se dévoueront !

Alors qu'Henriette croit le projet abandonné, Marie-Antoinette la rejoint. Elle lui fait préparer ses cassettes et lui ordonne de ne point se coucher. Elle pense qu'on interprétera la réponse du roi comme un consentement tacite, mais elle se nourrit d'illusions. Se rappelant l'événement, Mme Campan écrit : « J'ignore ce qui se fit chez le roi pendant cette nuit ; mais je regardais de temps en temps aux fenêtres ; je voyais le jardin libre, je n'entendais aucun bruit dans le palais. » Après de longues heures d'attente, le jour se lève. Elle comprend qu'il n'y aura pas d'évasion. Une fois de plus la reine se montre déçue : Louis XVI ne s'est pas décidé !

– Il faudra pourtant bien s'enfuir, confie Marie-Antoinette à sa première femme, on ne sait pas jusqu'où iront les factieux. Le danger augmente de jour en jour.

L'été approche ; la famille royale obtient de séjourner à Saint-Cloud pendant les mois de forte chaleur. Les royalistes présentent à Louis XVI un nouveau projet d'évasion. Il suffirait à la famille royale de se rejoindre dans un bois, à quatre lieues de distance de Saint-Cloud, où une grande berline et une chaise de suite les attendraient. Tout est calculé pour que la berline qui emmènera le roi et sa famille ait suffisamment d'avance pour échapper aux recherches. La reine s'ouvre de ce projet à Henriette sans, toutefois, lui avancer de date. Et un soir de juin, à neuf heures, les gens du château, ne voyant pas revenir Leur Majesté, s'inquiètent. Henriette, elle, est persuadée que le plan a été mis à exécution. Elle l'espère de tout son cœur et son émotion est telle qu'elle peut à peine respirer... Mais voilà qu'elle entend le bruit des voitures : l'évasion ne sera pas encore pour aujourd'hui !

Quand elle avoue à la reine qu'elle la croyait partie, celle-ci lui répond « qu'il fallait d'abord que Mesdames soient sorties de France ». Et les vieilles tantes ne pourront quitter Bellevue – leur propriété de campagne située tout près de Saint-Cloud – qu'au commencement de 1791.

Jusqu'à la dernière minute, Adélaïde et Victoire ont espéré emmener avec elles leur nièce, Madame Élisabeth. Malgré le danger, celle-ci désire rester auprès de son frère, le roi, auquel de tendres liens l'attachent depuis l'enfance. Les deux vieilles filles partent seules pour Rome le 17 février 1791. Jamais elles ne reverront la France.

Ce départ va enfin laisser le roi libre de s'enfuir avec sa famille. Chaque jour la reine espère. Et le moment tant attendu vient enfin.

Nous sommes au printemps de 1791. Il commence à faire beau et Louis XVI, fatigué de son séjour aux Tuileries, a projeté de retourner à Saint-Cloud. Déjà toute sa maison s'y est rendue et son dîner l'attend. À une heure de l'après-midi il monte en voiture mais la garde ferme les grilles. Il n'est pas question de partir. Deux personnes s'interposent. Elles sont aussitôt molestées. M. Campan intervient, il est saisi par les gardes qui lui enlèvent son épée. Le roi et sa famille sont contraints de descendre de voiture. L'épisode est capital, le roi, qui, jusqu'à ce jour, ne se décidait pas à fuir, va voir là « un motif de légitimer, aux yeux du peuple même », le projet qu'il a de s'éloigner de Paris.

Dès lors la reine s'occupe activement des préparatifs. Henriette est chargée d'exécuter les ordres. Et, pour la première fois en vingt ans, elle va oser s'opposer à Marie-Antoinette qui perd un temps précieux à commander des trousseaux complets pour elle et ses enfants.

Sa femme de chambre a toujours fait montre d'esprit pratique, elle allègue que, de l'autre côté de la frontière, Sa Majesté trouvera tout sur place, que les Tuileries sont sous étroite surveillance, que le personnel est peu sûr, que des constitutionnels se sont glissés parmi eux, enfin que c'est pure folie que de prendre de tels risques... Peine perdue !

La reine ne saurait voyager sans emporter avec elle ce qui lui paraît être le strict nécessaire.

Dans le plus grand secret, Henriette parcourt la capitale. Seule et déguisée, elle achète les trousseaux. Afin de ne pas éveiller les soupçons et de brouiller les pistes, elle commande six chemises dans une boutique, six dans une autre, puis des robes, des peignoirs. Tandis que sa sœur Adélaïde fait faire un trousseau complet pour Madame, suivant les mesures de sa fille aînée, Henriette commande des habits pour le dauphin sur celles de son fils. Les préparatifs finis, elle remplit une pleine malle qu'elle envoie à Bruxelles. Mais la reine a d'autres exigences. Elle veut emporter son nécessaire de voyage, commandé en 1789 à l'époque des premières insurrections, pour lui servir en cas de fuite. Or, le nécessaire en question est encombrant, il contient une bassinoire et même une écuelle en argent !

Pour l'envoyer sans éveiller les soupçons, elle avance que c'est un cadeau qu'elle fait à l'archiduchesse Christine, sa sœur, gouvernante des Pays-Bas. Le subterfuge ne peut tromper personne. Enfin, Henriette, dans le plus grand secret, s'enferme avec Sa Majesté pour emballer ses bijoux. Le coffre des diamants est remis à Léonard – le coiffeur de Marie-Antoinette – qui doit acheminer le précieux chargement jusqu'à Bruxelles. Les préparatifs touchant à leur fin, la reine confie à sa femme de chambre un portefeuille qu'elle doit remettre en mains sûres. Elle choisit de le déposer chez Mme Vallayer-Coster – peintre de l'Académie, logée aux galeries du Louvre – qui a toute sa confiance. Elle remplit encore quelques commissions secrètes. Les derniers jours de mai arrivent. Henriette n'est plus de service à partir du premier juin. Marie-Antoinette, qui a appris à connaître l'âme humaine, redoute pour ceux qui la servent les « excès du peuple au moment de son évasion ». Aussi ordonne-t-elle à la première de ses femmes de quitter Paris en attendant qu'elle puisse la rejoindre hors des frontières. Elle lui donne mission d'emmener avec elle son beau-père, alors très souffrant, aux eaux du Mont-Dore.

Comme prévu, les Campan quittent la capitale le premier juin. Après cinq jours de voyage, ils gagnent le Mont-Dore. Désormais ils attendent avec anxiété des nouvelles de l'évasion. Dès que celles-ci leur parviendront, ils se remettront en route pour rejoindre leurs souverains. Ils patientent et ne se doutent pas du drame qui se joue. Jusqu'au matin où Henriette entend un courrier crier, avec des transports de joie, que le roi et la reine ont été arrêtés à Varennes. Varennes ! ? La famille royale prisonnière ? On imagine alors l'effroi, l'angoisse des Campan. Que s'est-il passé ? Ils espèrent un faux bruit. Mais le soir la nouvelle est confirmée. Que faire ? Ils décident de rester et d'attendre les ordres. Deux jours passent. Deux jours épouvantables. Enfin une lettre de la reine leur parvient. Elle a été écrite sous la dictée d'un huissier dont ils reconnaissent l'écriture. Elle contient ces mots : « Je vous fais écrire de mon bain où je viens de me mettre pour soulager au moins mes forces physiques. Je ne puis rien dire sur l'état de mon âme ; nous existons, voilà tout. Ne revenez ici que sur une lettre de moi, cela est bien important. »

Début août, l'ordre leur est donné de revenir à Paris. Les Campan reprennent la route. Enfin Paris, enfin les Tuileries... Après toutes ces longues semaines d'angoisse Henriette se précipite chez Sa Majesté, elle la trouve sortant de son lit. Au premier abord, Marie-Antoinette ne paraît pas trop changée physiquement et pourtant en une nuit, une seule nuit, ses cheveux sont devenus blancs comme ceux d'une femme de soixante-dix ans ! La reine lui montre alors une bague qu'elle vient de faire monter pour la princesse de Lamballe. Celle-ci renferme une mèche de ses cheveux avec l'inscription : « Blanchis par le malheur. »

Henriette qui craignait une trahison, apprend que ses appréhensions n'étaient pas vaines ; les préparatifs avaient été bien trop voyants. Dès le retour de Varennes, le maire de Paris remettait à Marie-Antoinette une dénonciation de la femme de la garde-robe datée du 21 mai. Elle y déclarait que des préparatifs de départ se faisaient au château. Qu'elle avait deviné que le nécessaire, envoyé par Sa Majesté à sa sœur, n'était qu'un prétexte pour le faire passer à l'étranger. Elle assurait que Mme Campan était restée une soirée entière avec la reine afin d'emballer ses diamants, et qu'elle les avait vus étalés sur le canapé de l'entresol.

Sur ce point Henriette est formelle, Marie-Antoinette ayant dû s'absenter quelques heures, elle avait fermé elle-même la porte de l'entresol. De sorte que l'espionne n'avait pu pénétrer dans la pièce secrète qu'avec un double. La dénonciation a certainement été une des causes de l'arrestation de Varennes et ceux qui, plus tard, attaqueront Mme Campan en l'accusant de n'avoir pas été loyale envers les souverains seront soit des ignorants, soit des menteurs. Car des preuves irréfutables existent de la trahison de la femme de la garde-robe. Ainsi quand les femmes de service se présentèrent aux Tuileries pour reprendre leur office auprès de la famille royale, tous les accès leur furent refusés. Parmi ces femmes se trouvait Adélaïde Auguié. À la moindre occasion elle défendait la reine avec tant d'âpreté que Marie-Antoinette la surnommait « ma lionne ». Ce jour-là, Adélaïde ne dérogea pas à sa réputation. Elle insista avec une telle force pour que la sentinelle la laisse entrer qu'aussitôt un attroupement se forma. Une femme du peuple la saisit rudement par le bras en l'appelant « l'esclave de l'Autrichienne ». À cette époque on risquait sa tête pour moins que cela. Mais bravant sa peur et avec l'accent de sincérité qui l'animait, elle dit d'une voix suffisamment forte pour que chacun l'entende :

– Écoutez, je suis attachée à la reine depuis l'âge de quinze ans ; elle m'a dotée et mariée ; je l'ai servie puissante et heureuse. Elle est infortunée en ce moment. Dois-je l'abandonner ?

– Elle a raison, s'écria une des mégères, elle ne doit pas abandonner sa maîtresse, faisons-les entrer !

Dans une volte-face les furies forcèrent le passage et introduisirent les femmes de la reine. Elles allèrent même jusqu'à les accompagner à la terrasse des Feuillants en donnant à Adélaïde des conseils pour arriver au palais.

Si Adélaïde et ses compagnes eurent tant de mal à gagner les appartements de la reine, c'est que tout avait été arrangé pour que la femme de la garde-robe, qui avait servi d'espion, restât seule chargée du service de Marie-Antoinette. Elle devait être aidée uniquement de sa sœur et de sa fille. Et pour être sûr qu'aucune autre femme ne pénétrât chez la souveraine, M. de Gouvion, aide de M. de La Fayette, avait fait placer le portrait de cette femme au bas de l'escalier conduisant chez la reine !

Outré du stratagème, le roi réclama la liberté de son intérieur et le renvoi de l'espionne. Depuis quelque temps l'Assemblée nationale préparait la Constitution. Elle espérait bien que le roi y adhérerait. Dans cette perspective, La Fayette dut céder.

XX

LES SUSPICIONS
EDMOND GENET DU CÔTÉ
DES RÉVOLUTIONNAIRES

Au retour de Varennes la suspicion s'installe. Il y a ceux qui sont gagnés par les idées nouvelles, « les constitutionnels », et ceux qui restent fidèles à la monarchie. Aux Tuileries les espions pullulent. Les domestiques, soudoyés par les patriotes, rapportent, jusqu'aux plus minutieux détails, ce qui se passe au château. Dans un tel climat de délation on ne sait plus qui est qui et qui fait quoi. Soit par jalousie, soit par ignorance, les attaques se multiplient contre Mme Campan. Déjà, un an plus tôt, les dames du palais avaient assuré la reine que M. de Beaumetz, député et rangé « du côté gauche de l'Assemblée », passait sa vie chez elle. Cette affirmation ébranla Marie-Antoinette à tel point qu'elle convoqua sa première femme : « Venez de suite à Saint-Cloud, j'ai à vous communiquer quelque chose qui vous intéresse. »

Henriette qui venait de quitter son service deux jours plus tôt pour regagner Paris, se présenta en toute hâte chez la reine. Sa Majesté lui dit qu'elle avait un sacrifice à lui demander. Sans hésiter elle lui répondit qu'il était fait d'avance. Marie-Antoinette lui parla alors de M. de Beaumetz, la priant de renoncer à la société d'un homme qui risquait de lui nuire. Respectueuse mais souriante, Henriette avança qu'il lui était impossible de faire à Sa Majesté le sacrifice qu'elle exigeait, puisqu'elle n'avait pas revu le député depuis le premier octobre 1789. Enfin, elle argua que si M. de Beaumetz voulait plaire au parti populaire, il ne pouvait « se dépopulariser » en passant son temps chez une femme de la reine !

Devant une explication si claire, Marie-Antoinette s'exclama :

– Oh ! c'est juste, cent fois juste ! On a fort mal choisi cette occasion de vous nuire ; mais observez-vous dans vos moindres démarches, vous voyez que la confiance que nous vous accordons, le roi et moi, vous fait de puissants ennemis.

Malgré toute la rigueur, toute la réserve qui guident chacun de ses actes, la position qu'Henriette occupe aux Tuileries lui attire d'inévitables inimitiés : « Plus je voyais que j'avais le bonheur d'être de quelque utilité à mes maîtres, plus j'observais de vivre uniquement avec ma famille, jamais je ne me permettais aucun entretien qui pût faire connaître l'intimité dans laquelle j'étais admise. » Fidèle à son devoir, elle veille sur sa maîtresse, et parfois, à son insu, comme nous allons le voir dans l'affaire qui suit.

Une contre-police appartenant au roi a découvert qu'il se tramait le projet d'empoisonner la reine. Marie-Antoinette en parle à sa première femme ainsi qu'à son médecin sans qu'aucune émotion ne la trahisse. Il n'en va pas de même pour ceux qui la servent. Alarmés, Henriette et M. Vicq d'Azir se concertent : « Nous cherchâmes, lui et moi, quelles précautions il fallait prendre. » La reine a une fâcheuse habitude qui inquiète son médecin : du sucre en poudre se trouve toujours sur la commode de sa chambre et souvent, lorsqu'elle veut boire, elle en met des cuillerées dans un verre d'eau. Il serait facile d'y glisser du poison, aussi est-il convenu qu'Henriette râperait une grande quantité de sucre chez elle, qu'elle en aurait toujours des cornets dans son sac et, que plusieurs fois dans la journée, elle le substituerait à celui du sucrier. Henriette s'exécute jusqu'au jour où Marie-Antoinette découvre la manœuvre. Elle l'assure qu'elle prend une peine bien inutile :

– Souvenez-vous qu'on n'emploiera pas un grain de poison contre moi. Les Brinvilliers ne sont pas de ce siècle-ci. On a la calomnie, qui vaut beaucoup mieux pour tuer les gens, et c'est par elle qu'on me fait périr.

Depuis Varennes le château des Tuileries est devenu une forteresse gardée par douze mille hommes. La famille royale est étroitement surveillée ; il lui est défendu de fermer ses portes à clef. Mais la vraie fatalité n'est pas tant l'évasion manquée que la fuite réussie du comte de Provence. À peine arrivé à Bruxelles, il se déclare régent tant que Louis XVI demeurera prisonnier. Il s'agite, mais en réalité n'entreprend rien pour aider son frère. Artois, le bellâtre, se montre d'une rare inconséquence, au point que l'empereur d'Autriche écrit à son propos : « Il s'embarrasse peu de son frère et de sa belle-sœur, il ne réfléchit pas combien il expose les jours du roi et de ma sœur par ses projets et ses tentatives. »

Quant aux monarques étrangers, peu leur importe qui régnera en France pourvu qu'en Europe la royauté soit sauve, pourvu que la fièvre républicaine ne gagne pas leur pays ! L'indifférence au sort de Louis XVI et de Marie-Antoinette va coûter la vie au couple royal.

En Autriche, Joseph, frère de Marie-Antoinette, est mort. Léopold lui a succédé et, malgré de bonnes paroles, il n'a pas l'intention d'exposer un seul soldat pour sauver sa tante. Quant aux émigrés regroupés aux frontières, ils ne tiennent pas en place. Marie-Antoinette a une bien piètre opinion d'eux. Elle les décrit comme « une vilaine race d'hommes qui se disent attachés et qui ne nous ont fait que du mal ».

Au milieu de tout ce désordre, la Révolution avance à grands pas. La reine est seule pour se battre contre tous. Elle qui autrefois montrait de la paresse à lire un document, multiplie les échanges. De sa petite chambre des Tuileries transformée en chancellerie au nez et à la barbe des gardes chargés de la surveiller, elle écrit lettre sur lettre, discute, négocie, fait des propositions, des contre-proprositions, échafaude des plans... Elle ne peut compter que sur elle, car Louis XVI a depuis longtemps abandonné la partie. Plus elle est isolée, plus elle se bat. Dans l'adversité elle montre un extraordinaire courage qui va lui gagner les bonnes grâces de Barnave et de Mirabeau lui-même. Digne fille de Marie-Thérèse, elle parle en souveraine à ses adversaires ; parée de grâce et de noblesse elle séduit, déploie énergie et volonté. Ce cocktail explosif lui gagne les cœurs au point que Mirabeau, admiratif, s'exclame : « Le roi n'a qu'un homme, c'est sa femme ! »

Dans le plus grand secret Henriette seconde sa maîtresse du mieux qu'elle peut. La correspondance de la reine avec l'étranger est chiffrée. Elle l'aide dans ce travail fastidieux et prend sur elle de faire partir des courriers pour les pays étrangers. Elle s'entoure de tant de précautions que jamais ils ne seront découverts. Qu'une seule lettre soit interceptée et elle est immédiatement emprisonnée. Les risques qu'elle encourt, chaque jour, sont tels qu'elle se cloître. Elle vit dans une perpétuelle défiance : « J'ai dû surtout mon existence, écrit-elle, au soin que je pris de n'admettre chez moi aucun député quelconque et de refuser toutes les entrevues que me demandaient souvent les gens les plus marquants. Cette contrainte m'avait paru la seule convenable (...). » Certes, mais résultat, elle se fait des ennemis de tous bords. Le même jour la gazette révolutionnaire lui reproche son « royalisme » forcené, alors que la gazette royaliste la présente comme une dangereuse « constitutionnelle » !

Jusque-là elle se contentait de sourire à toutes ces accusations. Mais bientôt on va exploiter contre elle ses attaches familiales. À cette époque elle découvre, avec horreur, que son frère unique, cadet de la famille, s'est placé du côté de la Constitution ! Attaquer Henriette par le biais des siens, c'est la toucher au point le plus sensible, le plus vulnérable. Elle est l'aînée des cinq enfants et, en tant que telle, prend à cœur son rôle de chef de famille.

À la mort de son père, Edmond Genet a dix-huit ans. M. de Vergennes, ami intime de feu M. Genet, se déclare le protecteur du garçon. Grâce à lui Edmond est attaché à l'ambassade de Vienne. À vingt ans il est nommé secrétaire de légation en Angleterre pour la paix de 1783. Mais cette tête brûlée écrit un mémoire qui déplaît fort à M. de Calonne, alors ministre en place. Devenu indésirable en France, il part pour Saint-Pétersbourg où M. de Ségur le fait nommer secrétaire de légation.

Henriette, qui se doutait des idées « avancées » de son frère, espérait que seule sa jeunesse en était cause, et, qu'avec le temps, il reviendrait à des pensées plus sages. Mais une lettre qu'il lui envoie de Saint-Pétersbourg ne lui laisse plus aucun doute sur ses opinions : un Genet constitutionnel ! Elle sait d'expérience que, dès que ses ennemis seront au courant, ils fondront sur elle. Elle décide de parer le coup. Sa nature droite lui commande d'aller trouver la reine pour lui remettre la lettre de son frère, ce qu'elle fait sur-le-champ ; et voilà qu'inquiète, malheureuse pour ne pas dire honteuse qu'un vilain canard se soit glissé dans sa famille, elle attend le verdict.

– Cette lettre, dit enfin la reine, est d'un jeune homme que le mécontentement et l'ambition ont égaré ; je sais que vous ne pensez pas comme lui ; ne craignez pas de perdre ma confiance et celle du roi.

Par retour du courrier Henriette reproche fermement à son frère le parti qu'il a pris. Edmond Genet répond : « Servez votre Auguste maîtresse avec le dévouement sans bornes que vous lui devez et faisons chacun notre devoir ; je vous observerai que souvent à Paris les brouillards de la Seine empêchent, même du Pavillon de Flore, de voir cette immense capitale et je la vois plus clairement de Pétersbourg. »

Les nouvelles vont vite ; comme elle le craignait, des dames et d'autres personnes viennent demander audience à la reine pour lui apprendre que le propre frère de Mme Campan est un révolutionnaire déclaré. Marie-Antoinette fait mine d'écouter et dans un large sourire répond :

– Je le sais, Mme Campan est venue me le dire !

Mais Henriette est lasse de mener une vie de recluse, lasse d'avoir toujours à se défendre, à se disculper, lasse d'avoir à affronter de nouvelles jalousies. Elle est seule depuis que son beau-père est décédé au mois de septembre. Cette mort l'a isolée dans un palais où chacun espionne l'autre. Elle mène une vie infernale et, petit à petit, sombre dans une profonde mélancolie. Elle demande à la reine de lui permettre de se retirer de la Cour. Elle la supplie à genoux et en pleurant. Mais Sa Majesté lui répond que jamais elle ne consentira à son départ. Effondrée, elle se retire dans ses appartements.

Quelques instants plus tard un valet de pied lui apporte un billet de Marie-Antoinette : « Je n'ai cessé de vous distinguer et de vous donner, à vous et aux vôtres, des preuves de mon attachement ; je veux vous dire par écrit que je crois à votre honneur, à votre fidélité, autant qu'à vos autres bonnes qualités et je compte toujours sur le zèle et l'intelligence que vous employez à me servir. »

Les mots sont sincères et touchent profondément Henriette. Alors qu'elle veut aller remercier la reine, elle entend gratter à la porte. Elle ouvre : le roi !... Le roi chez elle ? Elle sursaute de saisissement. Louis XVI s'en aperçoit et lui dit avec bonté :

– Je vous ai fait peur, Madame Campan. Je veux pourtant vous rassurer. (...) Notre position est si fâcheuse, nous avons trouvé tant d'ingrats et tant de traîtres que les craintes des gens qui nous aiment sont excusables ! Je pourrais les rassurer en leur disant les services secrets que vous nous rendez tous les jours, mais je ne veux pas le faire (...).

Et le roi lui explique qu'il est préférable qu'on la croie « constitutionnelle », car c'est le moyen le plus sûr pour qu'on ne vienne pas l'inquiéter. « On m'en a déjà parlé vingt fois, je ne l'ai jamais démenti, confirme le roi, mais je viens vous donner ma parole que si nous avons le bonheur de voir tout ceci terminé, je dirai chez la reine en présence de mes frères tous les services importants que vous nous avez rendus et je vous en récompenserai vous et votre fils. »

Ceci est l'accent même de la vérité. Le roi a choisi de ne pas démentir les rumeurs pour des raisons de prudence. Et c'est précisément sur ces rumeurs que, plus tard, les monarchistes s'appuieront pour accuser Mme Campan d'avoir mené double jeu. Elle garde précieusement le billet qui lui permettra de répondre à ses détracteurs. En attendant, cet écrit est un « laissez-passer » pour l'échafaud si les révolutionnaires venaient à le découvrir ! Elle cherche une solution ; son appartement n'est pas sûr. Après le 20 juin, date à laquelle les brigands ont forcé les Tuileries, elle décide de confier la lettre à M. de La Chapelle, commissaire général de la maison du roi, qui la cache dans son bureau derrière un grand tableau. Mais voilà que le 10 août, M. de La Chapelle est jeté en prison et que le Comité de salut public s'empare de son bureau et s'y installe. De là sont dictés tous les arrêts de mort. Un valet, traître à son roi, déclare qu'il y a, dans l'appartement de M. de La Chapelle, une feuille de parquet sous laquelle on a dissimulé des papiers. Henriette tremble. Heureusement, la lettre n'est pas découverte.

Sauvé par miracle des massacres du 2 septembre et le Comité de salut public ayant déserté le bureau, M. de La Chapelle obtient la permission de rentrer dans ses anciens cabinets pour y prendre les quelques effets qui lui appartiennent. Il retourne le tableau, trouve la lettre là où il l'avait glissée et, pour plus de sûreté, la brûle sur-le-champ. Henriette qui l'a échappé belle s'exclame : « Dans les temps de trouble un rien sauve la vie ou peut la perdre. » Ce geste l'aura sauvée de l'échafaud mais pas de l'ennemi implacable et sournois qu'est la médisance. Rien désormais ne pourra prouver son innocence. Le roi a laissé croire qu'elle était du parti des constitutionnels, son frère est un révolutionnaire déclaré...

Les mauvaises langues ne cesseront plus de l'accuser.

XXI

L'ESCALADE DANS L'HORREUR

Chaque jour le danger augmente. Comme aux frontières l'armée étrangère ainsi que l'armée des princes s'agitent, aussitôt l'Assemblée réagit.

Les esprits s'échauffent. On vient insulter la reine jusque sous ses fenêtres. Un jour que Sa Majesté entend rire aux éclats sur la terrasse, elle demande à Henriette de regarder ce qui se passe. Celle-ci s'exécute et découvre l'odieuse scène : un homme a baissé son pantalon et montre ostensiblement son postérieur en direction des appartements de la reine.

La vie aux Tuileries devient infernale. Le roi sombre dans un profond abattement. Contraint et forcé, il a dû accepter la Constitution qui limite considérablement son autorité. Dix jours de suite il ne prononce pas un seul mot. La reine va le supplier de réagir pour ses enfants, pour elle. Si Louis XVI reste impassible devant toute attaque personnelle, il s'insurge si on touche à la royauté qu'il tient de droit divin et devient intraitable si on attaque la religion. Croyant et pratiquant, l'homme que l'on décrit souvent comme un être sans force, montre une volonté farouche quand il s'agit de défendre sa foi.

Ainsi ce roi très-chrétien vient de s'opposer fermement à la déportation des prêtres. Le « veto » de Louis XVI rend la population furieuse. Quoi ? Un roi prisonnier qui ose encore jouer au roi ! C'est la mobilisation immédiate. Vingt mille hommes se rendent à la Commune pour annoncer qu'ils vont venir planter « l'arbre de la liberté » à la porte de l'Assemblée nationale le 20 juin. Le jour dit, aussi nombreuse qu'affreuse, la troupe envahit les Tuileries. Armée de haches, de piques, elle est vêtue de guenilles : « Leur émanation infectait l'air », témoigne, Mme Campan que la mise en scène écœure. Où a-t-on trouvé pareille armée ? Celle-ci s'avance en criant : « Vive la Nation ! À bas le veto ! »

Tout Paris était au courant de cette marche et, comme par hasard, ce jour-là le roi est sans protection. La résistance est nulle ; les portes sont enfoncées. Des hommes « aux figures effrayantes » envahissent les appartements. Quelques courtisans sont présents, tous des braves. M. de Bougainville n'a que le temps de crier :

– Mettez le roi dans l'embrasure de la fenêtre et des banquettes devant lui !

Six grenadiers royalistes interviennent :

– Sire, ne craignez rien, dit l'un d'eux.

– Mettez la main sur mon cœur, vous verrez si j'ai peur, répond Sa Majesté.

Marie-Antoinette, qui n'a pu rejoindre le roi, est restée bloquée dans la salle du Conseil. Placée derrière la grande table, elle conserve un maintien « noble et décent », le dauphin est assis près d'elle, Madame Royale ainsi que quelques dames se tiennent à ses côtés. La « horde » défile devant la reine jusqu'à ce qu'une jacobine la prenne directement à partie. Henriette rapporte la scène : « Sa Majesté lui demanda si elle l'avait jamais vue, elle lui répondit que non ; si elle lui avait fait quelque mal personnel, sa réponse fut la même, mais elle ajouta :

– C'est vous qui faites le malheur de la Nation.

– On vous l'a dit, reprit la reine, on vous a trompée. Épouse d'un roi, mère d'un dauphin, je suis Française, jamais je ne reverrai mon pays, je ne puis être heureuse ou malheureuse qu'en France, j'était heureuse quand vous m'aimiez.

Cette mégère se mit à pleurer, à lui demander pardon, à lui dire :

– C'est que je ne vous connaissais pas, je vois que vous êtes bien bonne. »

Ainsi, un maintien digne, quelques paroles apaisantes, un peu d'attention ou d'humanité, suffisent à toucher le cœur le plus récalcitrant, pour changer une louve hurlante en agneau bêlant. On a tant dit sur la reine depuis des années, répandu tant de mensonges !

Il faudra attendre huit heures du soir pour que le palais soit enfin évacué. Cette fois Marie-Antoinette place tous ses espoirs dans les secours étrangers. Plus que jamais elle s'adonne à sa correspondance secrète. Mais que fait sa famille ? Que fait son neveu ? Le temps passe et la longue agonie du trône de France use ses nerfs.

Parfois la reine, qui éprouve dans sa solitude le besoin de s'épancher, donne à lire quelques fragments de lettres à sa première femme. Celle-ci découvre que la propre sœur de Marie-Antoinette, gouvernant aux Pays-Bas, écrit que la coalition doit agir avec prudence ! Comment peut-on parler de prudence alors que chaque jour la reine et ses proches risquent la mort ? « Prudence » est un mot qui n'a plus cours aux Tuileries. Ce serait plutôt un sauve-qui-peut, d'autant que le 14 juillet approche et que le roi et la reine vont être contraints à paraître à la fête.

On s'attend au pire. Quelques fidèles conseillent au roi de porter un plastron qui le protège d'un coup de poignard. On charge Henriette de faire faire le plastron chez elle et dans le plus grand secret. Composé de « quinze épaisseurs de taffetas d'Italie », il consiste, nous révèle-t-elle, « en un gilet et une large ceinture ». Il est fait pour résister aux coups de stylet et pour amortir les balles. L'ouvrage terminé, la difficulté va être de le faire essayer au roi sans attirer l'attention. Trois jours durant Henriette porte le pesant gilet sous ses jupes sans trouver le moment favorable. Enfin, un matin, dans la chambre de Marie-Antoinette, Louis XVI ôte son habit et essaie le plastron. La reine est encore couchée. Le roi attire Henriette le plus loin possible du lit et lui glisse à l'oreille :

– C'est pour la satisfaire que je consens à cette importunité ; ils ne m'assailleront pas, leur plan est changé, ils me feront mourir autrement.

La reine, à qui rien n'échappe, a vu que le roi avait parlé à sa femme de chambre, elle veut savoir. Henriette hésite. La reine insiste. Quand elle apprend quelle a été la réflexion de son époux, elle ne paraît pas étonnée :

– Je commence à redouter un procès pour le roi ; quant à moi je suis étrangère, ils m'assassineront. Que deviendront nos pauvres enfants ?

À ces mots, Marie-Antoinette éclate en sanglots. Elle pense à sa fille de dix ans et à son fils de six ans. Sa vie ne compte plus. Henriette en aura la preuve quelques jours plus tard. À l'insu de la reine, elle lui a fait faire un corset semblable au gilet du roi, mais celle-ci malgré ses supplications refuse de le porter. Non seulement elle n'a plus peur de la mort, mais elle la réclame :

– Si les factieux m'assassinent, ce sera un bonheur pour moi, ils me délivreront de l'existence la plus douloureuse.

Quant au roi, il y a longtemps qu'il a fait don de sa personne à la France. Dans sa désolation il se montre de plus en plus reconnaissant des services que lui rendent ses proches. Ainsi peu de jours après avoir essayé le plastron, alors que Louis XVI rencontre Henriette dans un escalier et qu'elle se range pour le laisser passer, il s'arrête à sa hauteur, prend sa main, l'attire à lui pour l'embrasser sur les deux joues et passe son chemin sans savoir articulé un seul mot. « Ce témoignage silencieux de sa satisfaction, se souvient-elle, me troubla tellement que j'en aurais dans la suite confondu le souvenir avec les rêves (...), si mes sœurs ne m'eussent pas rappelé que je leur avais confié cette preuve de bonté du roi peu après qu'il me l'eut donnée. » L'élan est en effet inattendu chez un homme dont on dit le tempérament volontiers placide et le caractère timide !

Les souverains craignent une nouvelle invasion. Dans l'éventualité le roi trie ses papiers, tandis que la reine, aidée d'Henriette, brûle presque tous les siens. Elle conserve les lettres de l'impératrice Marie-Thérèse, ainsi que quelques autres qui ont trait à l'éducation de ses enfants. Ce travail, aussi minutieux que fastidieux, est fait dans le plus grand secret. Mme de Tourzel, gouvernante des enfants de France et qui avait fait partie du « voyage » à Varennes, confirme dans ses mémoires le rôle précieux que la première femme a joué dans ces moments décisifs.

« Elle (la reine) passa plusieurs nuits à trier ses papiers avec Mme Campan, une de ses premières femmes de chambre en qui elle avait beaucoup de confiance, et elle lui en donna même à emporter pour les brûler chez elle et ne pas laisser de traces d'un trop grand nombre de papiers brûlés. Je dois à la vérité ce témoignage que Mme Campan, malgré les calomnies qu'on n'a cessé de répandre sur son compte, n'a jamais abusé de la confiance que la reine lui a témoignée en diverses circonstances, et qu'elle a toujours gardé le plus profond secret sur ce que cette princesse lui avait confié, sans jamais chercher à s'en prévaloir. » Merci Mme de Tourzel pour votre honnêteté. Dans les temps troublés qui suivront la Révolution, bien peu de royalistes reconnaîtront les mérites de ceux qui surent rester fidèles à leur maître au détriment de leur vie. Mme Campan était assurément de cette trempe.

Si Marie-Antoinette se débarrasse de tous ses papiers, il n'en est pas de même pour le roi. Certains peuvent lui être utiles en cas de procès. Il a alors l'idée de faire fabriquer par François Gamin, le serrurier avec qui il travaillait à Versailles et grâce auquel il devait ses « mains noircies », une cachette dans un corridor intérieur de son appartement ; sans la dénonciation de ce serrurier poltron, jamais l'armoire de fer n'aurait été découverte. Marie-Antoinette n'accorde aucune confiance à François Gamin dont elle connaît les idées pro-jacobines, elle met en garde le roi qui, par précaution, se décide à remplir un très grand portefeuille de tous les papiers qu'il désire garder. Il le confie à Henriette, mais quand elle veut le prendre, il est si lourd qu'elle ne peut le soulever. Le roi va devoir déposer lui-même le portefeuille dans le cabinet intérieur de la femme de chambre :

– La reine vous dira ce qu'il contient, annonce-t-il sans donner plus de détails.

Et Marie-Antoinette explique :

– Ce sont des pièces qui seraient des plus funestes pour le roi si on allait jusqu'à lui faire son procès. Mais ce qu'il veut sûrement que je vous dise, c'est qu'il y a dans ce même portefeuille le procès-verbal d'un Conseil d'État dans lequel le roi donne son avis contre la guerre. Il l'a fait signer par tous les ministres et, dans le cas même de ce procès, il compte que cette pièce serait très utile.

Henriette qui pense alors être l'intermédiaire, mais non la dépositaire, demande à la reine à qui elle doit confier le portefeuille :

– À qui vous voudrez, lui répond-elle, vous êtes seule responsable. Ne vous éloignez pas du palais même dans vos mois de repos. Il y a des circonstances où il nous serait très utile de le trouver à l'instant même.

« Vous êtes seule responsable. » Voilà des mots lourds de sens qui ont dû résonner longtemps aux oreilles d'Henriette. Que faire d'un portefeuille dont un seul papier suffirait à envoyer le consignataire à la mort ? Elle ne peut le garder aux Tuileries où en cas d'invasion ses appartements seraient à coup sûr fouillés. Elle ne peut le garder chez elle sans faire courir de risques à son fils ou à sa famille.

Elle cherche un homme sûr. Elle trouve : M. Gouguenot, maître d'hôtel du roi, receveur général de la région, « homme très dévoué à son souverain », accepte l'encombrant dépôt.

Le château des Tuileries n'est plus un palais mais un camp retranché où le roi et la reine attendent chaque jour l'assaut final. Henriette passe le mois de juillet sans entrer dans son lit ; elle redoute une attaque contre Marie-Antoinette : la nuit, elle repose dans la chambre de la reine sur un lit de camp et elle s'efforce de ne dormir que sur une oreille. Bien lui en prend, car, un matin, vers une heure, elle entend marcher doucement dans le corridor qui dessert l'appartement de la reine. Il est normalement fermé à clef aux deux extrémités. Elle sort, appelle le valet de chambre. Bientôt elle perçoit un bruit de bagarre. Marie-Antoinette, réveillée en sursaut, serre sa première femme dans ses bras et murmure angoissée :

– Quelle position ! Des outrages le jour, des assassins la nuit !

Du corridor, le valet de chambre crie :

– Madame, c'est un scélérat que je connais, je le tiens !

– Lâchez-le, conseille la reine, ouvrez-lui la porte. Il venait pour m'assassiner, il serait demain porté en triomphe par les Jacobins.

L'homme est reconnu. C'est un garçon de toilette de Louis XVI. Dans le dessein de commettre un meurtre contre la reine, il a attendu le coucher du roi pour lui voler la clef dans sa poche.

Dès le lendemain on fait changer toutes les serrures ; mais quel piètre rempart quand on s'attend à être envahi par une foule d'émeutiers ! À chaque instant on annonce que le faubourg Saint-Antoine se met en mouvement pour faire l'assaut des Tuileries. Chaque nuit on vit avec cette peur au ventre. L'attente est insupportable... Enfin un matin, on vient prévenir Henriette que l'assaut est imminent. Elle envoie deux cavaliers place de la Bastille où la foule a pour habitude de se réunir avant d'entamer sa marche. Si l'alerte est vraie, elle sait qu'elle a une heure devant elle avant que les émeutiers ne soient rendus aux Tuileries. Elle réveille tout le monde, sauf la reine qui, pour une fois, a trouvé le sommeil. Elle pense avoir bien agi quand les cavaliers de retour lui apprennent que c'est une fausse alerte et que le rassemblement s'est dissipé. Le roi lui sait gré d'avoir laissé son épouse prendre du repos. « Ses peines doublent les miennes », avoue cet homme brisé. Mais au matin Marie-Antoinette réprimande sa première femme. Elle lui reproche de l'avoir mal servie dans des circonstances si graves. Henriette se défend en lui démontrant qu'elle a « besoin de réparer ses forces abattues ».

– Elles ne le sont pas, réplique la reine, le malheur en donne de très grandes. Élisabeth était près du roi et je dormais, moi qui veux périr à ses côtés. Je suis sa femme, je ne veux pas qu'il coure le moindre péril sans moi.

Ces belles paroles sont désormais les paroles d'une femme héroïque. Jamais celle que l'on désignait comme l'Autrichienne ne s'est montrée plus digne d'être la reine de France. Marie-Antoinette à qui la grande Marie-Thérèse demandait : « Quand est-ce que vous serez enfin vous-même ? » est pleinement elle-même ; majestueuse, superbe, elle s'écrie : « Je défie l'Univers de me trouver un tort réel, j'attends de l'avenir un jugement équitable et cela m'aide à supporter mes souffrances. »

XXII

L'HALLALI

La reine n'en peut plus. L'attente est usante, si affreuse, qu'elle en est « au point de désirer la fin de cette crise, quelle qu'en pût être l'issue ». La vie aux Tuileries s'avère infernale.

Le premier dimanche d'août, on vient conspuer la famille royale jusqu'à la chapelle. À son passage, quand la moitié de la garde nationale s'écrie : « Vive le roi ! », l'autre moitié répond : « Non, pas de roi ! À bas le veto ! »

Dans ce chaos Louis XVI et Marie-Antoinette ont pour eux la foi. Plus que jamais ils ont besoin du secours de la religion. La prière, le recueillement, sont la seule liberté qui leur reste. Pourtant celle-ci aussi leur sera volée.

Ce dimanche d'août, les vêpres sont troublées par des cris d'hostilité. Il n'y a plus de roi, plus de religion, plus de principes qui tiennent. Depuis des mois, la révolution gronde, s'étend, enfle ; elle s'est infiltrée partout jusqu'à forcer les portes de l'église et retentir sous les voûtes sacrées. Le désordre a gagné tous les esprits. C'est la fin.

Le 9 août, Pétion, le maire de Paris, est prévenu par l'Assemblée nationale qu'une insurrection générale est prévue pour le lendemain 10 août et que le tocsin sonnerait à minuit. Pétion donne l'ordre à la garde nationale de repousser les assaillants mais, la moitié de ses hommes étant du parti des Jacobins, il n'y a rien à espérer. Comme on s'y attendait, le tocsin sonne à minuit. De son rythme lent il résonne lugubrement sur la capitale. Il annonce l'hallali. Même si les Suisses attendent rangés dans la cour, au château on ne se fait aucune illusion : les moyens de défense sont nuls. Pour se sauver de cette situation, il faudrait un roi énergique et Louis XVI manque de vigueur quand il s'agit de croiser le fer avec le peuple français. « Pas de sang », s'écriait-il déjà à Versailles. Et quoi qu'on lui ait fait endurer, sa façon de penser n'a pas changé. Cette nuit du 10 août, le roi refuse obstinément de porter son gilet plastronné, il trouve « de la lâcheté à préserver ses jours par un semblable moyen ». Aucune victime ne sera à déplorer par sa faute, en revanche, il est prêt à s'immoler, si tel est le vœu du peuple.

Le tocsin sonne au-dessus de Paris. L'air est irrespirable. Chacun est aux aguets. À une heure du matin, la reine et Madame Élisabeth décident de s'allonger sur un canapé de l'entresol dont les fenêtres donnent sur la cour. Afin de trouver un peu de confort, la sœur du roi enlève quelques vêtements, puis elle ôte de son fichu une épingle de cornaline. Avant de la poser sur la table, elle montre à Henriette la légende gravée : « Oubli des offenses, des injures. »

– Je crains, dit Élisabeth, que cette maxime ait peu d'influence sur nos ennemis, mais elle ne doit pas nous en être moins chère.

Dans cette guerre des nerfs, qui pourrait trouver le repos ? Marie-Antoinette ordonne à sa première femme, « compagnon » de près de vingt années, de s'asseoir auprès d'elle. Ce soir il n'y a plus de reine, de princesse ou de servante, mais trois femmes qui se tiennent compagnie face à la mort.

Soudain, dans la nuit chaude et tendue, retentit un coup de feu... Il a claqué, sec.

– Voilà le premier coup de feu, s'exclame Marie-Antoinette, ce ne sera pas le dernier, montons chez le roi.

Trois heures plus tard la reine sort de la chambre du roi. Elle est pâle, elle vient d'apprendre que M. Mandat, le défenseur des Tuileries, a été assassiné. Sa tête est promenée dans les rues. Il n'y a plus rien à espérer.

Les heures s'égrènent. Le jour se lève sur la capitale. La famille royale au complet descend passer en revue la garde nationale qui est restée toute la nuit, fidèle à son poste. Henriette regarde la scène d'une embrasure de fenêtre. Alors que quelques « Vive le roi ! » fusent, elle voit des canonniers quitter le rang et menacer Louis XVI, le poing levé, tout en l'insultant grossièrement. Elle se souvient que « le roi était pâle, comme s'il avait cessé d'exister ». Il aurait dû se révolter, au lieu de quoi il n'a rien dit, il n'a rien fait et, devant tant d'inertie, la reine sait que la partie est perdue.

En attendant l'ennemi, Henriette et ses compagnons d'infortune se placent sur des banquettes élevées dans la salle de billard. Les hordes ne sont plus qu'à quelques minutes des Tuileries. Déjà des bandes armées de piques et de couteaux ont envahi les rues adjacentes. Des canons sont braqués sur le château.

L'assaut est imminent. M. d'Hervilly, l'épée à la main, ordonne à l'huissier d'ouvrir à la noblesse française accourue pour défendre son roi. Deux cents personnes entrent. Deux cents personnes contre des milliers dans la rue ! Mais tous sont des braves. Certains n'ont pas d'armes et portent sur l'épaule, « en place du fusil, la paire de pincettes de l'antichambre du roi ». Dans cette armée de fortune il se trouve parmi la noblesse des gens inconnus, des pages à la figure d'enfant, mais tous défendent la même cause, tous sont prêts à offrir leur vie pour sauver le roi.

À huit heures M. Roederer entre dans le cabinet de Louis XVI. Il annonce que la garde intérieure est prête à s'unir aux assaillants, que la famille royale ainsi que ceux qui attendent dans les antichambres vont immanquablement périr si Sa Majesté ne prend pas le parti de se rendre à l'Assemblée nationale. Comment consentir à un tel massacre ? Fidèle à lui-même, le roi n'hésite pas une seconde. Quant à la reine, elle finit par acquiescer, n'est-ce pas la seule façon pour elle de sauver ses enfants ? Le roi se lève, la reine le suit. En passant près d'Henriette, Sa Majesté lui glisse à l'oreille :

– Attendez dans mon appartement, je viendrai vous rejoindre ou je vous enverrai chercher pour aller je ne sais où.

Ce « je ne sais où » pathétique résonne douloureusement dans l'esprit d'Henriette qui, pour la dernière fois, obéit à celle qu'elle a servie dix-neuf années durant. Avec les autres femmes elle va occuper les appartements désormais vides.

Tandis que la famille royale s'éloigne des Tuileries entre deux haies de soldats, les assaillants pénètrent dans les cours. Ils ignorent que Louis XVI a quitté les Tuileries. Et personne n'a pensé à prévenir ceux qui défendent le palais : « On a présumé, écrira Campan, que s'ils en eussent été instruits, le siège n'eût pas eu lieu. » Incroyable mais vrai ! Par manque d'information des centaines de Suisses périssent ainsi qu'un bon nombre de loyaux courtisans venus défendre le roi. Les hommes sont massacrés les uns après les autres ;

héroïques, ils se défendent avec peu de moyens. La horde furieuse, avec à sa tête le « Marseillais » sanguinaire, approche des appartements de la reine. Pour les femmes, c'est une mort certaine qui les attend... Mais soudain, un homme à longue barbe surgit et crie aux assaillants :

– Faites grâce aux femmes, ne déshonorez pas la nation !

À peine Henriette entend-elle les mots qui la sauvent que, dans son trouble, elle s'aperçoit que sa sœur n'est pas avec elle. Elle se précipite dans un entresol où elle suppose qu'elle s'est réfugiée. Personne ! Elle ne trouve que deux femmes de chambre et un homme dont la physionomie martiale est très pâle. Elle lui crie :

– Sauvez-vous, les valets de pied et nos gens le sont déjà !

– Je ne le puis, je suis mort de peur, lui avoue-t-il.

Au même instant elle entend des pas. Surgit une troupe armée qui assassine l'homme. Pour tenter de leur échapper, Henriette se précipite dans l'escalier. Elle est rattrapée. Une main « terrible » la saisit au dos et l'agrippe par ses vêtements. Celles qui l'accompagnent luttent pour la sauver. Le bruit attire un révolutionnaire qui du bas des marches crie :

– Que faites-vous là-haut ?

– Hein !

– On ne tue pas les femmes, rappelle la voix.

À regret le bourreau lâche Henriette.

– Lève-toi coquine, lui ordonne-t-il, la nation te fait grâce !

Et pour se venger la troupe s'empare des femmes et les oblige à monter sur des banquettes placées devant les fenêtres et de crier : « Vive la Nation ! »

Enfin on les fait sortir des Tuileries. De nombreux cadavres jonchent le sol ; au passage, Henriette reconnaît certains visages ensanglantés. Arrivés près de la grille, du côté du pont, l'un des hommes leur demande où elles veulent aller. Prudente, Henriette lui répond : « Là où il leur plaira. » Mais au même moment, comme elle aperçoit sa sœur entourée de gardes nationaux, elle l'appelle. Adélaïde entend et se retourne :

– Veux-tu qu'elle vienne avec toi ? questionne son garde.

Si elle le désire ? Cela fait des heures qu'elle la cherche, qu'elle désespère de la retrouver vivante !

L'homme hèle les gardes qui conduisent Adélaïde en prison. Après avoir parlementé, ils acceptent de la lâcher. Les deux sœurs sont enfin réunies. On imagine leur soulagement.

Le chemin entre les Tuileries et l'appartement des Auguié s'avère des plus pénible. Dans les rues les soldats se battent, sous les murs de la galerie du Louvre les coups de fusils s'entrecroisent. Comme toutes les femmes attachées au service de la reine, les deux sœurs portent des robes blanches qui, bien que souillées de sang, dénoncent leur appartenance. Des harpies hurlent qu'elles sont attachées à l'« Autrichienne » ! Les gardes les font précipitamment rentrer sous une porte cochère et leur commandent d'ôter leur robe. C'est désormais en jupon qu'elles marchent dans les rues. Trop court, il leur donne un air déguisé, si bien, qu'à leur passage, des mégères crient qu'elles sont de jeunes gardes suisses habillés en femme ! Au même moment une foule déchaînée apparaît, portant au bout d'un pique la tête du pauvre Mandat tué dans la nuit. Les voilà prises dans un étau. Où aller ? Que faire ?

Henriette et Adélaïde devront leur salut à la présence d'esprit de leur escorte qui les pousse dans un café en leur enjoignant de boire du vin. Les hommes assurent à la patronne méfiante qu'elles sont leurs sœurs et de bonnes patriotes. Un des gardiens assis près d'Henriette avoue à voix basse :

– Je suis ouvrier en gaze dans le faubourg ; j'ai été forcé de marcher ; je ne suis pas de tout cela. Je n'ai tué personne et je vous ai sauvées ; vous avez couru de grands risques quand nous avons rencontré les furieuses qui portent la tête de Mandat. Ces horribles femmes, hier à minuit sur la place de la Bastille (...) avaient fait le serment de tuer de leurs propres mains la reine et toutes les femmes qui lui sont attachées (...).

Le calme revenu, la troupe se remet en route. C'est alors que, près du Carrousel, Henriette aperçoit sa maison en flammes. Elle a tout perdu : meubles, bijoux, argent, vêtements... mais que lui importe si elle a la vie sauve !

Chez les Auguié, Henriette retrouve toute sa famille réunie qui désespérait de la revoir. Les premières effusions passées elle est obligée de quitter les lieux. Les nouvelles se propagent à la vitesse de l'éclair. Déjà des gens se rassemblent dans la rue pour crier que la confidente de la reine est dans la maison. Certains réclament sa tête. Elle n'a pas le choix, elle se déguise et fuit la maison. Elle va se cacher chez M. Morel, administrateur de loterie.

Dès le lendemain Henriette et Adélaïde se rendent aux Feuillants. La famille royale occupe quatre cellules. Dans la première se tiennent les hommes qui ont suivi le roi ; dans la deuxième Louis XVI se fait rafraîchir les cheveux. En voyant arriver les deux sœurs, il donne à chacune une mèche et les embrasse sans prononcer un mot ; dans la troisième elles trouvent la reine couchée « dans un état de douleur qui ne peut se définir ». Sa Majesté est seule et n'a pour la servir qu'une grosse femme à l'air plutôt honnête.

Ces moments de retrouvailles sont si intenses, si poignants, que jamais, non jamais, Mme Campan ne pourra les effacer de sa mémoire. Lancinants, ils viennent la tourmenter le jour et peupler ses nuits de cauchemars : « Je crois voir encore, écrit-elle navrée de douleur, je verrai toujours cette petite cellule des Feuillants, collée de papier vert, cette misérable couchette d'où cette souveraine détrônée nous tendit les bras en disant que nos malheurs, dont elle était la cause, aggravaient les siens propres. Là, pour la dernière fois, j'ai vu couler les pleurs, j'ai entendu les sanglots de celle que sa naissance, les dons de la nature et surtout la bonté de son cœur, avaient destinée à faire l'ornement de tous les trônes et le bonheur de tous les peuples ! »

Henriette passe une partie de la journée aux Feuillants. La reine a l'intention de demander à Pétion l'autorisation de la garder auprès d'elle ; aussi part-elle préparer ses affaires. À neuf heures du soir, elle se représente aux portes des Feuillants. On lui refuse l'entrée sous prétexte que Sa Majesté a assez de monde pour la servir ; Adélaïde et une autre de ses compagnes sont restées auprès de leur souveraine. Le lendemain, elle se rend chez Pétion pour le supplier de la laisser entrer. Agacé par son insistance, il menace de l'envoyer à la prison de la Force. À son tour, Adélaïde va devoir quitter le service de Marie-Antoinette dès que les souverains seront transférés à la prison du Temple. On la gardera alors vingt-quatre heures séquestrée avant de la relaxer.

Plus jamais Henriette ne reverra la famille royale. Elle n'aura des nouvelles de son « infortunée maîtresse » que par les journaux ou par les gardes nationaux qui protègent l'accès au Temple. Marie-Antoinette qui pensait revoir sa première femme, ne lui a rien dit à propos du fameux portefeuille qu'elle lui a remis. Et précisément le ministre

Roland et certains députés recherchaient activement les papiers de Leurs Majestés. On a fouillé partout aux Tuileries, mais on n'a rien trouvé. Robespierre pensa alors à M. Campan, secrétaire intime de la reine. Il dit que sa mort n'est pas réelle, que, certainement, il se cache quelque part avec les papiers importants ! Robespierre va jusqu'à sommer un ancien précepteur du fils d'Henriette de lui dire sur son honneur si M. Campan est bien mort. Même s'il assure l'avoir vu enterrer dans le cimetière d'Épinay, cela ne lui suffit pas :

– Eh bien ! apporte-moi demain à midi son extrait mortuaire, cela m'est fort nécessaire.

De son beau-père à elle, il n'y a qu'un pas. Cette fois, l'étau se resserre. Que faire ? Elle passe ses jours et ses nuits à chercher une solution. Ses domestiques lui apprennent qu'une fouille aura lieu chez elle et que cinquante hommes armés doivent s'emparer de la maison de sa sœur Adélaïde Auguié chez qui elle réside depuis quelques jours.

Elle est encore sous le coup de la nouvelle, quand le maître d'hôtel du roi, à qui elle avait confié les papiers de Louis XVI, se présente. Afin qu'on ne puisse le reconnaître, en plein mois d'août, il porte une houppelande sous laquelle il dissimule le lourd portefeuille.

– Voilà votre dépôt, dit-il, je ne l'ai pas reçu des mains mêmes de notre malheureux roi ; en vous le remettant j'ai rempli ma tâche.

Il jette le portefeuille aux pieds d'Henriette et veut sortir. Elle le retient, le suppliant de l'aider. Il a tellement peur qu'il ne veut rien savoir :

– Voyez, décidez-vous, je ne veux y être pour rien, répond-il, trop content de se débarrasser du fardeau.

Prise de vertige, elle réfléchit tout haut ; elle marche de long en large. Sa maison va être fouillée, comment cacher un objet aussi volumineux ?

Elle ne veut pas trahir la confiance des souverains et, en même temps, elle doit prendre une décision... Elle se souvient alors que la reine lui a parlé d'une seule pièce qui, en cas de procès, serait utile au roi. Il lui faut agir vite, elle prend un couteau, perce un des côtés du portefeuille et en tire une quantité d'enveloppes sur lesquelles elle reconnaît l'écriture du roi. M. Gougenot y trouve les sceaux royaux... Au même moment un grand bruit se fait entendre dans la maison. Devant l'imminence du danger, Gougenot ramasse à la hâte les papiers. Il accepte alors de cacher le portefeuille sous sa houppelande et de repartir avec. Henriette a pris la décision de brûler les papiers qui pourraient faire le jeu des révolutionnaires et compromettre leurs Majestés. Dans cette affaire, Gougenot ne veut pas prendre de risques, il lui fait jurer au nom de ce qu'elle a de plus sacré, qu'elle est « seule » responsable de la décision qu'elle a prise. Elle en fait le serment ; il sort. Une demi-heure après, des hommes armés pénètrent chez elle. Ils enfoncent secrétaires et armoires, fouillent le jardin, visitent les caves... Un seul mot d'ordre est lancé : « Trouver les papiers ! » Après plusieurs heures de recherches, les gardes repartent bredouilles, et pour cause ! Dans l'après-midi, M. Gougenot revient. Il apporte à Henriette la liste des documents qu'il a brûlés, dont voici l'énumération :

- 20 lettres de Monsieur
- 18 lettres de M. le comte d'Artois
- 17 lettres de Madame Adélaïde
- 18 lettres de Madame Victoire

auxquelles il faut ajouter la correspondance du comte de

Lameth et de M. de Malesherbes ; quelques lettres de ministres et d'ambassadeurs.

Chaque paquet portait son titre écrit de la main du roi. Le plus volumineux était celui de Mirabeau. D'après Gougenot, Louis XVI conservait ce courrier comme pièces précieuses pour l'histoire de son règne. Quant à la correspondance avec les princes, relative à ce qui se passait hors des frontières, il l'a détruite, la jugeant funeste pour le roi si les révolutionnaires s'en emparaient.

Gougenot s'est débarrassé des sceaux royaux en les jetant dans la Seine, le premier à la hauteur du pont Neuf et le second près du pont Royal. À propos des sceaux, Mme Campan pense que « c'était pour les avoir à l'instant (...) en cas de contre-Révolution », que la reine lui avait recommandé de ne pas s'éloigner des Tuileries. Ainsi, au plus fort de la crise, Marie-Antoinette espérait encore un revirement politique.

Enfin, il remet à Henriette : 1) le fameux procès-verbal signé par tous les ministres, auquel le roi attache un grand prix car il montre qu'il a toujours été contre la guerre. 2) une copie de la lettre écrite par le roi à ses frères pour les inviter à rentrer en France. 3) un état des diamants que la reine a envoyé à Bruxelles (écrit de la main de Mme Campan) 4) un reçu de 400 000 F.

Elle convient avec Gougenot, qui reste à Paris, qu'il conservera le procès-verbal ainsi que le reçu en attendant de pouvoir faire parvenir ces papiers au roi.

Quant à Henriette, dont l'appartement au Carrousel a brûlé et qui ne veut pas faire prendre de risques à sa sœur, elle retourne à Versailles. Le moment du procès approche, chaque jour elle espère trouver le moyen d'informer Sa Majesté du parti qu'elle a pris. Elle fait venir

Gougenot à Versailles pour le persuader d'aller trouver M. de Malesherbes. Gougenot s'exécute. Il attend à la porte de son hôtel le grand avocat et défenseur du roi. Il lui fait signe qu'il a à lui parler. Quelques instants plus tard, dans le plus grand secret, un domestique l'introduit dans la chambre du magistrat. Il lui confie alors que Mme Campan a fait brûler les papiers qu'elle jugeait compromettants, puis il lui remet le procès-verbal. Henriette est soulagée que le document ait été remis à M. de Malesherbes ; soulagée que le grand avocat se soit engagé à parler du portefeuille au roi. Car, pour elle, la question restait en suspens et ne cessait de la tourmenter : avait-elle failli à son devoir en faisant brûler les papiers secrets ?

Le 21 janvier 1793, le roi est décapité. Le lendemain de l'assassinat, dans son immense douleur, Henriette apprend ce que Sa Majesté avait daigné dire en sa faveur à M. de Malesherbes :

« Faites connaître à Mme Campan qu'elle a fait ce que je lui aurais ordonné moi-même de faire ; je l'en remercie ; elle est du nombre des gens que je regrette de ne pouvoir récompenser de leur fidélité à ma personne et de leurs bons services. »

Malgré l'affreuse nouvelle de la mort du roi, ces paroles sont pour elle un réconfort inespéré. Bouleversée, elle termine ses *Mémoires* par ces mots : « (...) J'aurais, je crois, succombé à mon désespoir, si ces honorables paroles ne m'eussent apporté quelques consolations. »

Quatrième partie

L'INSTITUT SAINT-GERMAIN
HORTENSE DE BEAUHARNAIS

« (...) je ferai tant que ma maison sera la première de l'Europe, autant par les talents que par la décence et le bon ton. »

« L'éducation bien donnée, bien sentie, est une sorte de création qui ressemble à la maternité. »

« Une grande reine ne peut mériter ce titre qu'en étant toujours occupée de ses devoirs (...). Que de larmes j'ai essuyées de cette main qui écrit à une nouvelle Majesté, parce qu'un être auguste et trop malheureux avait, non pas délaissé ces principes salutaires, mais trop négligé d'en respecter les formes. Quelle expérience est la mienne sur le sort des rois ! »

XXIII

LA TERREUR

Le roi assassiné, la reine emprisonnée au Temple, la Révolution bat son plein. Henriette se retire à la campagne où elle espère se faire oublier des factieux. Elle se réfugie d'abord à Beauplan chez sa sœur Rousseau, puis s'installe au château de Coubertin chez son autre sœur Adélaïde Auguié.

1793. Au printemps se crée le Comité de salut public. La Terreur, menée par Marat, Danton et Robespierre, sévit dans toute la France. Chaque jour des charrettes emmènent des « suspects » se faire raccourcir sous la guillotine.

Une grande partie de la noblesse a quitté le pays bien avant 1792. En cette période de Terreur, fuir est inconcevable, le moindre déplacement est repéré, dénoncé : impossible dans ces conditions de gagner une frontière. Mais Henriette et ses sœurs, qui n'ont jamais cherché à fuir, n'y songent pas davantage. À charge d'âmes, elles se cloîtrent en attendant des jours meilleurs.

Malgré le danger, Henriette quitte son refuge fin mai pour gagner la capitale. Des affaires qu'elle qualifie « d'impérieuses » la poussent à séjourner quelques jours à Paris. Bien que l'on ne connaisse pas la teneur de ces « affaires », il est fort à parier que celles-ci sont d'ordre pécuniaire. La bonne Voisin l'accompagne. Afin de se rendre méconnaissables, les deux femmes se déguisent en paysannes. Ainsi accoutrées elles parcourent la capitale. Elles passent inaperçues jusqu'au jour où elles croisent dans une rue deux vendeurs de gazettes. Selon la coutume, ils crient à haute voix les nouvelles du jour. Henriette entend : « Arrivée dans le port de Brest de Genet, ambassadeur de la République auprès des États-Unis ; ce ministre fera de suite le saut périlleux à la guillotine ! »

Son jeune frère... de retour sur le sol français ? Recherché par la police de Robespierre, c'est pour lui la mort assurée. Henriette pâlit, chancelle. Elle serait tombée évanouie dans la rue si sa fidèle amie ne l'avait soutenue. Une telle émotion aurait eu pour conséquence de trahir son identité. Mme Voisin la sauve en la portant jusqu'à une boutique « amie » où elle recouvre ses sens. Remise de son saisissement, elle se met aussitôt en quête de plus amples informations. Le soir même, elle apprend que la rumeur était fausse. Son frère se sachant recherché n'a pas eu l'audace de revenir en France. Soulagée, Henriette retourne à Coubertin pour ne plus le quitter.

Le 17 septembre une loi est votée contre les « suspects ». La définition de ces derniers reste assez floue pour englober beaucoup de monde. Elle désigne non seulement les émigrés et leurs parents restés en France, mais encore tous ceux « qui n'ont pas constamment montré leur attachement à la Révolution ». Tous les suspects désignés sont réunis sous la surveillance du peuple souverain et, en attendant, gardés par les sans-culottes, qu'il leur faut non seulement payer fort cher, mais bien traiter. Car une seule dénonciation de leur part et c'est le tribunal ! Et qui dit tribunal dit guillotine... Tandis que bien payés et bien nourris les geôliers ont intérêt à garder leurs prisonniers en vie le plus longtemps possible !

Toute la famille Genet-Campan est mise sous surveillance. À Paris, Auguié a quatre hommes qui le gardent ; les Rousseau à Beauplan un, et la famille Campan, plus Adélaïde et ses filles, un.

Le mari de Julie Rousseau est le premier à être incarcéré. Relâché, il est de nouveau arrêté. Enfermé dans les prisons de Versailles, il est guillotiné le 13 juillet 1794.

Le mari d'Adélaïde Auguié n'échappe pas non plus à la prison. Il y retrouve tous les ex-grands financiers de Paris. Au nombre de quarante, ils partagent leurs repas. Trente-huit d'entre eux auront la tête tranchée. Seulement deux en réchapperont : Auguié et un autre.

Les 14 et 15 octobre 1793 s'ouvre le procès de la reine. Pour la défendre deux avocats se présentent ; deux héros : Chauveau-Lagarde plaide avec tant de fougue qu'il est arrêté en plein tribunal, Ronson du Coudray prend sa suite. Malgré les risques il est animé, lui aussi, d'une telle flamme qu'il subit le même sort. Le procès est joué d'avance, on accuse la reine des pires infamies.

Dans ce procès la reine déclare, en toute innocence, que, pour argent de poche, elle ne possédait que vingt-cinq louis prêtés par Mme Auguié. « Auguié », le nom est aussitôt consigné. Ce fait des plus banals serait tombé dans l'oubli si un « mouton » de Robespierre – ainsi désignait-on les personnes mises en prison pour servir d'espions au tribun – des plus zélés, n'avait écrit au Comité de salut public : « J'ai parcouru toutes les prisons de Paris ; je m'étonne de n'y point trouver Mme Auguié désignée par erreur dans le procès de Marie-Antoinette sous le nom d'Augal : elle et sa sœur, Mme Campan, devraient être en prison depuis longtemps. »

Aussitôt un mandat d'amener est lancé contre Adélaïde, ainsi qu'un mandat d'arrêt contre Henriette. Depuis que M. Auguié est emprisonné à Paris, les deux sœurs résident ensemble à Coubertin. Quatre gendarmes se présentent au château ; Adélaïde Auguié doit se rendre sur-le-champ pour être enfermée à la prison de la Conciergerie. Affolée, sachant qu'après quelques jours de détention une mort certaine l'attend, elle s'enfuit sur un âne à travers champs. Elle gagne Paris, consciente que les gendarmes la retrouveront ; elle adresse une lettre à ses filles : « Si je meurs sur l'échafaud, mon mari, déjà prisonnier, doit aussi périr. Nos biens seront confisqués ; mes filles, que deviendrez-vous ? Si j'évite l'échafaud, je puis peut-être vous sauver le bien qui m'est personnel. » Et Adélaïde met son projet à exécution. Le jour où on vient l'arrêter, plutôt que de se rendre elle gagne le dernier étage de son hôtel garni, rue de Ménars, et se jette par la fenêtre. Et c'est ainsi que quelques mois après l'exécution de la souveraine de France, meurt fidèle et désespérée celle que Marie-Antoinette nommait « ma lionne ».

Adélaïde laisse un veuf – sauvé *in extremis* de l'échafaud – et trois orphelines : Antoinette, Églée et Adèle, qu'en mémoire de sa sœur Henriette va élever et chérir comme ses propres filles.

En deuil de son beau-frère Rousseau et de sa sœur Adélaïde Auguié, Mme Campan tente de se faire oublier de ses persécuteurs. Avec les mois qui passent, le peu d'argent qu'elle a pu sauver a fondu comme neige au soleil. Sur les trois cents louis en bijoux et argent comptant qu'elle avait cachés dans sa poche le matin du 10 août, il ne lui reste bientôt plus qu'un assignat de cinq cents livres pour faire vivre toute une famille. Et celle-ci est nombreuse. En plus des trois orphelines, elle a à sa charge : sa vieille mère, son fils âgé de neuf ans, son mari – revenu d'Italie fin 1792 pour la bonne raison qu'il devenait impossible de lui faire passer de l'argent à l'étranger ; malade et criblé de dettes, François Campan n'est qu'un poids de plus dans la maisonnée. À quelques lieues de là vit Julie Rousseau ; veuve, elle se retrouve, elle aussi, seule pour élever ses quatre enfants. Les deux sœurs sont dans le même dénuement.

Henriette réfléchit nuit et jour. Le temps passe. Il lui faut coûte que coûte gagner sa vie, mais comment ? Ses ressources ne lui permettent pas d'envoyer ses nièces et son fils à l'école ; les aurait-elle qu'elle ne saurait à qui les confier. Tous les collèges dignes de ce nom sont fermés. Fermés ? C'est alors qu'une idée point : si la Révolution a aboli les couvents, si les religieux sont partis, si l'éducation n'est plus dispensée, c'est qu'une ère nouvelle se profile. Il y a tout à repenser, tout à reconstruire...

Henriette n'a jamais oublié que sans la formation remarquable qu'elle a reçue, jamais elle n'aurait accédé, à quinze ans, au poste envié de lectrice de Mesdames, que jamais elle ne serait devenue première femme de la reine, poste réservé à la seule noblesse.

Avant 1789, les jeunes filles de bonne famille fréquentaient les couvents tels le Penthémont ou l'Abbaye aux Bois, pour citer les plus connus, mais qu'y apprenaient-elles au juste ? À vrai dire pas grand-chose. La messe, les exercices de piété occupaient la majeure partie de la journée. Venait ensuite l'étude de la musique, du chant, de la danse, à laquelle s'ajoutaient une belle écriture, un peu d'orthographe et de grammaire pour correspondre agréablement, un peu de calcul pour tenir les comptes du futur ménage et... c'était tout !

Les sœurs n'exigeaient pas davantage de leurs pensionnaires qui, sorties du collège vers treize ou quatorze ans, passaient de l'état d'enfance à l'état d'adulte, au gré des alliances arrangées par les familles.

Henriette aime l'enfance, elle pense qu'il ne faut pas la bousculer mais la former, tout en lui laissant le temps de s'épanouir. Grâce à elle, et, pour la première fois dans l'histoire, on va reconnaître à l'enfant une période de transition qui, de nos jours, ne cesse de s'étendre et qui s'appelle l'adolescence. Elle va même plus loin : « L'éducation des filles, dit-elle, ne saurait être terminée vers seize ou dix-sept ans. Il n'y a de femmes instruites que celles qui continuent leur instruction avec persévérance (...). Il faut donc lire, lire bien et beaucoup et à vingt-cinq ans, âge qui tient encore à la jeunesse, on est une femme formée, instruite et estimée comme telle. »

À cette vue audacieuse, elle associe d'autres données. L'époque a changé, les hommes comme les femmes ont un nouveau rôle à jouer dans le monde qui se dessine. La Révolution a été une rude leçon pour les femmes. « Assez de victimes ! » s'écrie Henriette qui veut former des futures mères suffisamment énergiques et instruites pour regarder l'avenir sans crainte. Elle pense que toute femme devrait trouver en elle les ressources nécessaires pour rebondir. Ne fait-elle pas face aux aléas de la vie en se décrétant éducatrice, alors que rien ne l'y a préparée ? Et précisément la question se pose : sera-t-elle une bonne éducatrice ?

Quand parfois le doute la prend, elle le chasse par la raison. Elle a beaucoup vu, beaucoup vécu, pourquoi ne pas mettre son expérience au service des autres ? Chrétienne fidèle, élevée dans des principes rigoureux, elle n'en est pas moins une femme moderne qui a su goûter à l'esprit philosophique « qui cherche la vérité par les voies de la raison ». Elle est consciente que le savoir n'est rien si la morale ne l'accompagne pas. Elle connaît l'art de bien dire, de bien faire et de bien se tenir dans une société qui a tout oublié des usages. Conserver ce qui existait de meilleur dans le monde qu'elle a connu, inventer et faire du neuf en vue du monde qui se prépare.

Le 10 thermidor an II, c'est-à-dire le 28 juillet 1794, Robespierre est arrêté. Après avoir tenté de se suicider, il est guillotiné avec vingt et un de ses compagnons. L'événement marque la fin de l'époque sanglante.

C'est le moment pour Henriette de se lancer dans sa nouvelle entreprise. Désormais et pour toujours, elle quitte sa robe à paniers et son chapeau à plumes, elle couvre sa gorge et ses bras nus, revêt une robe noire. Ayant dit adieu à la poudre et au fard, elle retrousse ses manches et s'arme de courage. Quelques semaines passent. Un calme relatif semble revenir. Elle se risque hors de Coubertin. Paris n'étant pas sûr, elle choisit de prospecter du côté de Saint-Germain-en Laye. La bourse vide, elle n'a pas les moyens de s'offrir une voiture de louage. Qu'à cela ne tienne !

Juchée sur un âne, sabots aux pieds, la première femme de la reine qui a connu le luxe le plus fastueux, qui a passé le plus clair de son existence sous les dorures des salons de Versailles, s'en va conquérir le monde en trottinant ! Même si sa situation paraît des plus noires, elle n'a pas un tempérament à baisser les bras. Philosophe, elle écrit : « Il y a des positions dans la vie où votre char semble malgré vous s'engager dans une ornière, c'est alors qu'il faut, par travail ou quelque effort nouveau, donner un coup de collier qui vous en dégage. » Et elle pose la question : « Combien de gens ont été privés de cette utile énergie (...) ? » Combien de gens en effet ? Mais pas elle ! Elle parcourt Saint-Germain de long en large. Elle visite les maisons, une à une, sans se décourager. Elle cherche un endroit et elle trouve une petite maison, un bout de jardin et une cour... Voilà l'école ! Rien d'ostentatoire, rien de flamboyant, mais c'est un commencement.

Ainsi naît l'Institut de Saint-Germain.

Plus tard, bien plus tard, quand avec le recul viendra le temps de la réflexion, Mme Campan écrira : « Le succès dépassa mes espérances, et je puis affirmer que c'est l'époque de ma vie où j'ai été la plus heureuse. »

Car la femme moderne, indépendante, qui jusque-là exécutait les ordres, devient pour la première fois maîtresse de son sort. Elle est bien seule certes, mais dans sa solitude elle est son propre maître. Et la difficulté, loin de la rebuter, lui donne des ailes. Servir était son travail, instruire sera sa vocation.

XXIV

LES DÉBUTS DE SAINT-GERMAIN

Une nouvelle vie commence pour Henriette. Les premiers travaux finis, elle doit songer à trouver des élèves. Comment ? Elle cherche et finit par envisager un moyen aussi moderne qu'infaillible : la publicité ! Des prospectus annoncent aux anciennes familles l'ouverture du pensionnat. Afin de pallier le manque d'argent, elle les écrit de sa main, et les envoie à une centaine de personnes de sa connaissance.

L'annonce donne ses fruits, et le bouche à oreille fait le reste. Dès janvier 1795, l'Institut de Saint-Germain compte une vingtaine d'élèves.

Vingt élèves seraient un bon départ si les familles ne payaient pas la pension en assignats. Le papier-monnaie se déprécie chaque jour, si bien qu'il ne couvre pas la dixième partie des dépenses engagées. Henriette a vu grand, et déjà un personnel important travaille sous ses ordres. C'est autant de bouches à nourrir et les fermiers ne veulent plus être payés avec une monnaie qui ne vaut plus rien. La France est exsangue, en cette période de disette, chaque jour les taux du blé augmentent, à tel point qu'il lui faudra bientôt payer quinze louis d'or un sac de farine de trois cents livres ! À pareille allure, c'est la ruine assurée.

Henriette est désespérée. Un soir, alors qu'elle se trouve en compagnie de sa mère et qu'elle se demande comment elle va nourrir ses élèves, et si toutefois elle pourra les garder, elle entend le bruit d'une voiture qui s'arrête devant sa porte. Une voiture en un temps où la misère les rend fort rares ? Elle se précipite au-dehors quand se présentent à la porte M. Monroë, alors ambassadeur des États-Unis en France, et sa compagne suivie de la petite Elisa qu'ils viennent confier à ses soins. Bientôt s'ajouteront cinq jeunes Américaines, filles de M. Prinkney, ambassadeur à Londres. Les pères acceptant de payer dans la monnaie de leur pays, l'Institut est sauvé du désastre.

Les premières difficultés surmontées, le succès arrive. En effet, moins d'un an après son ouverture, l'établissement compte déjà une cinquantaine d'élèves. Mais, plus que la réussite fulgurante, plus que la satisfaction que lui procure très justement sa nouvelle prospérité, elle goûte au plaisir de pouvoir offrir à sa « vertueuse et si tendre mère toutes les choses nécessaires à son âge ». Bientôt, elle va acquérir les moyens de faire soigner son mari, de payer la pension de son fils et de faire face aux dettes contractées par son époux et... reconnues par elle. La somme s'élève tout de même à trente mille livres !

Depuis la Révolution, toute pratique religieuse est bannie du territoire. Henriette pense qu'il ne peut y avoir de bonne éducation sans religion ; elle n'hésite pas à transformer une chambre en chapelle. Un ecclésiastique y dit la messe chaque jour. Alertés, les pouvoirs publics la font aussitôt interdire. On lui envoie la police. Malgré le danger, la maîtresse de céans s'insurge contre les représentants de l'ordre.

– Citoyens, lance-t-elle bravement, dans ma maison d'éducation il faut donner des principes de morale ; si vous m'enlevez celle de l'Évangile, par quoi voulez-vous la remplacer ? Car il faut un code de religion pour le moral de l'homme, comme il faut un code de lois pour vivre en société.

– Citoyenne, répondent les commissaires, la nation vient de reconnaître l'Être Suprême et l'immortalité de l'âme ; arrange-toi là-dessus ; les ordres s'exécutent et ne se commentent pas.

Si Henriette cède, les tracasseries ne sont pas pour autant finies. Après la fermeture de la chapelle, le gouvernement envoie à nouveau des commissaires pour lui ordonner de supprimer l'Histoire Sainte de son enseignement. Comme elle leur demande par quoi ils veulent la remplacer, agacés par une « raisonneuse » qui décidément leur tient la dragée haute, ils coupent court à toute conversation :

– Citoyenne, tu argumentes à l'ancienne mode : point de réflexions, quand la nation a parlé, nous voulons de l'obéissance et point d'esprit.

Point d'esprit, c'est entendu ; mais cela n'empêche pas les idées novatrices. La chapelle fermée, la religion enfuie, Henriette fait elle-même la classe aux jeunes filles selon un principe aussi « révolutionnaire » qu'inattendu : instruire en amusant. Ce principe va faire le charme mais aussi la force de son éducation.

Joséphine de Beauharnais est veuve et elle a deux enfants à charge : Eugène, treize ans et Hortense, dix ans. Deux enfants éprouvés qui ont vécu les horreurs de la Révolution. Sous la Terreur, leurs parents ont été emprisonnés aux Carmes. Leur père, Alexandre de Beauharnais, meurt guillotiné. Joséphine est sauvée grâce à un évanouissement qui la rend intransportable. Après la chute de

Robespierre, Mme Tallien fait libérer Joséphine le 19 thermidor an II (6 août 1794).

La jeune veuve, sauvée *in extremis* de l'échafaud, n'a plus un sou pour vivre. Elle pense cependant poursuivre l'éducation de ses enfants. Elle a entendu parler de Saint-Germain, elle connaît le haut mérite de Mme Campan. Elles ont en commun de nombreuses relations ; elles ont côtoyé le même monde et toutes deux sortent éprouvées par les années de bouleversement. Elle compte sur l'éducatrice pour dispenser à ses enfants une formation aussi ferme que généreuse. Il s'agit de leur réapprendre à vivre tout en pansant leurs plaies, à leur redonner confiance tout en les préparant à un avenir encore très incertain. La tâche est délicate. Dès la première entrevue Joséphine se fie à Henriette. Elle lui abandonne la petite Hortense et, sous son égide, place son fils Eugène au Collège irlandais voisin, tenu par Mr Patrice Mac Dermott, où Henri, le fils de Mme Campan, est élevé.

Joséphine de Beauharnais est à court d'argent, la directrice n'est pas plus riche, cependant elle accorde un rabais pour la petite fille. Plus tard elle fermera les yeux lorsqu'à l'époque du renouvellement des uniformes, une des élèves de l'Institut, peinée de voir Hortense si pauvrement vêtue, demandera à ses parents un second uniforme pour en faire cadeau à sa compagne. Henriette se montre sensible à la solidarité entre élèves. Ne donne-t-elle pas elle-même l'exemple en recevant six enfants gratuitement et sans que nul ne le sache ? Parce que l'éducation du cœur lui semble aussi nécessaire que celle de l'esprit, elle enseigne en premier lieu la charité, vertu certainement la plus oubliée depuis 1789.

Les détracteurs de Mme Campan, qui ne manquent pas,

avancent que la charité chez cette femme de tête était fort bien calculée. Ne murmurait-on pas à Paris que la ci-devant veuve Beauharnais avait vite fait de se consoler de la perte de son mari et qu'elle se laissait ouvertement courtiser par un général à qui on promettait un bel avenir ? Rien de plus faux ! Les biographes de la reine Hortense avancent la date de juillet-août 1795 comme étant celle de son entrée à l'Institut Campan... Pourtant, dès novembre 1794, dans une lettre écrite par Joséphine et adressée à sa fille, on peut lire : « Mille choses aimables à Mme Campan. » Ces mots prouvent que la fillette séjournait à l'Institut Saint-Germain dès 1794. Or, en novembre de la même année, Joséphine de Beauharnais n'avait encore jamais vu, ni même croisé, le général Bonaparte ! La jolie créole, née de La Pagerie, ne rencontrera le général que le lendemain du 13 vendémiaire – octobre 1795 – et grâce à son fils. Voici comment Eugène raconte l'affaire : « Je fus moi-même l'occasion de sa première entrevue avec ma mère. À la suite du 13 vendémiaire, un ordre du jour défendit, sous peine de mort, aux habitants de Paris de conserver des armes. Je ne pus me faire à l'idée de me séparer du sabre que mon père avait porté et qu'il avait illustré par d'honorables et d'éclatants services. Je conçus l'espoir de pouvoir obtenir la permission de pouvoir garder ce sabre et fis des démarches en conséquence auprès du général Bonaparte. L'entrevue qu'il m'accorda fut d'autant plus touchante qu'elle réveilla en moi le souvenir de la perte encore récente que j'avais faite. Ma sensibilité et quelques réponses heureuses que je fis au général lui firent naître le désir de connaître l'intérieur de ma famille, et il vint lui-même le lendemain me porter l'autorisation que j'avais si vivement désirée. Ma mère l'en remercia avec grâce et sensibilité. » Alors, comment taxer

Henriette Campan de calculs douteux quand, à prix réduit, elle accepte la jeune Beauharnais dans son établissement ? La vérité est comme toujours beaucoup plus simple. D'emblée, les deux femmes s'apprécient. Elles sont différentes et cette différence les rend complémentaires et non compétitives. Quand l'une, sanglée de noir n'est plus que dans l'être, l'autre est encore dans le paraître. L'éducatrice éprouve un véritable coup de foudre pour Hortense. Sa beauté sage, sa fraîcheur, son naturel enflamment une âme qui ne pense qu'à donner. Une nièce de Mme Campan nous conte la scène :

« Nous vîmes un jour une dame, aussi élégante que gracieuse, arriver de Paris avec sa fille qu'elle venait mettre en pension, et son fils (...). Ma tante reçut cette dame non comme une étrangère mais bien comme une ancienne connaissance ; elle fit appeler mes cousines et moi et, nous présentant notre nouvelle compagne, elle nous dit :

– Mes chères enfants, je vous recommande Mlle Hortense de Beauharnais ; nos familles sont liées depuis bien des années et je désire que cette amitié se perpétue entre vous. Allez lui montrer les classes, qu'elle connaisse la place qu'elle va occuper. »

Il ne sera pas difficile aux enfants d'obéir : Hortense gagne tous les cœurs, et la nièce d'expliquer : « Elle n'était pas ce qu'on appelle une beauté, mais il était impossible d'avoir plus de grâce, d'être mieux faite : une peau d'une blancheur admirable, fraîche comme toutes les roses du printemps, des yeux charmants, une forêt de cheveux d'un blond adorable tombant en grosses boucles autour de sa figure, si douce, si spirituelle. »

Cependant, lorsque Joséphine emmène Hortense à Saint-Germain, personne ne peut prévoir l'avenir de la jolie vicomtesse de Beauharnais. De par sa position de veuve, elle est hors d'état de payer les mille deux cents livres de la pension, qu'Henriette consent à réduire de moitié. Elle fait là une bonne action, et elle en fera toute sa vie. Avec la seule différence que celle-ci, dans la suite, lui portera bonheur.

Joséphine, qui n'est pas à une contradiction près, veut donner une bonne éducation à ses enfants mais, en même temps, n'aime pas qu'ils restent trop longtemps éloignés d'elle. Elle les fait venir souvent à Paris, ce qui navre Mme Campan.

Un soir Hortense se retrouve, malgré son jeune âge, à dîner au palais du Luxembourg, alors siège du Directoire. « À table, se rappellera-t-elle dans ses *Mémoires*, je me trouvai placée entre ma mère et un général qui, pour lui parler, s'avançait toujours avec tant de vivacité et de persévérance, qu'il me fatiguait et me forçait à me reculer. Je considérai ainsi, malgré moi, sa figure qui était belle, fort expressive, mais d'une pâleur remarquable. Il parlait avec feu et paraissait uniquement occupé de ma mère. C'était le général Bonaparte. »

Chaque fois qu'Hortense revient à Paris elle trouve le général plus assidu auprès de sa mère. Les deux enfants qui chérissent la mémoire de leur père se montrent peu coopérants. Hortense pense que si sa mère devait se remarier elle perdrait son amour. Joséphine console sa fille. Le chagrin de l'enfant, loin de la laisser insensible, l'émeut au point qu'il la fera longtemps hésiter. Les événements se précipitent, Napoléon est nommé général en chef de l'armée d'Italie. Il doit partir, de longs mois sans doute. Joséphine ne peut consentir à voir son amant s'éloigner trop longtemps. Elle accepte de convoler en deuxièmes noces. La cérémonie a lieu le 9 mars 1796. Comme Joséphine n'a pas le courage d'annoncer la nouvelle à ses enfants, elle charge Mme Campan de la délicate mission. On peut imaginer quel tact, quelle tendresse Henriette va déployer auprès des orphelins qui chérissent la mémoire de leur père. Elle n'a pas oublié l'attachement sans faille qu'elle vouait à M. Genet. Aussi est-elle capable de comprendre la souffrance de ces cœurs valeureux. Mais toute la douceur du monde n'y fera rien. L'union est vécue comme une trahison. À l'annonce du mariage, Hortense se montre – selon ses propres termes – « profondément affligée ». Quant à Eugène, il avouera des années plus tard : « Toute la splendeur qui depuis environne Napoléon, alors général Bonaparte, n'a pu me faire oublier toute la peine que je ressentis quand je vis ma mère décidée à former de nouveaux liens. »

Devant tant de réticence Henriette explore d'autres chemins. Elle raisonne son élève en lui montrant les avantages que l'alliance va apporter à sa mère veuve et désargentée, à son frère qui pourra servir son pays sous la protection d'un général en renom. Enfin, elle convainc la petite fille de treize ans quand elle lui assure que le général n'a « en rien trempé dans les horreurs de la Révolution » et que, lui-même, appartient à une ancienne famille corse.

Un poids est levé qui pesait sur la jeune poitrine. Certaine que son beau-père n'a pas participé au crime qui a mené Alexandre de Beauharnais à la mort, elle tente de surmonter son chagrin.

Avant leur départ pour l'Italie, les nouveaux époux se rendent à l'Institut Saint-Germain. Ils sont infiniment reconnaissants envers l'institutrice d'avoir fait accepter leur union par Eugène et Hortense. En fait, Napoléon aimera profondément, et sa vie entière, les enfants de sa femme, il en assumera toute la paternité et cette attitude, parfois méconnue, nous rend le grand homme plus humain.

Dès la première visite, le général montre un véritable intérêt pour la bonne tenue des élèves et les méthodes de pédagogie mises en œuvre par la directrice. Sa curiosité n'est pas feinte. Une bonne instruction adaptée à la génération montante lui paraît une priorité. Quand elle explique au général que son but est de « former des mères », il approuve aussitôt. Les vues de Mme Campan rejoignent les siennes. Un jour que Mme de Staël, dont il craignait le côté intellectuel à tous crins, lui posait la question :

– Quelle est la première femme du monde morte ou vivante ?

Il répondit, un sourire aux lèvres :

– Celle qui a fait le plus d'enfants.

Conquis par les manières parfaites que déploient sans affectation Mme Campan, captivé par son intelligence claire, par sa forte personnalité, Bonaparte promet de faire venir à Saint-Germain ses deux derniers frères et sœurs. Tandis que Jérôme rejoindra Eugène au Collège irlandais, Caroline viendra grossir les rangs des élèves de l'Institut ; mais il avertit :

– Il faudra que je vous confie ma petite sœur Caroline, Mme Campan, je vous préviens seulement qu'elle ne sait absolument rien, tâchez de me la rendre aussi savante que la chère Hortense.

Dès la première entrevue, Henriette est conquise par le général : elle a deviné le génie en lui ; elle ne doute pas que le petit homme, à l'allure singulière, brûle d'un feu qui le mènera loin.

Bonaparte part pour l'Italie le 11 mars 1796. Joséphine le rejoint fin 1796 à Milan. Elle a pris soin auparavant de confier à Mme Campan la cousine d'Hortense. Émilie de Beauharnais est la fille de François, frère aîné d'Alexandre, elle a quinze ans et ses parents sont divorcés.

Bientôt les journaux retentissent des victoires du général. Enthousiasmée, la directrice veut faire partager à Hortense un peu de la gloire de son beau-père. Comme la fillette, qui souffre de l'éloignement de sa mère, se montre réticente, elle la force à écouter :

– Savez-vous que votre mère vient d'unir son sort à celui d'un homme extraordinaire ? Quels talents ! Quelle valeur ! À chaque instant de nouvelles conquêtes !

Et la fillette de répondre :

– Madame, je lui laisse toutes les conquêtes, mais je ne lui pardonnerai jamais celle de ma mère.

La réponse est si vive, si pertinente qu'elle fait rire Henriette aux larmes. Depuis des semaines elle presse Hortense d'écrire à son beau-père. Elle refuse, son honnêteté lui dicte de se taire plutôt que d'exprimer un sentiment qu'elle n'éprouve pas. Cependant elle a dû se soumettre car, six semaines après son départ, Bonaparte écrit à Joséphine : « J'ai reçu une lettre d'Hortense. Elle est tout à fait aimable. Je vais lui écrire. Je l'aime bien et je lui enverrai bientôt les parfums qu'elle veut avoir. »

C'est ainsi qu'avec patience et raison, Mme Campan finit par rapprocher Hortense de son beau-père. Bonaparte lui en sait gré ; il n'est pas homme à oublier les services rendus.

XXV

HORTENSE, CAROLINE ET LES AUTRES

Le Directoire a ramené l'ordre dans le pays. Une nouvelle société se forme, ignorant tout des belles manières et des usages d'autrefois. Les émigrés ont emporté avec eux à l'étranger ce qui faisait la grâce et l'élégance de la société française. Bien des élèves, arrivant à Saint-Germain, méconnaissent cette façon de parler, de s'habiller, de se tenir, qui est l'apanage ses filles « nées ». En ruinant la noblesse, la Révolution a ruiné le pécule des petites gens. Aujourd'hui c'est le peuple et sa bourgeoisie qui règnent avec sa cohorte de financiers, d'industriels et de militaires que Bonaparte va bientôt entraîner dans sa prodigieuse fortune.

Ainsi la génération montante est, en grande partie, composée de parvenus, et Mme Campan a pour mission de lui enseigner les bonnes manières. Son tempérament moderne la pousse à s'adapter ; avec temps et patience elle réussira à former toute une nouvelle classe de jeunes filles qui, plus tard, brilleront à la cour impériale. En attendant, deux mondes se côtoient à Saint-Germain : l'ancien, à qui il faut apprendre à frayer avec le nouveau et le nouveau, à qui il faut inculquer les anciens usages. À cette mission délicate « la sagesse de Mme Campan donnait une confiance pleine et entière ».

Bonaparte et Joséphine partis, Henriette prend sous son aile Hortense et son frère Eugène. Selon le vœu des parents, elle les prépare à faire leur première communion. Tous les dimanches elle réunit les deux enfants dans son appartement et les garde deux heures avec elle pour leur apprendre le catéchisme. Dans la chapelle privée de l'Institut, ils font ensemble leur première communion. À la fin de l'année scolaire, le général Bonaparte jugeant l'éducation d'Eugène terminée, il le fait venir près de lui en Italie et le nomme aide de camp. Ce départ est vécu comme un nouveau déchirement par Hortense. Mais Henriette veille et l'entoure d'attentions : « Je trouvais, dans Mme Campan la bonté, écrit Hortense, la tendresse éclairée d'une mère, encore plus occupée de former nos cœurs que de cultiver nos talents. »

Malgré sa peine d'être séparée des siens, l'enfant se montre toujours gaie, souriante. Sa beauté autant que son caractère sont appréciés de tous ; en peu de temps elle devient l'idole de la pension. Une élève atteste : « Professeurs, maîtresses, pensionnaires, femmes de service, c'était à qui l'aimerait le mieux et, loin de se prévaloir de ce succès général, elle n'en était que plus gracieuse et plus aimable. » De l'adulation générale que lui témoigne son entourage, loin de se glorifier, elle s'étonne. Elle va même jusqu'à s'en excuser quand après « avoir cherché les raisons » et réfuté quelques talents particuliers, elle conclut que c'était tout simplement le « désir d'être aimée » qui lui attirait les cœurs. Il ne faut trouver à ses propos aucune affectation, aucune fausse modestie. Hortense aurait toute sa vie le désir d'être appréciée des autres, sinon aimée.

La fillette se montre en tout si émotive, si impressionnable que l'éducatrice va avoir à cœur de combattre cette fragilité, d'autant qu'elle entrevoit pour elle un avenir des plus brillants.

« Elle (Mme Campan) mettait tous ses soins, témoigne la petite Beauharnais, à fortifier ma raison contre ce qu'elle appelait un excès de faiblesse, à maîtriser cette exaltation que je pourrais par la suite apporter dans mes sentiments (...). Je semblais disposée à ne laisser échapper aucune occasion de sentir ; rien ne glissait sur moi, tout y pénétrait profondément. »

Ce caractère n'est pas sans en rappeler un autre : quand Marie-Antoinette arriva à la cour de Versailles, elle avait quinze ans... Beauté, gaieté, générosité, vivacité, sont autant de traits communs. Les deux enfants seront appelées à régner, l'une, dauphine, le savait déjà, l'autre l'ignore encore. Et anxieuse, Henriette veille. Plus Bonaparte gagnera en notoriété, plus elle se fera vigilante. Forte de son expérience, elle cherche à protéger Hortense tout en l'aguerrissant. Prenant Marie-Antoinette comme exemple, elle ne manque pas une occasion de rappeler combien la gloire est fragile, combien elle est éphémère. Hortense qui trouve en Mme Campan un guide sûr, une autorité compatissante, n'oubliera jamais ses leçons : « Les malheurs de la reine de France, dont elle nous entretenait souvent, me faisaient une impression profonde. J'étais frappée à la fois et des maux que cause la calomnie et des revers dont le plus haut rang ne préserve pas. »

Hortense s'est liée d'une profonde amitié avec les nièces de Mme Campan. Des trois sœurs Auguié, Adèle – future Mme de Broc – est l'amie intime, celle auprès de qui elle peut s'épancher. Elle la décrit d'une douceur « angélique ». Quelquefois elle va à Grignon où M. Auguié, le père des trois jeunes filles, possède un magnifique château.

Joséphine, bien que toute étourdie de bonheur, n'en oublie pas pour autant sa fille. Le 13 juillet 1736, elle lui écrit de Milan où elle est logée « comme une archiduchesse » dans la plus belle maison de la ville :

« À Hortense,

Le citoyen Lavalette, aide de camp de Bonaparte, part à l'instant pour Paris. Les chevaux sont déjà à sa voiture. Je n'ai donc, ma chère Hortense, que le temps de t'embrasser, de t'assurer de la tendresse la plus tendre de ta mère, et d'une mère qui chérit le plus sa chère Hortense.

Embrasse bien pour moi Mme Campan. Dis-lui combien je suis reconnaissante de tout ce qu'elle fait pour toi, que d'obligations nous lui avons, ma chère amie.

Bonaparte t'embrasse. Il t'envoie des chaînes de reine, et moi je t'envoie un collier et des boucles d'oreilles antiques ; le citoyen Lavalette te remettra tout cela. Ton frère n'est point encore arrivé, je l'attends avec impatience.

Adieu, je t'embrasse de tout mon cœur et je t'aime de même. Adieu ma chère Hortense. Embrasse pour moi ta cousine. »

Le temps des vacances, Henriette a encore quatre à cinq jeunes filles dont Émilie de Beauharnais comprise, à occuper. Pour la petite troupe c'est le temps du bonheur et de l'insouciance. Pourtant Hortense reste fragile. Quand les jeunes filles ne sont pas à Grignon, Henriette les emmène pique-niquer ou encore « faire une partie de plaisir chez une de ses tantes qui habite Versailles ». Parmi les invités se trouve un prêtre qui rend un hommage appuyé à Hortense. L'enfant n'est pas dupe, ses vers sont en vérité destinés à son beau-père dont la gazette rapporte chaque jour les faits victorieux. Elle ne tire aucun plaisir à être le point de mire. Bien au contraire. Et lorsque, le lendemain, elle lit les vers dans le journal, elle éclate en sanglots. Comme on s'amuse de ses larmes, la fillette se désespère :

– (...) Tout le monde va s'occuper de moi. Je serai connue, donc je serai malheureuse.

« Était-ce un pressentiment ? », se demandera Hortense avec le recul.

Surprise par un chagrin aussi vrai que profond, Mme Campan tente de la consoler.

– Oui, vous serez connue, lui dit-elle attendrie. Votre destinée le veut peut-être ainsi. Souvenez-vous de ne jamais rien faire de mal, car tout se sait dans le monde. Plus la position est élevée, plus les actions sont jugées sévèrement. Résignez-vous donc au sort qui vous attend, il sera heureux, n'en doutez pas, car vous serez vertueuse et satisfaite de vous.

Mais la vertu, quel qu'en soit le degré ne suffit pas au bonheur. Devenue femme, devenue mère, Hortense en fera la douloureuse expérience. Comme Marie-Antoinette avait à l'annonce des états généraux pressenti les malheurs qui allaient s'abattre sur la couronne, Hortense, à cet instant précis, a l'intuition que, si la gloire venait, elle la plongerait irrémédiablement dans l'infortune.

Comme les pressentiments se montrent souvent aussi fulgurants que fugaces, le chagrin d'Hortense sera de courte durée.

Des affaires amènent à Paris son grand-père Beauharnais qui, à cette occasion, désire voir sa petite-fille. Toute joyeuse, elle quitte Saint-Germain pour la capitale. Et comme un bonheur ne vient jamais seul, elle apprend que la paix de Campo-Formio a été signée. Bonaparte revient d'Italie le 7 décembre 1797. Le grand-père Beauharnais amène sa petite-fille rue Chantereine, dans l'appartement de Joséphine, où le vainqueur d'Italie s'est installé. Les sentinelles ont de la peine à repousser les visiteurs et les curieux qui veulent admirer le général. Malgré la foule, Hortense est introduite dans la salle à manger où est attablé son beau-père en compagnie d'un nombreux état-major. Bonaparte accueille l'enfant « avec toute la tendresse d'un père ». Il lui annonce le retour de sa mère pour le début janvier.

À la suite de cette visite Mme Campan, heureuse du bon effet qu'a produit Henriette sur le héros du jour, écrit : « Le général, qui est arrivé avant la maman, a été si content de sa modestie, de son maintien, de ses talents, qu'il a désiré m'en faire ses remerciements et m'a invitée à dîner. »

Elle peut être satisfaite, son élève a fait merveille. En janvier Hortense a le bonheur de revoir sa mère. Mais, dès son retour à Paris, Joséphine est prise dans un tourbillon. Les invitations se succèdent. M. de Talleyrand, alors ministre des Affaires étrangères, donne une fête en l'honneur du général. Hortense y accompagne sa mère, mais très vite elle se lasse de la vie mondaine et préfère passer ses soirées chez son grand-père où elle retrouve sa cousine Émilie et ses amis Auguié.

Les vacances prennent fin. Bonaparte n'a pas abandonné son projet de mettre sa sœur Caroline à l'Institut Campan. Hortense, qui espérait à cette occasion se faire une amie de Caroline, est fort déçue. Celle-ci n'a qu'un an de plus qu'Hortense mais, contrairement à cette dernière, elle apprécie les fêtes et les amusements que lui procurent les sorties dans le monde. Son frère maintient son projet. Elle ne veut pas. Elle pleure, rue dans les brancards : « Souvent, je m'efforçais, se souvient Hortense, de la persuader que rien n'était plus heureux que la vie occupée de

Saint-Germain, que les plaisirs qu'on y goûtait valaient bien ceux de Paris. J'avais de la peine à la convaincre. »

Fidèle à elle-même Hortense se met en quatre pour plaire à Caroline. Bonaparte a émis le désir que sa sœur apprenne la musique et le dessin. Mais dans le domaine des arts, « personne ne fut plus mal organisé que Caroline (...), écrit Mlle Pannelier. Quant au dessin elle avait adopté le paysage, mais il lui était impossible de faire une maison droite ». Alors, bonne âme, Hortense retouche les œuvres de Caroline pour qu'elle puisse obtenir un prix... Peine perdue.

La petite peste n'aimera jamais les Beauharnais et elle détestera franchement Joséphine. Toute sa vie elle se montrera jalouse d'Hortense, plus jolie, plus fine, de cœur tendre et de mœurs aristocratiques, brillante en études et aimée de tous. Mlle Pannelier, témoin précieux, explique combien dans cette affaire Bonaparte a été maladroit. Il a beaucoup vanté à sa sœur « les talents d'Hortense et la lui donnait toujours comme modèle, en sorte qu'avant même de la connaître l'esprit de la jalousie s'était éveillé en elle et, sans l'avoir vue, elle la détestait. Jamais ce sentiment n'a pu s'effacer entièrement ».

Pauline fera elle aussi un petit tour par l'Institut Campan, avant de rentrer définitivement dans le monde. Bien que mauvaises élèves, les petites Bonaparte sont d'excellentes recrues. Leur présence met l'école en vue. Aussi Henriette s'accommode-t-elle de ces élèves qui n'ont de valeur que par le nom qu'elles portent.

XXVI

LE PROGRAMME DE SAINT-GERMAIN

L'Institut national a tant de succès que, dès l'année 95, il a changé de domicile pour s'installer rue des Ursulines, dans le très bel Hôtel de Rohan. Il y a là de l'espace pour jouer dans un vaste jardin fleuri agrémenté d'arbres magnifiques, de buis, de gazon. Les salles de classes sont spacieuses.

Mme Campan prolonge l'orangerie d'une grande tente « comme à Tivoli », dira-t-elle et qui, selon les circonstances, se transforme en salon de fête ou en salle d'examen.

Avec le Consulat s'ouvre une ère nouvelle ; le renom de l'Institut égale alors celui de Saint-Cyr au temps de Louis XIV. Saint-Cyr a largement inspiré la fondatrice de Saint-Germain qui apparaît avec ses principes pédagogiques et son enseignement, une Maintenon des temps modernes.

Les classes sont divisées en quatre sections et selon l'âge. Elles se différencient par la couleur. Ceinture, chapeau, fichu sont verts pour les plus jeunes, bleus et aurore pour les adolescentes, incarnat pour les plus grandes.

En fondant son institution, Henriette a trouvé sa vraie vocation. Elle évite le ridicule de faire des femmes savantes ; ce qu'elle espère, selon le mot de Molière, c'est donner aux femmes « des clartés de tout », sans exagération et avec discernement. Les matières enseignées sont en premier lieu la religion – qu'elle a pu remettre à son programme ainsi que nous l'avons vu lors de la première communion des enfants Beauharnais – qui forme l'esprit comme le cœur ; l'histoire, base de toute civilisation. Viennent ensuite la littérature, la grammaire, les mathématiques, des notions d'histoire naturelle, d'astronomie, de physique et de chimie. Mais la grande nouveauté est qu'elle ne conçoit pas de cultiver l'esprit sans le corps.

Henriette réalise un programme aussi étendu que complet grâce à une vraie volonté d'éduquer. Elle exige de ses pensionnaires de la discipline et réclame pour elle et ses adjointes « le respect sans lequel les maîtres n'obtiennent rien de leurs élèves ; l'obéissance sans laquelle il n'y a ni ordre ni progrès ; l'amour qui rend tout facile car on ne fait bien que ce que l'on aime, et la confiance qui fait que vous êtes et vous resterez toujours l'ami de vos élèves ». Elle ajoute à cela un acte de foi dans lequel on la retrouve tout entière et qui sera largement repris par ses élèves : « Je hais le mensonge, je hais la flatterie et la délation, j'aime la justice. »

On est loin de l'éducation niaise que dispensaient les sœurs au siècle dernier. Ici elle se teinte d'un « idéal viril » et d'une vraie volonté de former qui va séduire Bonaparte. Les jeunes filles élevées à l'Institut seront, à n'en pas douter, dignes d'être les compagnes des futurs héros de l'Empire.

L'éducatrice connaît personnellement chaque élève et les bulletins de notes sont toujours agrémentés d'un mot de sa main. Voici ce qu'elle écrit sur le bulletin de la jeune Hortense, le premier germinal an VI (21 mars 1798) : « La citoyenne Eugénie – troisième prénom d'Hortense –

Beauharnais est douée des qualités les plus précieuses : elle est bonne, sensible et toujours prête à obliger ses compagnes ; son humeur est égale. Elle aurait tout ce qu'il faut pour bien faire si elle était moins étourdie (...). » Si Hortense se révèle étourdie et mauvaise en orthographe comme en histoire, elle est, en revanche, première en dessin, deuxième en déclamation et elle excelle en solfège, piano et harpe. Mais toutes les pensionnaires ne se montrent pas aussi douées et aussi dociles qu'Hortense. Henriette devra parfois sévir mais, là encore, elle rompt avec la tradition : pas de châtiment corporel ! Quand la faute est minime, la réprimande suffit ; jugée plus sérieuse, l'enfant prend son repas à part. Si elle s'avère plus grave, c'est le retrait de la ceinture devant élèves et maîtresses rassemblées. La perte de la ceinture est subie comme une honte, elle ressemblerait à une sorte de dégradation militaire de l'écolière. Henriette redoute cette punition qui ne sera pratiquement jamais infligée.

Peu après la campagne d'Italie, Napoléon arrive à Saint-Germain sans prévenir : « Nous étions à table, se souvient Hortense. Le général voulut assister à notre dîner. Le hasard faisait qu'une pensionnaire était en punition, ce qui arrivait bien rarement, et cette grande pénitence était de dîner seule à une petite table sans nappe. Quelle affreuse mortification de se montrer ainsi au vainqueur d'Italie ! Le général la fit cesser bientôt, en demandant la grâce, qui lui fut accordée. La coupable si cruellement punie était Mlle Zoé Talon, depuis Mme du Cayla. » L'anecdote est d'autant plus amusante quand on sait que Mme du Cayla ne sera autre que la future maîtresse de Louis XVIII !

Mais qui dit châtiments dit aussi récompenses, et les enfants s'en montrent friandes. Il y en a de toutes sortes, comme les bons points distribués en classe, les félicitations du jury d'honneur à l'époque des examens, comme obtenir le droit de chanter à la chapelle, de jeter les fleurs à la procession... Mais les plus recherchées sont un repas en compagnie de la directrice, une promenade avec elle dans les bois de Saint-Germain, promenade propice à l'évocation des souvenirs. Les élèves sont avides des mille et une anecdotes que Mme Campan raconte avec cette voix mélodieuse et inimitable qui avait déjà su charmer les filles de Louis XV. Elle évoque alors la reine Marie-Antoinette et la vie à l'ancienne cour. Elle mêle le passé et le présent, et, en bonne éducatrice, en profite pour tirer des leçons de chaque événement.

Elle prend grand soin à former le caractère de ses pensionnaires. Dans ce but, elle institue le prix dit « de bon caractère ». Élèves, maîtres et domestiques, tous sont appelés à voter. Hortense dont on connaît la gaieté et la douceur et que chacun appelle à l'Institut « Petite Bonne » se souvient, dans ses *Mémoires*, de ces temps heureux : « Personne ne voulait concourir avec moi, et d'avance l'on me décernait le prix. Je l'obtins en effet. Ce succès, les larmes qu'il fit répandre, l'enthousiasme qu'il occasionna, produisirent sur moi une des plus vives et des plus douces sensations de ma vie. »

Henriette aime ses élèves et ses élèves le lui rendent bien. Quand elle fait la classe, elle laisse libre cours à la conversation.

Elle veut avant tout donner une formation concrète et se méfie de l'imagination dont elle dit qu'elle « nous égare » ; « je la crains comme le feu ». Elle interdit la lecture de romans ; en revanche, elle est pour la poésie – entendons ici théâtre –, qui exalte les âmes et les ennoblit. À Saint-

Germain, quand on joue *Esther*, la salle est comble. On joue aussi à guichets fermés les jours où l'on donne les comédies que Mme de Genlis écrivit pour les enfants du duc d'Orléans ou les pièces morales que Mme Campan se plaît à écrire pour ses élèves. On met en scène Racine mais aussi Corneille, « qui est le poète favori du Premier Consul, le mien aussi, écrit Henriette. Mon rêve c'est de voir mes élèves belles comme ces figures antiques que le citoyen David peint dans ses tableaux de l'histoire romaine, et fortes comme les héroïnes de Corneille. Une âme saine dans un corps sain. »

Les examens se passent en grande pompe. Les fêtes de fin d'année deviennent si célèbres qu'elles font partie de la vie mondaine de la capitale. Ce jour-là, l'Hôtel de Rohan est trop petit pour contenir la foule. Les habitants de Saint-Germain restent aux fenêtres pour voir défiler les carrosses et autres attelages de luxe qui amènent le Premier Consul et sa femme ainsi que les plus belles femmes de Paris, comme Mme Récamier ou la princesse de Chimay.

Membres de l'Académie française, écrivains en renom interrogent les élèves sur les matières enseignées pendant l'année. Les examens ont lieu dans la salle d'honneur, les pensionnaires sont groupées dans la tribune ; examinateurs, parents et amis entourent Bonaparte et Joséphine. Vient alors le moment tant attendu de la remise des prix. Et dans toutes ces fêtes, Hortense, bonne élève, brille.

Les succès ne tournent pas la tête de la directrice. Ils ne font en rien oublier la vertu essentielle : la charité. Les jeunes filles font chacune à leur tour préparer le pot-au-feu pour les familles démunies. Quelques mauvais caractères, comme Pauline Bonaparte, refusent-elles de mettre le tablier de cuisine ? Mme Campan ne cède pas. « J'aime, dit-elle, à chercher les moyens de soulager l'infortune. Je n'ai pas eu d'autre métier dans ma vie. »

Et il est vrai qu'elle s'est toujours occupée des plus défavorisés, sans tapage, comme l'exige la vraie charité. Elle apprend à ses élèves à s'occuper des nécessiteux : « Je viens d'envoyer, écrit-elle, quatre de mes élèves chez une pauvre malheureuse qui vient d'accoucher de trois enfants et est, ainsi que sa famille, sur la paille ; nous avions acheté de suite deux layettes, donné des secours (...). Ce spectacle frappant de la misère extrême est la meilleure méthode pour faire connaître et aimer la charité. »

Mais il y a mille façons de faire la charité et son esprit délicat connaît ces subtilités. Elle sait le prix des choses et si les plus belles l'honorent, les plus simples la touchent.

Voici ce qu'elle écrit le jour où elle fait part à Hortense des merveilles que Joséphine lui a envoyées en cadeau : « Je n'ai jamais reçu de présents à la fois honorables et magnifiques que ceux de votre maman (...) ; mais mon Hortense de Beauharnais m'apportant un oranger le jour de ma fête avec son Eugène, bien loin de la situation où elle a été depuis, était à jamais chère à mon cœur (...). » Citons enfin ce trait qui illustre si bien l'extrême sensibilité d'une femme qui possède avant tout un cœur de mère : « Les enfants, même quand ils sont hors d'état de me payer, me sont aussi chers que les autres ; et le jour de ma fête, si je ne les ai pas empêchés de cotiser de très petites sommes pour me faire collectivement un cadeau, c'était uniquement pour satisfaire leur amour-propre à tous et ne pas laisser les plus riches humilier les plus pauvres. »

Reste un dernier point sur lequel elle ne badine pas et qui comble Napoléon : l'amour de la patrie. Cet amour est ancré au plus profond de son âme. Ce cœur éprouvé, qui a connu tant de bouleversements, va le marteler à ses élèves. La patrie n'est pas un vain mot : « Ce sentiment que mon père avait gravé dans mon cœur, je l'ai trouvé comme une base consolante, comme un moyen de force dans mes malheurs. Quand j'ai eu tout perdu avec le gouvernement qui m'a vue naître, quand j'ai vu toute idée de fortune et de prospérité s'éteindre avec les jours de l'intéressante et malheureuse princesse que je chérissais et qui me comblait de ses bontés ; quand j'ai vu mon pays flétri par les crimes des factieux, je n'ai pas cessé pour cela d'être française. Ce titre ineffaçable, que l'on doit chérir, ne tient pas à l'esprit de parti ; il ne tient même ni à l'aristocratie, ni à la démocratie ; il remplit seul le cœur, ne désorganise pas la tête, fait désirer le mieux possible sans prétendre en tracer la route, et vous identifie avec ce qu'il y a de plus sacré : l'amour de la patrie. »

Aux jeunes filles de la classe incarnat, la grande classe avec laquelle elle aime à converser, elle dit : « Vous formez, je n'en doute pas, des souhaits pour le bonheur, la tranquillité et la vraie gloire de votre patrie, qu'elle vous soit toujours chère ! Ce sentiment est une des bases de toutes les vertus sociales ; les conséquences en sont infinies et seraient trop longues à vous développer, mais souvenez-vous que le sublime auteur de *Télémaque* nous dit qu'il faut être fier de sa patrie quand elle est dans la prospérité, qu'il faut la plaindre lorsqu'elle est livrée à des malheurs, mais toujours la servir et l'aimer. »

L'enfance l'émeut, mais aussi la divertit et elle, plus tard, ne ratera jamais l'occasion de rapporter une anecdote amusante à son « élève-reine » : « Je ne puis m'empêcher de conter à Votre Majesté un mot naïf d'une pensionnaire qui, toute occupée d'apprendre l'Histoire de France, entendant sans cesse lire les bulletins qui contiennent toutes les merveilleuses victoires de cette campagne – Iéna et Friedland –, s'écria avec un sentiment de compassion pour les élèves futures : “Ah ! les pauvres petites qui viendront après nous, que de cahiers à apprendre !” » Et Henriette d'ajouter avec humour : « C'est bien assurément voir les choses avec les yeux de son état ! »

L'éducatrice aux principes rigoureux est aussi une femme gaie, qui aime la fête. Le lendemain de la paix de 1801, elle illuminera tout son jardin, donnera bal et feu d'artifice, distribuera crèmes et tartelettes. Et pour que ses élèves se trouvent à l'abri de toutes calomnies, elle n'invitera personne, pas même ses bons amis. Pour l'occasion, les pensionnaires seront toutes vêtues de blanc.

Ainsi pour la paix de Lunéville : « Aujourd'hui, grand congé et douze douzaines de tartelettes commandées pour le dîner. Lolotte – Charlotte de Beauharnais – et toute la classe verte ont sauté de joie pendant un quart d'heure. » Et avec malice elle commente : « C'est sûrement d'imitation, car à leur âge, en leur disant que la guerre fait plus de bruit que la paix, on la leur ferait aisément préférer (!). »

Pour la paix d'Amiens signée le 27 mars 1802, elle donne congé à toute l'école et prévoit pour les grandes « un thé (...) avec un grand gâteau de plomb, au moins seront-elles nourries ! »

Toutes les paroles distillées avec sagesse ou martelées avec force, selon le jour, ont à jamais marqué la mémoire d'Hortense : « Il est un sentiment trop négligé parmi les femmes et que Mme Campan s'appliquait surtout à cultiver en nous : l'amour de la patrie. Cette vertu essentielle a manqué à d'illustres Français. Que ne l'ont-ils possédée !... Ils auraient épargné à la France bien des malheurs que leur reproche l'Histoire. S'il est doux d'aimer son pays, il est louable d'être sans cesse prêt à se sacrifier pour lui. Voilà ce que je me suis efforcée d'inspirer à mes enfants (...). »

Mariée à Lucien Bonaparte, Hortense mettra au monde trois garçons, deux mourront, et le troisième ne sera autre que Napoléon III ! Un quatrième fils naîtra de ses amours avec le comte de Flahaut, le futur duc de Morny.

XXVII

LES MARIAGES

Au printemps 1798, un événement vient bouleverser la quiétude de l'Institut Saint-Germain. Une expédition est prévue en Égypte, et voilà qu'à huit jours de l'embarquement Bonaparte décide de marier Émilie de Beauharnais, cousine germaine d'Hortense et pensionnaire chez Mme Campan.

On dit Émilie immariable à cause du divorce de ses parents et du remariage de sa mère avec, oh ! horreur, « un nègre » ! – il n'est pas nègre mais vit chez eux, ce qui revient au même pour Bonaparte. Mais rien n'est impossible au futur Napoléon qui mène l'affaire tambour battant : Émilie épousera son aide de camp Chamans de Lavalette. Émilie ne connaît pas Lavalette ? Qu'à cela ne tienne, on va présenter les futurs époux au pensionnat même. Et voilà Bonaparte, Joséphine, Eugène, sans oublier le prétendu, en route pour Saint-Germain. Mais laissons le « promis » nous conter l'entrevue avec la petite fiancée de l'Institut : « (...) Nous montâmes en calèche, le général Bonaparte, Eugène et moi – et Joséphine alors ? –, nous descendîmes chez Mme Campan. C'était un grand événement. Toutes les pensionnaires étaient aux fenêtres dans le salon, dans les cours, car on avait donné congé. Bientôt, on descendit dans le jardin, et parmi ce troupeau de quarante jeunes personnes, je cherchais avec inquiétude celle qui m'était destinée. Sa cousine Hortense nous l'amena saluer le général et embrasser sa tante. Elle était effectivement la plus jolie (...) Quand on fut levé et que le cercle fut rompu, je priai Eugène de conduire sa cousine dans une allée solitaire ; je les rejoignis, il me quitta. J'entrai alors en conversation, je ne lui cachai ni ma naissance, ni mon peu de fortune. Elle avait les yeux baissés, pour toute réponse, elle sourit et me donna le bouquet qu'elle tenait à la main. Je l'embrassai (...). » Et ce sera tout jusqu'au mariage !

Malgré l'inclination de la future mariée, avouée à sa cousine Hortense, pour Louis, l'un des frères du général, ce mariage précipité deviendra heureux avec le temps. En 1815, la douce et timide Émilie va se montrer héroïque. Elle sauvera son mari d'une exécution certaine en se substituant à lui dans la prison. Elle en perdra la raison.

Bientôt se profile un autre mariage : celui de Caroline. Cela fait bientôt deux ans que la sœur de Bonaparte ronge son frein entre les quatre murs du pensionnat. Elle trompe son ennui en rêvant de vie mondaine et en pensant au beau Murat dont elle s'est éprise. Au retour d'Égypte, Caroline obtient de Bonaparte la permission de revenir à Paris. Elle espérait rester dans la capitale où elle a revu son soupirant, mais les événements la renvoient promptement au pensionnat. Nous sommes à la veille du coup d'État du 18 brumaire, date à laquelle Bonaparte prend le pouvoir. Le Directoire est mort, vive le Consulat !

Le lendemain, 19 brumaire an VIII – 10 novembre 1799 – le général Murat, « en vrai chevalier amoureux », envoie quatre grenadiers de sa garde frapper à la porte de l'Institut Saint-Germain. On est en pleine nuit ! Qu'à cela ne tienne !

Tout le pensionnat est en émoi, mais une si bonne nouvelle ne saurait attendre. Et c'est ainsi que Caroline apprend la nomination de son frère au Consulat.

« L'alerte fut générale, se rappelle Hortense. Mme Campan blâma hautement cette manière militaire d'annoncer les nouvelles. Caroline n'y vit qu'une preuve de galanterie et d'amour. » Un amour qui inquiète Napoléon. Il se montre réfractaire à une union qu'il n'a pas ordonnée. Impatienté, il s'en ouvre à l'institutrice :

– Je n'aime point les mariages d'amourettes, ces cervelles enflammées ne consultent que le volcan de l'imagination ; j'avais d'autres vues ; qui sait l'alliance que je lui aurais procurée. Caroline juge en étourdie et pèse mal ma position. Il viendra un temps où peut-être des souverains se disputeront sa main.

Puis il ajoute :

– Dans le rang élevé où m'ont placé la fortune et la gloire, je ne puis mêler le sang de Murat à mon sang.

Mais Joséphine, sa femme, et Letizia, sa mère, le pressent d'accepter l'union. Et ce que femme veut...

Bonaparte finit par céder :

– Toute réflexion faite, Murat convient à Caroline (...).

C'est dit. Le contrat est signé le 18 janvier 1800. Le couple s'installe à l'Hôtel de Brionne, face au guichet du pont Royal. C'en est fini et bien fini pour Caroline de la pension ! La jeune femme pétulante nage dans le bonheur. Et même Laure d'Abrantès, qui a pourtant la langue bien pendue, reconnaît qu'elle est « fraîche comme une rose ». Caroline se montrera une Messaline entêtée et sûre d'elle au point que Marie-Louise, sa future belle-sœur, la surnommera la « Mère-emptoire ».

Avec le recul, Caroline gardera un bon souvenir du

temps passé chez Mme Campan. Elle ira plusieurs fois lui rendre visite, la voiture remplie de friandises pour les petites pensionnaires.

Après Émilie, après Caroline, Joséphine se met en tête de marier sa fille ! Mais Hortense n'est pas pressée et la rupture avec son collège ne se fera pas d'un coup. Elle la vivra comme un déchirement et, plus tard, quand elle se remémorera les moments passés à l'Institut Saint-Germain, elle écrira : « Je m'étends avec plaisir sur ces premières années de ma jeunesse, seul temps heureux de ma vie. »

Henriette se montre navrée et inquiète de ce départ « forcé ». Celle que toutes les élèves de la pension adulent s'en va vivre seule dans le tourbillon du Consulat. Est-ce bien la place d'une jeune fille de seize ans ?

De la séparation douloureuse avec Mme Campan, naît toute une correspondance dont il reste des lettres. À travers elles, nous suivons pas à pas la jeune fille, l'épouse, la mère, enfin la reine de Hollande. À sa jeune élève Henriette a offert, dès les premiers jours, son cœur honnête, énergique et noble. Un amour qui s'est transformé avec le temps et les événements, qui se voudra confiant mais jamais aveugle. D'une plume sûre, elle guide Hortense jusqu'à en faire le modèle accompli de la femme française.

Ainsi Hortense a la chance de posséder deux mères. L'une, Joséphine, sa mère de sang, sa génitrice, souvent femme-enfant dont le caractère toujours égal est fait de tact, de charme et d'affabilité. Toute d'élégance et de luxe, elle se montre coquette, volontiers frivole. Elle veut plaire encore et toujours et n'hésite pas à tromper Bonaparte. Elle aime ses enfants, Eugène et Hortense, d'un amour véritable, mais la faiblesse de son caractère la porte à compter sur eux plus que ses enfants ne pourront compter sur elle.

Elle veut qu'ils l'entourent, leur présence la flatte et le temps venu elle n'hésitera pas, comme nous le verrons, à sacrifier sa fille sur l'autel de ses intérêts.

L'autre, Henriette, sa mère spirituelle, femme de tête mais aussi femme de compassion, a le sens du devoir et peut-être aussi celui de l'Histoire. Elle se montre sans défaillance, la pensée rectiligne mais le cœur volontiers apitoyé par le malheur des autres, attendrie par l'enfance. Elle a appris, elle a souffert et mûri. Mais elle n'est pas femme à s'accrocher au passé. Quand le monde, parmi lequel elle a grandi et vécu, s'écroule, elle s'adapte et même anticipe quand il le faut. Le passé est une leçon, le futur ouvre sur l'avenir et, comme tel, promet de beaux jours.

On a souvent reproché à Mme Campan d'avoir aimé Mlle de Beauharnais plus pour ce qu'elle représentait que pour ce qu'elle était. Mais la vérité est bien plus subtile, bien plus complexe. Pour Henriette, Hortense est le cadeau qui va lui permettre de repousser, d'annihiler la fatalité. Elle est une manière de se racheter d'une faute qu'elle n'a pas commise. Des images ineffaçables la tiennent éveillée la nuit. Elle a éprouvé la douleur d'une famille, fût-elle royale, elle a vu de ses yeux un règne se faire dépecer ; elle a assisté à la lente agonie d'une reine, qui à force de souffrance et d'incompréhension, appelait la mort comme une délivrance ; elle a connu des héros et côtoyé la bassesse humaine dans ce qu'elle a de plus abject.

Alors, quand le destin lui présente une enfant dont l'étoile promet d'être exceptionnelle, s'éveille, dans le cœur usé et douloureux, un sentiment de revanche. Immédiatement elle se sent responsable. Elle se promet de former le cœur, d'aguerrir l'âme, de préparer la femme future au bonheur comme au malheur. Quant à Marie-Antoinette, elle n'a pu que la servir du mieux possible et la soutenir, elle devait rester spectatrice du désastre. Son âge, sa position vont cette fois lui permettre d'agir. Elle va guider, accompagner, protéger cette vie jusqu'au bout de sa propre vie. Elle sera la mère spirituelle d'Hortense. Elle lui offre spontanément son expérience, toutes ses souffrances. Elle va préparer la jeune fille à affronter une destinée qui l'effraie. Le rôle exceptionnel qu'elle s'octroie va se jouer à huis clos, de cœur à cœur, d'âme à âme. L'éducatrice se sublime dans cette responsabilité qui s'impose à elle plus qu'elle ne la choisit.

Dans ses lettres, elle appelle sa protégée « Mon Ange », tant il est vrai que quelque chose d'angélique émane de la personnalité de la jeune fille qui émeut par sa fraîcheur, sa pureté ; vertus qu'elle gardera toute sa vie.

La correspondance de Mme Campan à son élève commence véritablement pendant la campagne d'Égypte. En l'absence de Bonaparte, Joséphine s'est rendue à Plombières pour faire une cure ; tombée d'un balcon élevé, elle se trouve si mal qu'elle envoie chercher sa fille. Avec regret, Henriette laisse s'éloigner la petite pensionnaire au beau milieu de l'année scolaire. C'est le premier vrai grand départ et, déjà, elle s'alarme : « Point un mot de mon Hortense, point de nouvelles de sa chère maman, ni de détails de son voyage ; c'est un chagrin général dans la pension, c'en est un bien vif pour moi (...). »

Certainement la lettre tant attendue arrive car voilà la directrice tout à fait rassérénée. Elle espère que ce voyage inopiné n'est qu'une parenthèse et que, très vite, son élève viendra parfaire ses études. En attendant, elle la rappelle à ses devoirs : « Vous jouissez dans le monde de ce que vous avez acquis en éducation ; mais vous n'ajoutez pas à votre fonds, et il n'est pas aussi riche qu'il pourrait l'être. Je compte toujours sur vous ; votre chambre vous appartient et sera refusée à tout le monde jusqu'à ce que vous n'ayez plus besoin de mes conseils et des talents réunis chez moi. »

Elle écrit ces lignes en espérant qu'elles seront lues par Joséphine. Afin que celle-ci comprenne qu'elle ne pense qu'au bien d'Hortense, elle ajoute : « Ma maison est comble », pour bien montrer qu'elle n'est pas à une pensionnaire près. Pour la première fois la « mascotte » de l'établissement ne pourra assister aux fêtes de fin d'année prévues pour le 24 juillet 1798.

« La tente est préparée, elle est cent fois plus jolie que l'année dernière (...). Combien votre maman aurait été satisfaite de vous voir, sans compliment la première ou une ou deux premières d'une réunion de trente jeunes personnes toutes instruites. Combien je regrette sa présence ! »

Le 19 août 1798, elle commence à se faire du souci : Hortense reviendra-t-elle à Saint-Germain ? « Tous les exercices sont repris, écrit-elle à son élève préférée, presque toutes les pensionnaires rentrées à l'exception de quelques traîneuses, que je gronderai un peu sérieusement. »

Hortense qui fait partie des « traîneuses » ne se fera pas gronder, car Henriette sait que « petite Bonne » n'est déjà plus maîtresse de son temps. Dorénavant elle entrera et sortira du pensionnat au gré des événements, de la politique, mais aussi des humeurs quelque peu jalouses de Joséphine qui veut garder sa fille près d'elle. Hortense, qui est une jeune fille pleine de bon sens, sait que, « la porte du pensionnat franchie », sa vie sera exposée à tous les regards, ses gestes étudiés, ses paroles répétées. Mais plus que le grand monde, elle fuit les alliances « avantageuses » que sa mère s'est mise en tête de lui faire contracter. Un jour on avance le nom du duc d'Arenberg, un autre celui de M. de Mun, un autre encore, celui d'un « chef de Chouans ». Et bien sûr, elle n'en connaît aucun. Dépitée, elle écrit : « Ma mère, qui me traitait plutôt comme son amie que comme sa fille, ne me cachait aucune démarche. » Elle est malheureuse, d'autant que son beau-père, Premier Consul, a décidé de s'installer aux Tuileries (19 février 1800). Ce palais habité par le fantôme de la reine décapitée lui paraît bien triste, ainsi qu'à tous les occupants. À ce propos, Hortense écrit : « Elle (sa mère) voyait partout cette pauvre Marie-Antoinette. Je l'y voyais aussi tant Mme Campan m'avait entretenue de son infortune. » Et elle rapporte la phrase de Joséphine : « Je ne serai pas heureuse ici, j'éprouve de noirs pressentiments en y entrant. »

Hortense aux Tuileries ! Hortense dans ce palais dans lequel Henriette a vécu auprès de la reine les heures les plus affreuses ! Mais alors que « petite Bonne » s'installe entre ces murs chargés d'histoire, la première femme de Marie-Antoinette cède le pas à l'éducatrice ; loin de se complaire dans un chagrin stérile, elle met en contraste le passé et le présent, pour en tirer une leçon utile. Le ton se veut léger : « Vous voilà donc bientôt au moment où le Premier Consul prend possession des Tuileries, transporté d'une modeste et agréable habitation dans le palais le plus célèbre de l'univers ! » Et elle l'encourage à accepter sa position : « Les grâces et la vertu bien prononcées sont bien placées partout (...). » Et encore : « Il faut suivre sa destinée avec simplicité et en même temps avec une juste élévation. » Et ne jamais oublier « que ces monuments retracent seulement des grandeurs évanouies et des malheurs éclatants, que de soupirs ont été poussés du fond du cœur, que de larmes ont été versées sous ces toits dorés ! »

À ce moment, la mère spirituelle se sublime pour s'oublier totalement au profit de « son » enfant. Point de chagrin inutile, point de haine, point de rabâchage ! Juste des encouragements. Elle sait que ses leçons de modestie et de simplicité ne seront pas déposées dans un sol ingrat. Car, jamais personne ne s'enorgueillit moins de son élévation qu'Hortense, car jamais personne ne conserva de goûts plus modestes que celle qui, sur le trône, prit comme devise : « Moins connue, moins troublée. »

Avec tant de bon sens acquis dans ses premières années, Hortense ne se laisse pas éblouir par les fastes du palais. Entre ses murs, elle n'est pas heureuse, surtout que les « marieuses » professionnelles comme Mme de Montesson s'occupent tous les jours de lui trouver un nouveau prétendant : « J'avais sans cesse à soutenir de nouvelles attaques, se plaint-elle, ma main semblait appartenir à tout le monde. »

Lasse d'être traitée comme une marchandise, la jeune fille supplie sa mère de la laisser retourner un an à Saint-Germain. Entre la mère et la fille la discussion est des plus âpres. Joséphine cède. Toute heureuse, Hortense regagne Saint-Germain : « Le monde, écrit-elle, me sait gré de préférer une maison d'éducation, où j'étais simple pensionnaire, à un palais qu'on regarde toujours comme le centre des plaisirs et des succès. Mais à Saint-Germain se trouvaient mes véritables jouissances. J'y étais aimée pour moi. »

Joséphine, entêtée, ne désarme pas : elle veut marier sa fille. Alors, pour un rien, elle la fait sortir de pension et pleure à chaque départ. Si le Consul surprend sa femme au milieu des discussions sans fin qu'elle a avec Hortense, il rit de son chagrin :

– Tu crois donc avoir fait des enfants pour toi ? Songe qu'aussitôt qu'ils sont grands, ils n'ont plus besoin de leurs parents.

Comme Joséphine verse des larmes, son mari la prend sur ses genoux et la taquine.

– La pauvre petite femme ! Elle est bien malheureuse ! Elle a un mari qui n'aime qu'elle et cela ne lui suffit pas ! C'est moi qui devrais me fâcher. Tu aimes beaucoup plus tes enfants que moi.

Joséphine tente un sourire à travers ses larmes :

– Non, tu ne saurais douter de mon attachement, mais sans avoir mes enfants près de moi, mon bonheur ne saurait être complet.

– Que manque-t-il à ce bonheur ? Tu as un mari qui en vaut bien un autre, deux enfants dont tu n'éprouves que de la satisfaction. Va, tu es née coiffée.

– C'est vrai, reconnaît Joséphine.

« Et la gaieté succédait aux pleurs », rapporte Hortense.

Mais à chaque fois c'est la même discussion qui se répète. Pour éviter tout affrontement avec sa mère, elle pense que le mieux est d'attendre que celle-ci lui propose de retourner à Saint-Germain... Les jours s'écoulent. Elle espère le sésame. Mais Joséphine ne le délivre pas... Hortense ne retournera plus chez Mme Campan.

Envolées les belles années !

XXVIII

LA MALMAISON, LES INVITATIONS ET TOUJOURS LES RUMEURS D'UN MARIAGE

Selon le vœu du Consul, Joséphine s'emploie à la réconciliation nationale. Grâce à son tact, à son efficacité, les royalistes restés en France réintègrent petit à petit la société de leur pays. Des cercles se forment qui tentent de s'adapter au changement. Elle œuvre pour le retour des émigrés sur le sol français. La première dame de France, née Tascher de La Pagerie, est issue de l'aristocratie et, par là même, inspire confiance. Elle fait tant et si bien que bon nombre d'émigrés reconnaissants, se rallient à la cause consulaire.

À la même époque, Mme de Montesson, épouse morganatique de feu le duc d'Orléans, enseigne à l'épouse du Consul l'art de tenir une cour. L'élève s'avère douée, elle apprend vite et avec brio.

Dans cette élévation rapide, les enfants Beauharnais ont aussi leur rôle à jouer. Si Eugène, formé à la discipline militaire, se coule facilement dans le moule, il n'en est pas de même d'Hortense dont le caractère se révèle plus rétif. Elle tient à réussir sa vie de femme et ne veut pas être l'objet d'un marchandage. Le mariage de Caroline avait mis de fort mauvaise humeur Bonaparte qui avait dit à

Mme Campan : « J'espère qu'au moins celle-là – en montrant Hortense – se laissera marier ! »

Ces mots, la jeune fille ne les a pas oubliés. Hormis Mme Campan à qui Hortense peut ouvrir son cœur, le vrai confident reste son frère. Depuis leur tendre enfance ils partagent la même complicité. Les lie un amour profond et indéfectible qui vaudra à Hortense cette merveilleuse définition : « L'amitié d'une sœur pour son frère c'est l'amour sans la douleur. »

Sous la Terreur, encore tout jeune garçon, Eugène montrait de la bravoure : « Mon frère se sentait mon seul protecteur et celui de ma mère », écrit Hortense. Déjà « sang-froid » et « énergie » se devinaient dans son tempérament : « Je ne t'abandonnerai pas », disait-il à sa sœur. Aussi est-ce tout naturellement vers lui qu'elle se tourne au moindre chagrin. Pourtant, le jour où elle lui fait part de son espoir d'éviter un mariage convenu, il ne la rassure pas : « Ne t'abuse pas ma chère Hortense, plus nous nous élevons, plus nous cessons de nous appartenir. Je te vois obligée de faire le mariage qui conviendra au Consul, à sa politique peut-être. Cesse donc de te créer d'avance une félicité chimérique. »

Bien que réalistes ces paroles sont cruelles pour une personnalité aussi sensible, aussi vibrante que celle de la jeune fille. Elle qui aime la vie simple et sans fard a obéi à sa mère. Désormais elle habite les Tuileries, ce palais chargé de souvenirs dramatiques. Artiste, elle y crée un monde à sa mesure avec chevalet et clavecin. De Saint-Germain, Henriette veille sur sa protégée qui lui en est reconnaissante : « (...) Les bons conseils de Mme Campan, dont je faisais tant de cas, m'avertissaient toujours de ce que je devais éviter. »

Et les mises en garde ne manquent pas. Voici une lettre où le ton de la directrice de Saint-Germain se fait volontiers grondeur :

« À Mademoiselle de Beauharnais
Aux Tuileries

8 germinal an VIII
(29 mars 1800)

Vous voilà donc, ma chère Hortense, dans un tourbillon qui vous entraîne à l'habitude de déjeuner sept jours de la décade en ville, plus le décadi et le primidi à la Malmaison ; il ne faut plus penser à vos maîtres ; il faut dire adieu à toute occupation ; il faut consentir à ce que Paris entier dise que vous êtes livrée au tourbillon du monde, si cela continue, à moins que vous n'ayez le courage et la tenue de résister à ce tourbillon dangereux où vous entraîne même votre maman par le plaisir bien naturel de vous avoir avec elle ; mais prenez-y garde, mon Hortense, ces gens qui vous invitent ne le font pas pour vous, mais bien pour eux, parce que vous êtes la personne du jour, titre effrayant pour quiconque réfléchit, car il indique par son sens que cette faveur est passagère. Dites donc avec courage : "Je veux donner ma matinée au travail, je le veux." On vous verra moins, on vous estimera davantage (...). »

Et elle supplie Hortense de suivre la voie de la sagesse :

« Tâchez d'avoir assez de caractère pour sauver plusieurs heures de ce bruit. »

À chaque sortie ses gestes sont étudiés, ses paroles retenues : « Tous les yeux sont toujours fixés sur la famille Bonaparte et vous êtes là comme sur un théâtre. »

Parfois, elle assène de dures vérités : « Ce qu'on appelle amis dans le monde n'existe ni pour les gens élevés, ni pour les infortunés ; dans ce dernier cas, ils disparaissent ; dans le premier, ils abondent ; mais ce sont des masques trompeurs. »

Chaque lettre se termine toujours par un mot tendre et des excuses d'avoir à dire brutalement toutes ces choses : « Voici assez de morale ; je voudrais trop promptement faire passer dans votre jeune cœur toute la sagesse de l'expérience. Votre position me fait trembler. Adieu mon ange : adieu, vous que j'aime comme une fille chérie. »

Et puis : « Je voudrais être près de vous, saisir toutes les occasions de développer, de former encore cette raison que la nature vous a donnée, mais qui, dénuée d'expérience, a encore besoin d'un tendre guide. »

Parfois, Henriette se permet de doux reproches : « Adieu mon ange, j'ai une peine inexprimable à vous quitter. Mes lettres vous font-elles autant de plaisir à recevoir que j'en ai à les écrire ? J'en doute par votre silence ; mais ma tendresse vient effacer ensuite ce doute, et ma raison me représente qu'en ayant une jeune amie de seize ans, il faut un peu d'indulgence. Adieu, bonne, je suis à vous pour la vie. »

Aux heures fastueuses et mornes qui s'égrènent aux Tuileries, s'oppose un lieu enchanteur où Hortense peut vivre plus à son goût : la Malmaison. Joséphine l'a achetée pendant l'expédition d'Égypte. Elle a été attirée par la campagne à la fois calme et luxuriante, par la demeure aux belles proportions classiques. Elle ne cessera d'embellir les lieux. C'est Bonaparte qui paie la propriété, mais comme il préfère vivre à Saint-Cloud, Joséphine l'acquerra légalement lors de son divorce en décembre 1803.

La Malmaison est une réalisation de femme, toute de légèreté et de grâce, à l'image de celle qui l'anime, à la mesure du siècle commençant qui se cherche et s'invente. Impossible de pénétrer à la Malmaison sans être immédiatement conquis par la fragrance entêtante et pourtant si délicate de la maîtresse des lieux. Seules quelques pièces sont empreintes d'un parfum plus masculin : la bibliothèque à colonnes et aux plafonds en forme de coupoles, la salle de conseil tendue de coutil rayé, qui rappelle les expéditions du maître de céans.

« La Malmaison était un endroit délicieux », dit Hortense qui y apprécie la vie simple et gaie. Elle a gardé de Saint-Germain le goût des jeux de plein air, les longues marches ainsi que les randonnées à cheval. Tandis que le Consul s'enferme avec ses ministres, Hortense déjeune avec sa mère et ses invitées dans une salle aménagée à cet effet au deuxième étage. Vers dix-huit heures, elle assiste au repas de ses parents ; bien souvent la soirée se prolonge en compagnie d'hommes politiques, de savants ou d'artistes.

Si d'aventure le Consul n'a prié personne pour le soir, il fait apporter un livre nouveau et demande à sa belle-fille d'en faire la lecture. Mais elle est si embarrassée d'avoir à lire tout haut devant Bonaparte et son état-major que, intimidée, elle perd ses moyens. Alors, loin de lui faciliter les choses, Bonaparte raille :

– Mme Campan ne vous apprend donc pas à lire ?

Un jour, il fait apporter *Atala* qui vient de paraître et dont le texte est truffé de mots nouveaux qu'elle écorche ; un autre jour, un rapport général de son ministre des Finances, lecture redoutable remplie de chiffres. Hortense mélange les colonnes, se trompe entre millions et milliards... Mais, dit-elle, « l'Empereur paraissait avoir tout cela dans sa tête, car il ne manquait jamais de me reprendre et de rectifier mes erreurs et il finissait toujours par dire :

– Mme Campan ne vous a donc pas appris à compter ?

Je dois dire, pour la justification de Mme Campan et la mienne, que jamais colonnes de chiffres ne furent plus redoutables. »

La Malmaison a pour Hortense le grand avantage de se trouver tout près de Saint-Germain. Elle y séjourne dès la belle saison revenue. Ce sont alors de fréquents va-et-vient entre son ancienne pension et le château. L'institutrice y est invitée en voisine. Voici quelques fragments de lettres qui témoignent de ces échanges.

« À Mademoiselle de Beauharnais

À la Malmaison

Bonne petite, ne soyez pas fâchée si pour cette fois je ne réponds pas à l'invitation de votre aimable maman (...). Il (le docteur) m'avait bien prêté son cabriolet, mais il fait froid, humide et, de plus, je dîne demain chez Mme de Beauveau, et puis encore aujourd'hui cela mettrait mes charmants démons trop à l'aise, car vous le savez, ma bonne Hortense, ma présence ici peut être comparée à l'atmosphère qui contient les mers et les fleuves dans leurs lits ; quand je n'y suis plus, tout déborde, tout devient torrent. »

Elle rattrape son absence en envoyant une des grandes amies d'Hortense lui tenir compagnie, et cette fois le ton devient badin, même franchement drôle : « Je vous envoie mon Eglée ; mais sur la foi qu'il n'y a point d'agréables à barbe noire, blonde, rousse à bogais à chevaux anglais, à valses, etc., etc. »

Un mois plus tard : « Eglée ira, je crois, avec vous à la Malmaison ; j'ai fait tout ce qu'il fallait pour cela, sachant que je vous obligeais en vous procurant la société d'une bonne et agréable amie ; mais votre maman devrait faire une invitation au papa d'Eglée (...). Je vous parle avec franchise, parce que mes réflexions vous seront en même temps des leçons d'usage du monde. »

La Malmaison a beau être située non loin de Saint-Germain, il faut tout de même posséder une voiture pour s'y rendre. Henriette songe sérieusement à s'en acheter une : « Je vais tâcher de me procurer une demi-fortune qui me roulera quand je le désirerai, en louant un seul cheval (...) », et elle ajoute cette phrase qui prouve qu'elle ne se prend pas au sérieux : « (...) L'équipage ne sera pas brillant, mais conforme à mon âge et à mes moyens. »

En cette fin d'été elle manifeste de l'anxiété sur le sort de sa protégée. Il est de plus en plus question de mariage et, pour la première fois, elle en parle ouvertement. Elle conseille Hortense : sa position ne lui permet pas de choisir un mari. Elle n'a qu'un droit, celui de refuser un prétendant si celui-ci ne correspond pas à ses attentes. Elle lui rappelle que sa situation « particulière » lui impose des devoirs et l'exhorte à « suivre les avis du Consul » et de se « soumettre à sa volonté ».

Après Eugène, Mme Campan assène les mêmes vérités : accepter, se soumettre. Voilà des mots qui sont durs à entendre pour une jeune fille qui rêve de bonheur. Henriette a pleinement conscience de sa souffrance. Que peut-elle dire à « petite bonne » pour calmer sa douleur, si ce n'est lui confier ses propres secrets ? Elle aussi a aimé et a été aimée : « Ne riez pas de mes vieilles amours, écrit-elle. J'étais attachée à un homme qui depuis six ans me voyait avec intérêt, qui réunissait l'esprit, l'extérieur, la fortune à l'état militaire ; mais lorsqu'on m'eut dit que la différence de religion – il était protestant –, qui malheureusement jusque-là avait été ignorée, me ferait par ce mariage perdre ma place de lectrice à la cour, que l'on parlerait de moi, que je serais blâmée, que j'attirerais même de la défaveur sur la personne qui s'était attachée à moi, je sus prendre mon parti. » Elle ne cache pas à sa jeune amie combien elle a souffert de la rupture. Elle parle de son passé amoureux d'autant plus librement que son mari est décédé quelques mois plus tôt. Alternant questions et réponses, elle devine : « Je vous vois d'ici ajouter que le mariage que j'ai fait plus tard a été très malheureux. Cette circonstance est séparée de la première : « Un choix plus réfléchi de la part de mes parents eût pu me procurer le bonheur. »

Et voilà très justement le problème posé pour Hortense. En s'en remettant à sa mère, à son beau-père, en se soumettant, qui sait si la raison sera la meilleure ?

Henriette comble ses doutes comme elle peut : parfois sa plume se fait vive, parfois badine, parfois grondeuse ; d'autres fois moralisatrice. Ainsi : « (...) L'illusion de l'amour passe, le lien indissoluble reste, le monsieur paraît tel qu'il est ; il n'est point coupable ; il n'a point changé ; on s'en prend injustement à lui : c'est à ses yeux, c'est à son cœur qu'il faudrait s'en prendre. »

Sans doute. Mais Hortense est si jeune encore. Elle a l'esprit artiste, l'esprit romantique à une époque où les rêves sont interdits aux jeunes filles.

XXIX

LE MARIAGE !
PREMIÈRE GROSSESSE

À la fin de l'été 1801, Hortense regagne Paris. Le Consul fait venir aux Tuileries son frère Louis, qui était à son régiment. Hortense surprend une conversation entre les deux frères. Elle s'éloigne sur la pointe des pieds quand elle entend Bonaparte dire :

– C'est une jeune personne, et vertueuse.

Elle se retire le cœur battant ; elle a deviné que le Consul faisait son éloge en vue de la marier à son frère.

Les jours passent et le Consul ne dévoile pas ses projets. Soudain, il se décide ; mais la façon dont il use est pour le moins abrupte :

– Eh bien ! Louis vous fait donc la cour ? Cela vous convient ainsi qu'à votre mère. Allons ! Je donne mon consentement.

Décidément, Bonaparte est plus à l'aise sur un champ de bataille, en compagnie virile, que dans un salon en présence d'une jeune fille ! Phraser n'est pas son fort, mais une chose est certaine, il aime sa belle-fille qui se montre désireuse de lui plaire et il aime Louis, ce frère de vingt-trois ans, qu'il a élevé seul quand il n'était encore qu'un jeune officier. En 1791, alors que Napoléon rejoignait son régiment à Auxonne, Louis, âgé de douze ans, l'accompagnait. Le grand et excellent frère s'instituait le précepteur de l'enfant. Il l'encourageait et s'émerveillait de son aptitude à apprendre comme de son sérieux. À son sujet il écrivait à Joseph : « (...) Il étudie à force, apprend à écrire le français ; je lui montre les mathématiques et la géographie ; il lit l'histoire. Il fera un excellent sujet. Toutes les femmes de ce pays-ci en sont amoureuses. »

La proposition de mariage faite, Hortense demande huit jours de réflexion. Puis elle accepte. Elle se sacrifie pour sa mère qui, l'âge venant, ne peut plus enfanter. En épousant Louis elle assure une descendance à Bonaparte. Elle sera en quelque sorte un ventre de substitution, la mère porteuse d'un futur héritier. Et puis, Bourrienne, l'entremetteur, a su argumenter en faveur de Louis qu'il décrit : « Bon, sensible aux goûts simples », en lui assurant : « (...) Il appréciera tout ce que vous valez et c'est le seul époux qui puisse vous convenir. Cherchez autour de vous ; qui voudriez-vous épouser ? »

Qui en effet ? Tant il est vrai qu'Hortense n'a encore jamais été amoureuse.

Et voilà que Mme Campan se met de la partie. En ces temps de doute, Hortense écoute avec attention celle qui l'aime d'un amour détaché. Elle est la seule dans l'affaire à ne tirer aucun intérêt personnel. Et voici qu'elle aussi se montre enthousiaste. Le projet est encore secret, mais Joséphine, qui cherche des alliés, a su habilement mettre la directrice de Saint-Germain dans la confidence.

« Je n'y tiens pas, ma chère Hortense, et d'après quelques mots de votre maman et ce que j'ai vu, je juge que vous allez former un lien auquel toute l'Europe applaudira, mais je veux dans ma joie y applaudir la première (...).

Vous serez le lien de deux familles qui ne doivent en faire qu'une, et qui toutes deux sont chères à la France. Je vous prédis donc que vous vous aimerez beaucoup et toujours, parce que le sentiment qui naît de la conviction est le seul durable ; l'autre n'est qu'une étincelle qui est souvent aussi passagère qu'un accès de fièvre. »

Ainsi est-elle persuadée que « petite bonne » a fait le bon choix ; même si elle avait bien remarqué un temps « un éloignement entre vous et le citoyen Louis » ; même si elle se souvient qu'Hortense reprochait au frère du Consul « une excessive prévention contre les femmes ». Elle la rassure encore sur ce point : « Le Premier Consul qui sait trouver des remèdes à tous les maux, a choisi dans sa sagesse bien positivement celle qui doit à jamais guérir son frère. »

Elle lui porte un tel amour, elle connaît si bien son caractère, ses qualités, qu'elle ne peut imaginer un seul instant qu'elle ne fera pas le bonheur d'un homme tel que Louis. Tous ceux qui entourent Hortense sont de l'avis que l'union sera réussie. Joséphine elle-même reconnaît à son futur beau-fils « un cœur excellent, un esprit distingué ». Quant à Napoléon, il fut persuadé, et le resta jusqu'à sa mort, qu'au temps de leur mariage « Louis et Hortense s'aimaient ».

La jeune fille montre-t-elle encore quelques hésitations, Mme Campan la tranquillise : « Vous serez heureuse comme épouse, mon cher ange, je vous le prédis, non comme sorcière, mais comme amie la plus tendre (...). »

La saison à la Malmaison est passée et elle se plaint qu'elle n'aura plus la même facilité à approcher son ancienne élève : « Quand on va aux Tuileries, on trouve tant de monde qu'à peine on peut vous voir. »

La dernière lettre adressée à Mlle de Beauharnais aux Tuileries date du 27 frimaire an X (18 décembre 1801), soit moins de trois semaines avant le mariage, prévu le 4 janvier. Henriette qui espère apercevoir une dernière fois sa protégée se rend aux Tuileries, mais c'est peine perdue : « Je ne vous ai vue qu'un moment devant beaucoup de monde » et elle n'a rien su de ce qu'elle voulait savoir : « (...) Êtes-vous heureuse, contente, ou espérant l'être ? J'y compte, car j'ai la plus haute idée de Monsieur Louis ; je l'ai toujours eue. »

Le mariage approche ; elle sait que son rôle de mentor va s'arrêter. « Avant peu, chère amie, je ne vous écrirai plus pour vous donner des conseils ; vous aurez un guide auquel il vous suffira de plaire dans tous les détails qui forment l'ensemble délicieux d'une heureuse union. À ce moment l'institutrice n'a plus rien à faire qu'à jouir de son ouvrage. » Aucun regret ne perce dans ces phrases ; elle a le sentiment du devoir accompli. Comme une mère, elle aime Hortense pour elle-même, sans égoïsme. Hortense heureuse, elle ne peut que se féliciter de son bonheur.

Mais le bonheur tant espéré ne viendra jamais pour Hortense. Trois jours après son mariage, Joséphine part avec le Consul pour Lyon. Se retrouver seule avec son mari l'attriste d'avance : « J'allais me trouver seule avec mon mari, dont je connaissais à peine le caractère. Je m'étais bien aperçue que peu de chose le froissait (...). » Peu de chose en effet ! Louis se montre irritable, il fait des scènes pour rien. Au point qu'il n'inspire plus à sa femme que de la crainte : « Je n'osais plus rien, je n'osais plus parler devant lui ; je le voyais toujours prêt à se fâcher (...). »

Malgré toutes les belles précautions prises par Hortense, la première querelle éclate à propos d'un geste de pudeur. Elle est mariée depuis quatre jours, quatre petits jours... Elle essaie un corset en présence de ses femmes. Louis entre. Toute rougissante elle tente de cacher sa poitrine dénudée. Il veut assister à l'essayage. Gênée, elle refuse. Il prend la porte et ne décolère pas jusqu'au soir où il lui fait des remontrances :

– Savez-vous, Madame, qu'on ne doit pas avoir de retenue avec son mari ? Que voulez-vous que pensent les femmes qui vous entourent ? Elles iront dire partout que vous ne m'aimez pas et qu'on vous a forcée de m'épouser.

Drôles de pensées pour un si jeune marié, mais paroles significatives qui annoncent déjà un échec. L'épouse se montre-t-elle susceptible, se montre-t-elle pudique ? Louis tempête ! Serait-ce que déjà leurs rapports intimes annoncent une faillite ? Hortense ne connaît rien à l'amour et visiblement Louis n'a pas la sagesse et la patience de l'éveiller à la sensualité. Comme on le lui a appris, elle accomplit son devoir, elle s'offre, ou peut-être même s'immole, et Louis s'en offusque. Ce maladroit nourrit bien trop de « mépris » envers les femmes pour tenter de se faire aimer de la sienne. Après seulement quatre petits jours d'intimité, voilà Louis blessé dans son orgueil de mâle. Et plutôt que d'apprivoiser la jeune femme, plutôt que de lui montrer affection et tendresse, il s'agace de tout, lui fait des reproches inopportuns. Jusqu'à devenir un tyran domestique.

Quelques années plus tôt, Louis était tombé amoureux d'Émilie de Beauharnais, cousine d'Hortense. Pensant que c'était une mésalliance, Napoléon avait empêché son frère de l'épouser. Son insuccès auprès de sa femme ravive le chagrin d'un amour manqué. Il ne supporte pas qu'Hortense soit estimée et appréciée de tous, alors que lui s'avère incapable de s'en faire aimer. L'incompréhension s'installe entre les époux ; elle envenime leurs rapports. L'anecdote qui suit prouve que Louis nourrit une véritable névrose et qu'il se pose à la fois comme victime et bourreau.

Peu après le mariage, Henriette a l'idée de donner une fête à Saint-Germain en l'honneur de son ancienne élève. Elle a fait peindre par Isabey les scènes qui retracent la vie d'Hortense. À chaque tableau une élève chante un couplet. Les petites pensionnaires ne peuvent s'empêcher d'exprimer le regret de son absence et l'une d'entre elles dit tout bas à la directrice :

– Je ne puis regarder son mari quand je songe qu'il nous enlèvera son affection et qu'elle ne pensera plus à nous !

Croyant faire plaisir à Louis, elle lui répète la phrase qui prouve combien les enfants sont attachées à sa femme. Mais Louis, loin de l'apprécier, se tait. Dès qu'il franchit la porte de l'Institut, il se récrie :

– On m'a fait jouer là un sot rôle.

Il ne retournera jamais à Saint-Germain et montrera de l'éloignement pour Mme Campan.

« Voilà, écrit Mme Louis Bonaparte, comment se passa pour moi cette lune de miel, ce premier mois qu'on assure être le plus heureux de la vie. Eh bien ! Ce mois si pénible pour moi fut encore un des moins malheureux de la mienne. »

Hortense cache son dépit à tout son entourage. La seule personne auprès de qui elle ose s'épancher est Adèle, sa meilleure amie depuis toujours. Adèle et sa sœur aînée Eglée sont ses intimes, et, comme telles, elles sont les seules capables de lui faire oublier sa déconvenue matrimoniale.

Bientôt Eglée va suivre l'exemple d'Hortense. Il est question pour elle de mariage avec le général Ney. L'union permettrait aux deux amies de se rapprocher : « On dit, écrit Mme Campan à Hortense, que le général Ney doit faire des démarches décadi prochain pour me prier de demander

Eglée en mariage. Je le souhaite, et sitôt qu'il y aura quelque chose de positivement articulé, je vous en instruirai ; je sais combien vous aimez ma nièce et combien un établissement qui la fixera près de vous la rendra heureuse. » La lettre est écrite le 17 février 1802. En juin, le mariage semble décidé et Henriette s'adresse de nouveau à Hortense en ces termes : « Vous avez la bonté de m'envoyer une voiture ; pourriez-vous avoir celle de lui ordonner de nous mener de la Malmaison à Paris, car je suis priée de faire le trousseau d'Eglée, et il faut que le mariage soit promptement fait, le général ayant une tournée dans le mois d'août. » Et avec humour, elle ajoute : « Cette voiture me ramènerait jeudi à l'heure à Saint-Germain. Vous êtes l'auteur du mariage, il faut bien que vous rouliez un peu la bonne tante qui se met en mouvement à cette occasion ! »

Contrairement au mariage d'Hortense, celui d'Eglée se révélera une réussite en tous points. Elle mettra au monde quatre garçons. Invitée chez sa nièce, la maréchale Ney, à l'occasion d'une naissance, Henriette se montre émue par l'entente qui règne dans le couple, par la simplicité et la droiture du maréchal : « Il est impossible de peindre le bonheur qui existe dans le ménage Eglée. (...) Il est aussi bon père, aussi tendre mari que grand capitaine ; ce bon maréchal joue avec ses enfants auprès du lit de sa femme, dans un ravissement qui se peint sur sa physionomie. Je me plais infiniment dans sa société ; c'est un attachement si vrai, si profond pour l'Empereur ! »

Dommage, cent fois dommage qu'il n'en soit pas de même pour le couple Bonaparte ! Cependant la détresse conjugale va très rapidement être contrebalancée par l'annonce d'une grossesse. Joséphine, le Consul et... Louis en éprouvent une grande joie. Avec la naissance d'un fils, au moins le sacrifice d'Hortense trouvera-t-il une raison d'être.

Mais à peine la jeune femme annonce-t-elle son état que Louis prend le parti de s'éloigner sous le prétexte de surveiller les travaux de sa campagne de Baillon. Voilà Hortense libre de toute contrainte. Sa position de femme mariée, son état, lui donnent la liberté de mener son existence comme elle l'entend.

Le 10 octobre 1802, soit neuf mois et six jours après son mariage, Hortense sent les premières douleurs. À neuf heures du soir elle met au monde un garçon prénommé Napoléon-Charles. Voilà les parents et le Consul comblés. Il est le seul lien entre une mère et un père qui s'éloignent l'un de l'autre. Le couple cache sa mésentente. Mais Henriette est bien trop fine mouche pour n'avoir pas deviné. Elle aime son cher ange, mais, loin de s'aveugler elle pense que la jeune femme a des torts de son côté. Elle lui fait le reproche d'avoir trop de retenue, de ne pas montrer davantage ses sentiments. Elle use de diplomatie : « On m'a dit, écrit-elle, que Monsieur Louis avait fêté avec grâce et sensibilité la mère de son cher petit. J'en ai été ravie ; elle l'aura été aussi sûrement ; son cœur est sensible, il aura été très ému ; mais je la connais bien cette maman du cher Napoléon au berceau, l'aura-t-elle témoigné ? Voilà une question qui sent l'institutrice, j'oserais ajouter la mère bien tendre. Je sais que les âmes simples, pures et élevées sentent beaucoup et dédaignent la démonstration ; mais ce qui part de qualités estimables devient quelquefois un défaut dans la vie habituelle. Pardon, ma chère Hortense, ces réflexions partent du fond de mon cœur seulement ; car on m'a dit que les larmes perlaient dans vos yeux au moment de la surprise, et j'ai été charmée qu'elles soient venues trahir votre habituelle retenue. Que de vœux je fais pour votre bonheur ! »

Un an à peine après le mariage tant souhaité, Henriette comprend qu'il est un fiasco. Toute à son devoir, elle décide de parler franc : « Depuis que vous avez quitté l'enfance, votre caractère est devenu très sérieux, et d'un froid imposant. Songez à tempérer cette disposition. (...) Je vous ai toujours promis la vérité, et je vous dis ce qui m'a frappée. »

XXX

SAINT-GERMAIN – L'APOTHÉOSE
MADAME VIGÉE-LEBRUN
LE SACRE

Après la paix d'Amiens signée avec l'Angleterre le 25 mars 1802, le Consul célèbre la réouverture des églises, amnistie tous les émigrés puis se fait élire Consul à vie. La constitution de l'an X renforce ses pouvoirs ; il en profite pour créer des lycées et la Légion d'honneur.

À cette époque triomphale, Bonaparte se rend à Saint-Germain où Mme Campan donne une représentation de l'*Esther* de Racine. À propos des invitations elle écrit :

« Chère Hortense, je ne vous envoie pas de billets pour vous ni pour votre cher mari, pour une excellente raison, c'est que vous n'en avez pas besoin et que mon bonheur le plus réel est de vous voir traiter ma maison comme la vôtre. J'en ai envoyé dix à votre chère maman (...). J'en ai adressé à Mme Murat, Mme Lavalette, Mme Davoust, etc. ; j'en envoie pour les deux jours à mon cher Eugène (...). »

Quel parterre et que de lauriers pour l'Institut ! La présence du Consul et de sa famille consacre la réussite de l'éducatrice. La soirée est une publicité sans pareille. Mais les jalousies, qui n'ont jamais cessé depuis le premier jour de l'ouverture du pensionnat, se déchaînent. Mme Campan devient l'héroïne d'un vaudeville. *Le Pacha de Suresnes* fait rire tout Paris à ses dépens. Rançon de la gloire, les mauvaises langues se gaussent de sa réussite et Hortense la défend : « Je n'ai pas voulu vous interrompre, écrit Henriette reconnaissante, pour vous remercier du zèle que vous et votre bonne maman avez mis à détruire l'effet de la méchanceté qu'on voulait me faire ; on emploie tous les moyens pour empêcher ma maison d'être la première citée en France, mais avec une élève comme vous et ce que je mettrai de soin pour la perfectionner sans cesse, on n'y parviendra pas. »

Ce n'est pas si sûr... Depuis plusieurs années la célébrité de Mme Campan a dépassé la France pour atteindre toute l'Europe. Et même au-delà des frontières, les jaloux l'attaquent.

Mme Vigée-Lebrun, qui était à Versailles le peintre attitré de Marie-Antoinette, a bien connu toute la famille Genet-Campan. Elle était l'amie intime des sœurs de Mme Campan, et comme telle avait été invitée dans la belle propriété des Auguié. Entre deux séances, elle rendait volontiers visite à Mme Rousseau qui possédait alors un appartement au grand commun.

À l'occasion de sa nomination de Première femme de la reine en 1786, si Mme Campan lui préféra Joseph Boze pour la portraiturer, l'artiste ne lui en tint pas rigueur. Les deux femmes n'étaient pas à proprement parler des amies, mais plutôt des connaissances. En se rendant chez la reine, Mme Vigée-Lebrun a connu Mme Campan dans ses fonctions ; elle a pu mesurer ses mérites comme sa probité. Et voici qu'émigrée à Saint-Pétersbourg, la célèbre portraitiste entend parler de Mme Campan. Elle s'approche : la personne accuse, ouvertement et sans équivoque, l'ancienne femme de chambre « d'avoir abandonné et trahi la reine ! » Outrée d'entendre pareille calomnie, elle s'écrie à plusieurs reprises :

– C'est impossible !

Deux ans après avoir lancé cet « impossible », Mme Vigée-Lebrun rentre en France à la faveur des nouvelles lois sur l'émigration. Dès son arrivée elle a la surprise de recevoir une lettre de Mme Campan qu'elle copie mot à mot dans ses souvenirs pour, dit-elle, « faire connaître une justification qui me semble porter tous les caractères de la franchise », et que nous retranscrivons ici avec quelques explications :

« Saint-Germain ce 27 janvier
Vieux Style

Vous avez dit bien loin de moi, aimable Dame : c'est impossible ! Le véritable esprit, la bonté, la sensibilité ont dirigé mon opinion ; et ces qualités rares, si rares de nos jours, se sont, pour mon bonheur, trouvées chez vous réunies à des talents encore plus rares. Vous entendez mon impossible autant que je suis pénétrée de ce qu'il a été prononcé par vous (...). »

Avec des mots justes, des sentiments contenus, Henriette rappelle alors avec quel dévouement, elle et sa sœur Auguié ont servi la reine jusqu'au jour du 10 août.

Toutes les médisances colportées jusque dans un pays si lointain, elle les explique par le fait qu'elle n'a jamais caché son aversion pour l'émigration. « Je dois cependant ajouter que jamais je n'avais pu amener mon esprit à concevoir le plan de l'émigration ; que je le regardais comme funeste aux émigrants, mais bien plus encore, dans mes idées à cette époque, au salut de Louis XVI (...). » Eh oui, Mme Campan et toute sa famille ont eu le courage de rester en France quand tant d'autres fuyaient ! Et comme elle a eu le toupet de rester en vie, elle est en quelque sorte un reproche vivant pour tous ceux qui proclamaient qu'ils serviraient mieux leur roi hors des frontières. Morte, les royalistes l'auraient montrée du doigt en disant : « Voyez le sort qui nous attendait. » Vivante, son courage les embarrasse.

Sa logique est implacable : « Habitant les Tuileries, poursuit-elle, j'étais sans cesse frappée de cette réflexion qu'il n'y avait qu'un quart de lieue de ce palais aux faubourgs insurgés, et cent lieues de Coblence ou des armées protectrices (...). » Eh oui, Messieurs ! c'est aux Tuileries que le roi et la reine se battaient avec quelques braves isolés ! C'est aux Tuileries qu'on avait besoin de soldats pour faire face aux assaillants !

Aux Tuileries... pas à Coblence !

Et elle ajoute : « Le sentiment et l'esprit des femmes sont bavards ; je disais trop et trop souvent mon opinion sur cette mesure (l'émigration de l'armée) qui, dans ce temps, était l'espoir de tous ! »

Henriette termine : « Mais enfin j'existe à présent sous une forme nouvelle ; j'y suis livrée en entier, et avec la paix d'un cœur qui n'a pas le plus léger reproche à se faire. Depuis longtemps je désire vous faire voir l'ensemble de mon plan d'éducation, vous recevoir, vous fêter en amie sincère et précieuse. Prenez un jour avec l'intéressante et infortunée Rousseau, et ce sera pour moi un jour de fête. Croyez à ma tendresse, à mon estime, à ma reconnaissance, enfin à tous les sentiments que je vous ai voués.

Genet-Campan. »

L'invitation ne reste pas lettre morte. Mme Vigée-Lebrun se rend à l'Institut précisément le fameux jour de représentation. « Je retrouvai avec grand plaisir Mme Campan, écrit-elle dans ses souvenirs. Elle jouait alors un assez grand rôle dans la famille qui devait bientôt devenir famille régnante. Elle m'invita à dîner un jour à Saint-Germain où elle avait établi son pensionnat. Je me trouvai à table avec Mme Murat, sœur de Napoléon ; mais nous étions placées de manière que je ne pus voir que son profil, attendu qu'elle ne tourna pas la tête de mon côté. Je jugeai pourtant sur ce seul aperçu qu'elle était jolie (...). »

Bonaparte assiste au spectacle. C'est la première fois que la portraitiste a l'occasion d'approcher de près le grand homme : « Il était assis sur la première banquette ; je me mis sur la seconde dans un coin, mais à très peu de distance de lui, afin de l'examiner à mon aise. » Et son œil exercé le scrute si bien que Bonaparte, gêné de trop d'insistance de la part d'une royaliste bon teint, finit par appeler Mme Campan pour lui dire qu'il l'avait « devinée », façon polie de faire baisser les yeux à une femme un peu trop obstinée.

Après la soirée Mme Campan reçoit dans ses appartements privés. Mme Vigée-Lebrun, qui revient tout juste de plusieurs années d'expatriation et qui a gardé toute sa fidélité aux souverains guillotinés, remarque avec plaisir que la directrice conserve en bonne place dans sa chambre un buste de Marie-Antoinette. « Je lui sus gré, écrit-elle, de se souvenir, et elle me dit que Bonaparte l'approuvait, ce que je trouvai bien de la part de celui-ci. »

Henriette est amateur d'art ; à plusieurs reprises elle aborde ce thème dans sa correspondance. En entamant ce sujet, elle sait qu'elle touche une corde sensible chez son ancienne élève qui excelle en peinture comme en musique ; elle comprend qu'à travers ses talents son âme délicate trouve un épanchement indispensable.

Mme Campan prend la défense des artistes. Elle dit que si beaucoup d'entre eux sont des royalistes, ce n'est pas une raison pour les abandonner. Elle en profite pour glisser : « Je crois que vous devriez aussi faire une chose très marquée vis-à-vis de Mme Vigée-Lebrun ; on sait que vous aimez et connaissez les artistes, on s'y attend de votre part. » Habilement elle rappelle que Mme Vigée-Lebrun a été fêtée par toutes les cours d'Europe et qu'il serait bien extraordinaire que son talent ne soit pas reconnu des Français !

Sans doute sera-t-elle entendue, car Bonaparte devenu empereur envoie à Mme Vigée-Lebrun M. Denon pour commander, de sa part, le portrait de Mme Murat. On sait le caractère difficile de Caroline qui ne se plie jamais à aucune règle. Entre deux séances elle change de coiffure, de robe, elle oublie ses rendez-vous ou s'y rend avec retard. Enfin, n'y tenant plus, la portraitiste habituée à la politesse de l'Ancien Régime, traite ouvertement Caroline de petite parvenue ! Ce sera la première et la dernière commande... Néanmoins il reste pour notre plaisir le très beau portrait de Mme Murat debout, tenant sa fille par la main.

Hortense fait cadeau de son portrait à Mme Campan qui, en guise de remerciement, écrit plaisamment : « Isabey m'a apporté hier votre portrait, il ne m'a pas quittée de toute la journée, je l'ai fait dîner, souper avec moi. Il est parfaitement ressemblant et composé avec goût. »

Bientôt le ton badin entre l'élève et l'éducatrice va cesser. Il ne sera plus question d'art mais de politique. Les événements se précipitent. Bonaparte qui vole de victoire en victoire songe sérieusement à se faire couronner empereur des Français ! Le 28 florial an XII – 15 mai 1804 – Bonaparte devient Napoléon Ier. Le titre excite les jalousies. L'Europe se déchaîne contre celui que tout le monde, un jour prochain, ne désignera plus que par le surnom de « l'Ogre ».

Et Henriette, qui a en vu d'autres, constate qu'« Il n'y a rien de nouveau dans le monde ; les mêmes circonstances ramènent parmi les hommes le développement des mêmes passions, les mêmes discours et jusqu'aux mêmes expressions. » L'envie, la jalousie, les deux plaies qui rongent la société, divisent les Français et sèment la discorde dans la famille régnante. La guerre sourde que les frères et les sœurs Bonaparte mènent depuis toujours contre la famille Beauharnais, éclate franchement quand le futur Empereur annonce son couronnement.

Le maître n'est pas dupe ; à propos de sa famille il dit : « Ils sont jaloux de ma femme, d'Eugène, d'Hortense, de tout ce qui m'entoure. » Et il fait l'inventaire : « Eh bien, ma femme a des diamants et des dettes, voilà tout. Eugène n'a pas vingt mille livres de rentes. » Et avec simplicité il avoue : « J'aime ces enfants parce qu'ils sont toujours empressés à me plaire. » Alors que les Bonaparte se montrent avides d'honneurs, les Beauharnais, qui ne sont pas superficiels, n'oublient jamais que leur élévation n'est due qu'au génie de leur beau-père.

Quand Eugène est nommé vice-roi d'Italie, la famille Bonaparte se morfond et... se tait. Amer, Eugène se plaint de ce silence : « Il est pourtant par trop ridicule que je n'aie pas reçu une seule marque d'honnêteté de la famille de l'Empereur. » Et pendant que les Bonaparte le jalousent, lui pense que sa nomination l'éloigne encore un peu plus d'Hortense : « Nous ne sommes pas heureux, ma sœur, puisque le destin veut que nous soyons toujours séparés l'un de l'autre (...). » Les Beauharnais ont gardé un cœur vrai et sensible, pour eux l'affection prime sur l'élévation.

L'acharnement haineux des Bonaparte se révéla au grand jour quand ils attaquèrent directement Joséphine. Ils firent pression pour que la femme de leur frère ne partage pas sa gloire. Au conseil tenu à Saint-Cloud, la discussion que le futur Empereur eut avec son frère Joseph fut d'une rare violence. Mais il tint bon, Joséphine, qu'il aimait et qui lui était un facteur de popularité, serait couronnée en même temps que lui !

Ces querelles aussi malheureuses que mesquines avaient dépassé les lambris du château de Saint-Cloud pour venir résonner aux oreilles des Français. De Saint-Germain la directrice s'en fait l'écho : « (...) Dans ma petite ville, je n'entends parler du matin au soir que de ce qui regarde en ce moment et la France et votre famille ; je ne doute pas du bonheur et du calme qui se préparent pour mon pays, je désire que celui de tout ce qui vous intéresse soit aussi réel. On dit votre maman malade ; on dit qu'elle n'a point été hier à la messe de Saint-Cloud. Les petites villes sont insoutenables pour les nouvelles ; je n'ai vu presque personne depuis qu'elles sont devenues si intéressantes. La conversation sur ces sortes de sujet est trop embarrassante (...). » Tout en désirant rester discrète elle se pose des questions. Elle voudrait se taire qu'elle ne le pourrait quand l'avenir des Beauharnais est en jeu.

Après les nuages et l'orage, l'horizon s'éclaircit. Joséphine est couronnée et c'est un hommage appuyé qu'Henriette rend à la mère d'Hortense. Il a l'accent de la sincérité : « L'affabilité dans la puissance n'a jamais été si nécessaire qu'après un espace de douze ans, où toute puissance supérieure avait disparu (...). Qui plus que l'impératrice sait réunir la dignité nécessaire, pour donner une audience, à l'aimable simplicité de la conversation privée ? Elle trouve à l'instant ce qu'il faut dire à tous leurs intérêts particuliers, ce qui concerne leur famille, leurs jouissances, leurs peines. Tout est présent à sa mémoire parce qu'elle l'a placée dans son cœur. »

Par contre-coup l'Empereur élève Louis et Hortense au titre d'« Altesses impériales ». Quoi ! Hortense Altesse impériale ! Folle de jalousie, Caroline Murat fait une scène si violente à son frère qu'elle obtient pour elle et son mari les mêmes prérogatives.

Mais Napoléon est une comète qui entraîne dans son sillage sa famille, ses amis, qu'il nomme et déplace à son gré sur l'échiquier de l'Europe. Deux ans plus tard, le 15 juin 1806, Louis et Hortense sont promus roi et reine de Hollande.

Et c'est ainsi que pour la seconde fois Henriette se trouve dans l'intimité d'une jeune souveraine. Rompue aux usages, le « A.S.A.I. la princesse Bonaparte » est aussitôt remplacé dans sa correspondance par « A.S.M. la reine de Hollande ». Jusque-là Hortense était restée pour elle sa petite Hortense et invariablement après avoir aligné ses titres, elle commençait ses lettres par « Mon cher Ange ». Une fois Hortense devenue reine, la tendre appellation disparaît au profit du sérieux et impersonnel « Madame ». Et même si elle termine sa correspondance par « Hommage, tendresse et respect », ici finit son rôle d'éducatrice ; elle ne donnera plus de leçons, plus de conseils. En revanche, elle sollicitera un peu pour elle et sa famille ; beaucoup pour les autres.

Mais revenons à cette glorieuse année 1805, l'année du sacre. Napoléon nourrit de grandes vues pour la France. Il caresse, entre autres, le projet de créer une éducation nationale. Et en cela reprend les idées mêmes de Mme Campan.

– Sire, il faut créer une grande école où les filles de vos Légionnaires, les orphelins de vos officines, seront élevées au même titre que les filles de vos préfets, de vos administrateurs. Mais pour cela il faut de l'espace, un budget, des maîtres.

L'Empereur répond :

– Cherchez la maison, le reste viendra.

Une fois encore entre Mme Campan et le maître de la France, le courant passe. Dès le lendemain de l'entrevue, elle écrit à Hortense : « J'ai été hier charmée de l'Empereur, cela ne vous étonnera pas ; il a jeté une lumière réelle sur mon plan ; aidée par la sagesse de ses opinions, nous ferons une grande et belle chose. (...)

Et voilà qu'à cinquante-trois ans elle repart avec confiance sur de nouveaux projets. Elle se met en chasse pour trouver des locaux. Elle ne cache pas que son « vœu personnel » serait de rester à Saint-Germain où, en l'espace de douze années, elle a eu le temps de prendre ses habitudes et de se faire bien des amis. Or l'Hôtel de Rohan ne peut répondre à un établissement impérial. Elle avoue que c'est déjà « un tour de force de contenir cent pensionnaires dans un local éparpillé » et qu'elle ne pourrait le faire pour deux cent soixante ! Pour rester à Saint-Germain il faudrait acheter « l'Hôtel d'Harcourt cent mille francs » et cela engagerait pour « deux cent mille francs de construction ; une grande chose ne peut être mesquine », s'écrie-t-elle enthousiaste. Néanmoins elle continue ses recherches. Elle trouve à Versailles un couvent dans lequel il n'y avait presque pas de travaux à faire ; elle trouve à Écouen le château des Condé, confisqué à la Révolution... Enfin, elle se démène. En femme d'affaires avisée, elle fait des offres, devis à l'appui. Mais l'Empereur tout à sa nouvelle gloire ne répond pas. Parti pour Milan le 31 mars 1805, où il se fait couronner roi d'Italie, il revient le 11 juillet à Fontainebleau. Le 6 septembre, elle écrit à Hortense : « J'attends en ce moment une réponse de l'Empereur et mon cœur est oppressé : mon fils a vingt et un ans, il est de la conscription dans quinze jours ; si l'Empereur ne réalise pas la promesse qu'il a daigné me faire de le prendre comme auditeur du Conseil d'État pour l'Intérieur, la Marine ou les Finances, je vais être obligée de le faire tirer et de faire payer un homme ce que l'on voudra. Il y a neuf ans que l'Empereur m'honore de sa bienveillance, qu'il a bien voulu le dire assez haut pour me faire dans ce nouveau monde, comme dans l'ancien, beaucoup de jaloux ; m'en donnera-t-il une preuve non douteuse ? »

Si le fils obtient un poste dans l'administration, en revanche la mère devra attendre deux longues années avant que son projet ne voie le jour.

XXXI

LA FAMILLE DE MADAME CAMPAN
HORTENSE REINE DE HOLLANDE

Malgré le souci constant qu'Henriette Campan se fait à propos de la bonne marche de l'Institut Saint-Germain, à propos de son fils, de ses nombreuses nièces, à propos du projet des maisons impériales qui n'avance pas ; malgré tous ses soucis biens réels, elle conserve son humour. À la fin d'une lettre adressée à Hortense, elle écrit : « Adieu, mon cher Ange, voilà bien du rabâchage, quand je viendrai au radotage, j'espère que j'aurai le bon sens de me taire. Mais, tout en radotant, je dirai jusqu'à ma dernière heure que je vous aime de tout mon être. » Une autre fois : « J'embrasse le beau Napoléon (fils aîné d'Hortense) ; on en parle déjà dans le monde, on dit qu'il est d'une gourmandise distinguée ! »

On sait quelle importance l'institutrice donne à l'étude de l'histoire, elle engage son ancienne élève à ne pas en retarder la lecture et plaisamment en profite pour blâmer ceux qui remettent toujours à demain : « Demain est le destructeur de tous les bons projets ; demain fuit toujours devant nous et n'arrive jamais, car lorsqu'on l'atteint, il est devenu aujourd'hui ; demain trompe et tranquillise la conscience des paresseux ; enfin j'ose supplier

Votre Altesse par confiance et par amitié pour moi de prendre demain en horreur (...) ! »

La princesse Louis Bonaparte qui a deux enfants, un mari difficile et un rang à tenir à Saint-Leu comme à Paris, oublie parfois de répondre à Mme Campan. Voici la tournure amusante que celle-ci emploie pour lui en faire la remarque : « Permettez-moi de vous remercier de votre aimable petite lettre, et de vous féliciter sur la réconciliation remarquable qui existe entre Votre Altesse et son écritoire (...) »

Les années 1805, 1806 et 1807 sont des années douces amères pour Henriette. Elle ignore le sort que lui réserve Napoléon. L'Institut Saint-Germain est son œuvre ; si l'Empereur montait son projet sans elle, il la ruinerait. Tant d'incertitude la mine, tandis qu'elle atteint un âge où elle a besoin de connaître son avenir. Comme un funambule elle marche sur un fil. L'inquiétude influe sur sa santé morale et physique. À cinquante ans passés, elle n'a plus la même volonté de se battre, de tout recommencer. L'attente autant que les médisances l'éprouvent. Le 18 juillet 1805, elle avoue : « En ce moment je ne suis pas heureuse, j'ai le même nombre d'élèves qu'il y a quatre ans, les prix de tout ont augmenté du tiers (toujours les guerres) ; mon cœur, mon dévouement ferment mes oreilles à tout ce que l'on dit sur ma situation ; je connais les faux intérêts des méchants, et je sais que je dois compter sur vous. » Et elle rappelle : « Quand mes nièces sont placées près de vos personnes (Adèle Auguié) une d'elles maréchale de l'Empire (Eglée Ney) et que moi je reste simple maîtresse de pension (...), on finit par dire : « A-t-elle démérité ? Qu'a-t-elle fait ? A-t-elle eu des torts ? »

Les trois années auraient été difficiles à vivre si elles n'avaient pas été émaillées d'instants de bonheur. Voici douze ans que l'Institut est ouvert et elle a la joie d'élever la deuxième génération de Bonaparte et de Beauharnais. De Stéphanie Bonaparte, fille de Lucien, dite Lolotte, elle dit : « Il faut prendre garde de peupler cette cour de jeunes têtes inconsidérées, que des maris auraient peine à contenir. Ce ne sera pas l'impératrice avec son indulgence connue et l'Empereur qui triple les minutes de sa vie laborieuse et n'en a pas encore assez, qui pourront le faire. »

Elle obtient gain de cause, on lui laisse le temps de parfaire l'éducation de Stéphanie qui est la fille adoptive de Napoléon. Comme telle, elle est destinée au prince héréditaire de Bade. Une autre union est en vue : Eugène doit épouser la princesse Auguste de Bavière. « On ne parle dans le monde, écrit Henriette, que de la beauté de la princesse destinée au prince Eugène. » Elle a le bonheur de recevoir les nouveaux couples à l'Institut. En leur honneur, elle donne une représentation d'*Esther*, mais cette fois en privé.

Eugène, vaillant soldat, bon fils et frère attentionné, a toujours gardé une place privilégiée dans le cœur de l'éducatrice. Son union avec la princesse Auguste se révélera très heureuse. Quant à Stéphanie de Bade, en entrant dans le grand monde, elle devient une publicité vivante pour l'Institut. Très satisfait de sa femme, le prince de Bade vient féliciter Mme Campan à Saint-Germain : « Chaque jour, lui dit le prince, je suis plus satisfait de la princesse, et j'ai voulu le dire à Mme Campan (...). Son étoile est étonnante, mais elle est en tout faite pour son étoile, et elle la justifiera. »

Ces deux unions successives éclairent le chemin étroit sur lequel Henriette s'est engagée ; cela n'empêche pas les orages ; ils creusent de sérieuses ornières. Depuis quelques semaines le bruit court que Louis Bonaparte va être nommé roi de Hollande. Hortense en Hollande ? La nouvelle qui n'est encore qu'un projet la préoccupe. La nomination, bien que secrète, est prévue pour le 8 juin 1806, mais dès le mois d'avril, elle écrit : « Je n'ose parler à Votre Altesse (déjà elle emploie le titre d'Altesse) d'une chose à laquelle je pense sans cesse et dont toute l'Europe est occupée. » Elle souffre du silence qui entoure l'événement ; elle souffre d'une séparation quasi certaine : « Je puis le dire : qui vous a chérie comme moi ? Qui a suivi plus longtemps votre enfance ? Je devrais mourir auprès de vous et non pas vivre séparée. J'ose croire au moins que je ne serai pas oubliée, mais quelle bizarre étoile que la mienne ! (...) » Son existence a connu trop de déchirures. Elle surmonte sa peine en accompagnant Hortense dans ses fonctions. L'esprit curieux et insatiable, elle compulse tous les ouvrages qui traitent de la Hollande. Elle en étudie l'histoire, la géographie, les mœurs et jusqu'au moindre détail : « J'ai parcouru avec la curiosité d'un enfant les plans des villes et les gravures qui représentent les palais appartenant à Vos Majestés. La maison de la princesse, dite Maison de Bois, a surtout attiré mon attention (...). » Elle voyage par procuration. De sa bibliothèque de Saint-Germain elle s'instruit tant et si bien qu'elle en sait beaucoup plus sur le sujet que sa protégée :

« Votre Majesté sait combien je cherche à m'instruire de tout ce qui regarde ses nouveaux états, j'aurai bien du plaisir à l'en entretenir ; l'étude que je vais en faire me donnera sûrement quelques connaissances sur ce peuple ; mais Votre Majesté aurait besoin de se donner elle-même la peine de lire et d'extraire les choses qu'elle veut graver dans sa mémoire. »

Henriette a beau user des titres officiels pour s'adresser à Hortense, à chaque mot perce l'attachement d'une mère à son enfant. Elle l'accompagne dans sa nouvelle vie, on sent qu'elle veut lui éviter les écueils, les maladresses. Attentionnée, veillant de loin sur elle, elle la protège. Hortense est en Hollande, elle apprend tout sur ce peuple, serait-elle chez les Zoulous qu'il en serait de même. Le cœur d'une mère ne connaît pas de frontière.

Mais Hortense n'oublie pas Mme Campan, elle n'oublie pas ses proches. Grâce à sa position élevée elle peut influer sur le bonheur des autres. Avec tact, elle use de son pouvoir pour placer au mieux ses intimes. Elle leur fait contracter des mariages avantageux et Henriette est aux anges. Dans une lettre datée du 27 mars 1807, elle laisse éclater sa joie : « Quelle jouissance ! Elle est infinie. Je ne sais si je l'exprime bien, tout ce que je dis me semble des niaiseries auprès de ce que je sens. Nous marions la bonne Agathe (fille de sa sœur Rousseau), puis notre Adèle (dernière fille Auguié), j'ose dire "notre" en parlant d'elle à la princesse qui la traite en sœur. Que de tranquillité pour les cœurs et leurs bons parents quand ces événements seront terminés ; ensuite je me fais recluse ; je sers et je bénis l'Empereur et sa famille toute ma vie. »

Agathe Rousseau épouse M. de Saint Elme ; orpheline de père, Hortense se charge de sa dot. Elle obtient pour la nièce de Mme Campan la recette de Laon. Heureuse de pouvoir aider ses amies d'enfance, la princesse s'empresse de porter elle-même la bonne nouvelle à la famille Rousseau. Sans son aide précieuse, Agathe serait restée vieille fille.

Adèle a bientôt vingt-quatre ans, elle vit dans le sillage d'Hortense, mais sa famille se préoccupe de son avenir. Le maréchal Ney qui a épousé Eglée, la sœur d'Adèle, et qui tous les jours se félicite de son mariage, dit clairement et sans ambages sa préférence pour le maréchal de Broc. Il expose son point de vue en quelques phrases lapidaires à sa tante Campan : « Cette chère Adèle restera-t-elle toujours dans l'incertitude et son sort ne sera-t-il pas bientôt fixé ? Le fruit est mûr, il faudrait y songer. Pourquoi ne pas accepter le grand maréchal de Broc ? Cet excellent officier mérite sans doute la préférence sur quiconque oserait prétendre à la possession de notre Adèle. Vous avez, chère tante, le droit de dire ma façon de penser (...) » et Henriette qui fait toute confiance au maréchal son neveu, ne s'en prive pas. Enfin le projet avance. Le père d'Adèle rencontre le grand maréchal et écrit à sa belle-sœur Campan que M. de Broc est le gendre idéal : « Son caractère, son extérieur, tout nous convient à tous. » Le futur marié n'a pas de fortune, mais une très belle position. Comme grand maréchal du palais de Louis Bonaparte, Adèle a l'assurance de rester auprès de la reine de Hollande et c'est certainement ce qui a fait pencher la balance. La cérémonie aura lieu le 11 avril 1807 à Paris. Eglée s'occupe de tout : « On ne parle, écrit gaiement Henriette, que robes, linge, couturière, chez la maréchale Ney. La tante Pannelier et la tante Rousseau (ses deux sœurs) font les courses du matin. Alexandrine (sa nièce) a voix délibérative dans ce conseil ; je me fais raconter par exemple que la robe du jour sera en tulle uni sur une robe de satin blanc garnie en fleurs d'orange. La maréchale Ney fait arranger le rez-de-chaussée de son hôtel pour sa sœur. » Le fameux jour approche. La bénédiction doit être donnée dans la chapelle du roi, rue de Cerrutti. Seule la famille sera présente ; le grand absent sera ce pauvre Henri, qui a obtenu un poste. Certes il manquera à sa mère, à sa cousine Adèle. « Mais, dit Henriette, il est à son devoir et j'ai la consolation d'entendre dire qu'il se conduit bien. »

Avec beaucoup d'émotion elle écrit : « Demain, entre midi et une heure, mon Adèle aura changé de nom. » Et, à cet instant, elle ne peut pas ne pas penser à sa sœur Adélaïde, à ce jour où, prête à fuir ses bourreaux, elle lui remit sa fille la plus jeune en lui disant : « Vois celle-là comme ta fille. »

Peu avant le mariage, Hortense, qui est restée en Hollande, ne cache pas à Adèle que Louis, fou de jalousie, ne cesse de l'importuner. Le cœur gros, elle avoue à sa confidente : « Ma chère Adèle, toujours des explications et quelquefois j'en ai vraiment mal aux nerfs, hier encore il me demandait en grâce de lui avouer tout ce que j'avais fait. » Et après une longue lettre où elle s'épanche, elle termine : « Ah, ma chère Adèle, qui nous aurait dit que moi j'aurais pu inspirer un soupçon ; qu'au moins celui qui t'épousera sache t'apprécier. Nous sentons de même depuis l'enfance et je jouirai de l'estime qu'on te donnera en pensant que j'aurais pu l'avoir aussi, mais le sort ne l'a pas voulu, il faut se résigner. Je t'embrasse comme je t'aime. »

La lettre a été écrite le 4 avril 1807. Un mois plus tard, jour pour jour, Hortense va connaître la plus grande douleur de sa vie. Son fils aîné est atteint de diphtérie. Il étouffe sous les yeux de ses parents qui le veillent, impuissants à soulager ses souffrances. Il meurt dans la nuit du 4 au 5 mai. La maréchale Ney et Caroline Murat accourent auprès de la mère éplorée qui vit en état de prostration. Joséphine quitte aussitôt Paris pour Laeken où Hortense la rejoint. L'Empereur, qui était en admiration devant l'enfant, apprend la triste nouvelle alors qu'il se trouve en Prusse orientale. Sa douleur est profonde. Il écrit à Hortense : « Ma fille, en apprenant la perte que nous venons de faire, j'ai songé à tout le chagrin auquel vous étiez livrée, il faut du courage (...) » Mais les mots les plus tendres, les phrases les plus sensibles viennent de Saint-Germain. Lettre dont nous livrons ici les passages les plus marquants :

« 10 mai 1807

Madame,

On ne peut que pleurer avec Votre Majesté et prier le ciel qu'il lui accorde toute la force et toute la vertu nécessaires pour soutenir un de ses coups les plus cruels ; j'ose l'invoquer du fond du cœur tout à vous. Je viens de Malmaison, j'ai eu l'honneur de voir l'impératrice, son cœur maternel est doublement déchiré ; elle pleure l'ange que le ciel a voulu rappeler à lui, elle pleure sur la douleur d'une fille si chère (...) Que de larmes sont versées en ce moment ! Toute notre famille est livrée à sa trop juste douleur. Adèle est partie. Eglée part (...). J'allais partir, je cède aux représentations qui me sont faites, mais c'est avec regret. »

La lettre se termine sur un très beau passage qui évoque la douleur, les revers de l'existence : « Le terrible secret de la vie se dévoile chaque jour ; le voyage le plus heureux y est sans cesse arrêté par les plus affreuses tempêtes ; on ne peut supporter ces revers que par l'effort de la raison, on ne peut voir adoucir les plaies déchirantes que par la main du temps. »

Cinquième partie

LA SURINTENDANTE DE LA MAISON DE LA LÉGION D'HONNEUR D'ÉCOUEN

« Le soleil qui nous réchauffe fait naître et mûrir nos blés, nos raisins, et est placé dans ce ciel d'où partent de même et les maux et les biens qui nous sont destinés : lui seul a pu donner l'empereur Napoléon (...) »

« On sera content de moi ici, j'ose l'espérer ; mon sort est de ne devoir, depuis que j'existe, aucun bonheur qu'au travail le plus actif ; les chances du hasard ne me sont point réservées (...) »

« J'ignore ma destinée ; j'espère... C'est la chose qui abandonne en dernier que cette consolante espérance. »

XXXII

LE PROJET IMPÉRIAL

En décembre 1805, au lendemain de la bataille d'Austerlitz, l'Empereur fait passer un décret par lequel il adopte les filles des braves soldats morts sur le champ de bataille.

Installé au palais des Schœnbrunn, il trace un vaste plan pour la maison impériale d'éducation des filles. Henriette se réjouit de la victoire, mais peut-être encore plus que Napoléon prenne des décisions à propos des maisons impériales : « J'ignore quel sera son plan d'éducation pour les filles qu'il adopte, mais tel qu'il sera, je sais d'avance que ce qu'il dictera sera pour le mieux. Voudra-t-il des talents ? Elles en auront. Les rayera-t-il de leur éducation ? Elles seront instruites. Mais je sens dans mon cœur et dans ma tête que j'exécuterai si bien ses ordres, que j'aurai avant de mourir la satisfaction de l'entendre dire : "Je suis content de vous." »

Dans l'attente elle a tout prévu : « Le palais de Saint-Germain peut être parfaitement arrangé, j'en ai eu mille fois le plan dans ma tête ; je communiquerai mes idées (...). »

Que des projets se présentent et la fatigue disparaît ! La voilà de nouveau pleine d'entrain dès qu'il s'agit de reprendre du galon ! Elle communique ses plans à Hortense, mais annonce qu'elle est prête à les revoir : « Si Il (l'Empereur) vous dit : "Le plan de Mme Campan ne me convient pas", répondez, je vous prie, la vérité : "Elle le fait pour obéir ; mais elle met sa seule gloire à exécuter les vôtres et elle les exécutera bien quel que soit le mode arrêté. Elle est prête à diriger "l'éducation la plus simple comme la plus brillante." Et elle termine : « Vous devez juger mon impatience à savoir mon sort. »

En février, elle voit M. Daru. Elle est bien reçue, toutefois elle remarque que ce monsieur ne s'intéresse qu'à l'éducation des garçons. Devant un tel machisme elle s'arme d'humour : « Ne croyez pas, lui dit-elle, que je ferai danser la gavotte ou chanter des airs d'opéra bouffe à ces jeunes filles (!). »

Mais voilà Hortense promue reine de Hollande, pays éloigné de la France. Elle était son unique appui. Les mois ont passé et elle n'a plus aucune nouvelle de Napoléon. Elle caressait le projet de « mettre ses hôtels en état de recevoir provisoirement les élèves de l'Empereur ». Mais il faudrait sept à huit mille francs pour exécuter les travaux et elle n'a pas un sou ! Elle fait des offres mais n'obtient aucune réponse.

Une heureuse surprise va cependant égayer l'été 1806. Un ami lui lègue huit cents francs. Elle a toujours regretté sa ferme qui, rappelons-le, a brûlé pendant la Révolution ; aussi va-t-elle employer la somme à acheter « une jolie cabane dans une jolie vallée (...) »

Entourée de verdure, Henriette s'épanouit. Elle apprécie le calme de la campagne. Elle n'a pas besoin de posséder un château pour se sentir heureuse ; une ferme ou une « cabane » avec un potager et un jardin fleuri lui suffisent mais sont nécessaires à son équilibre. Elle a la chance d'avoir pour voisin le chevalier de Boufflers, auteur de nombreuses poésies légères ; il a épousé en 1792 la comtesse de Sabran, peintre et poète, qui terminera ses jours aveugle. Mme Vigée-Lebrun la visite souvent car le charme de sa conversation est inimitable. Les Boufflers reçoivent volontiers l'abbé de Lille que tout le monde appelle « chose légère ». Il est un éternel enfant qui ne vit que dans le moment présent. Il dit ses vers avec finesse, il conte avec charme et gaieté.

Tels sont les voisins immédiats de Mme Campan, des poètes, rien que des poètes. M. de Lille vient-il versifier sous ses fenêtres ? Henriette ne le dit pas. Elle dit seulement que si son fils n'avait pas besoin d'elle pour l'aider pécuniairement, peu de choses dans le monde pourrait la sortir de sa maison des champs.

Plusieurs fois dans sa correspondance elle parle de sa « petite maison ». Celle-ci rapporte tout de même deux mille francs l'an. Elle y fait planter des arbres. Elle y vit loin du bruit et y gagne en sérénité.

Pendant ce temps le vainqueur d'Austerlitz se lance dans d'autres batailles.

Le 20 septembre 1806, Mme Campan qui a séjourné chez sa nièce remarque : « On parle du très prochain départ de notre Empereur ; sa garde, dit-on, est partie, ses serviteurs partent ; je viens de passer deux jours près du maréchal Ney, et n'en suis pas plus instruite encore sur le lieu où on doit se rendre. »

Depuis des années la France est en guerre contre l'Europe entière. Henriette se plaint que « les guerres font du tort » non seulement à son institut mais à tous les établissements. Il lui faudrait pour vivre douze mille francs par an, dont six iraient à son fils « pour le soutenir comme auditeur à Paris », car il lui faut de l'argent pour tenir son rang.

Hortense, émue par la baisse de revenus constante de son ancienne institutrice, lui accorde une pension. La bonne nouvelle est suivie d'une autre : le jour même, *Le Moniteur* annonce les victoires de Friedland et le traité de Tilsit. « Quel bonheur, s'écrie Henriette, de vivre sous son empire, quand il aura réalisé ses vastes projets ! » Mais ses vastes projets sont sans fin. Les guerres se succèdent et quand Napoléon prend des décisions elle n'est pas dans la confidence. Si bien qu'elle doit demander à Hortense si l'Empereur a l'intention de nommer une autre personne qu'elle à Écouen. Car c'est bien Écouen qui a été choisi ; elle l'a appris par hasard. Par hasard... Elle qui s'est tant démenée pour trouver un emplacement. Amère, elle perd sa santé et son sommeil. Les uns avancent que c'est une abbesse qui devrait être nommée, d'autres que ce serait Mme de Genlis !

Cette fois, elle s'insurge : n'est-on pas en train de lui prendre ses idées, ses projets et de faire une grande œuvre avec ce qu'on lui aura volé ? Dans sa correspondance avec Hortense, la seule personne sur laquelle elle puisse compter, elle n'écrit plus : « Mon ange, ma bonne Hortense », mais elle supplie : « Majesté, aidez-moi ! Éclairez l'Empereur. On dit que c'est Mme de Genlis qui obtiendrait la direction d'Écouen. Est-ce possible ! Quoi, une femme qui a élevé les fils du duc d'Orléans viendrait supplanter celle qui a élevé la belle-fille et les sœurs de l'Empereur ! » Le maréchal Ney, qui souffre de la position de sa tante par alliance, n'a pas osé aborder le sujet avec l'Empereur alors qu'ils se trouvaient ensemble à Tilsit.

De sa lointaine Hollande, Hortense entend les plaintes de Mme Campan ; elle ne laissera pas commettre pareille iniquité. Elle comprend et console la mère de son âme ; elle se fait son avocat. Avec énergie et éloquence elle défend l'institutrice. Elle écrit au grand chancelier Lacépède, à M. Daru... Mme de Genlis est écartée ; Mme Campan triomphe. Après trois longues années d'attente, un décret officiel la nomme directrice de la maison d'éducation de la Légion d'honneur d'Écouen. Nous sommes le 3 septembre 1807 ; quelques jours plus tôt elle écrivait : « Ce n'est pas seulement de l'argent qui peut me retirer de ma position, mais de l'honneur, mon cœur en a besoin. » Son cœur sera satisfait : à cinquante-cinq ans, son action est reconnue et elle obtient enfin une place qui lui assure sécurité et dignité.

Henriette repart pour une nouvelle vie. Elle court à Écouen. Elle y passe six heures de suite. Elle veut tout voir et retrouvant son dynamisme d'antan, elle s'écrie : « Le château est bien réparé (...), les dortoirs sont beaux, les réfectoires superbes, le lieu salubre et entouré du plus beau pays des environs de Paris ! »

Napoléon désire que l'enseignement soit solide et même sévère. Le fondement en sera l'ordre et la religion, fini les douceurs de Saint-Germain. Écouen tient à la fois de la caserne et du couvent ! On y établit une clôture que pas un homme ne devra franchir. La nouvelle directrice accepte toutes les clauses, même celle de vivre aussi retirée qu'une religieuse, pourvu qu'elle réalise son œuvre sous l'œil de l'Empereur.

Le 15 mai, de son bivouac, Napoléon adresse au grand chancelier Lacépède l'ordre d'acheter les bois d'Écouen, de veiller à la salubrité du château. À cela il ajoute les notes sur la formation intellectuelle et morale des jeunes filles élevées dans les maisons de la Légion d'honneur.

Notes sur l'établissement d'Écouen.

Finkenstein, 15 mai 1807.

« Il faut que l'établissement d'Écouen soit beau dans tout ce qui est éducation. Gardez-vous de suivre l'exemple de l'ancien établissement de Saint-Cyr où l'on dépensait des sommes considérables et où l'on élevait mal les demoiselles.

L'emploi et la distribution du temps sont des objets qui exigent principalement votre attention. Qu'apprendra-t-on aux demoiselles qui seront élevées à Écouen ? Il faut commencer par la religion dans toute sa sévérité, n'admettez à cet égard aucune modification : la religion est une importante affaire dans une institution publique de demoiselles, elle est, quoi qu'on puisse en dire, le plus sûr garant pour les mères et pour les maris. Élevez-nous des croyantes et non pas des raisonneuses. La faiblesse du cerveau des femmes, la mobilité de leurs idées, leur destinée dans l'ordre social, la nécessité d'une constante et perpétuelle résignation et d'une sorte de charité indulgente et facile, tout cela ne peut s'obtenir que par la religion, par une religion charitable et douce. Je n'ai attaché qu'une importance médiocre aux institutions religieuses de Fontainebleau, et je n'ai prescrit que tout juste ce qu'il fallait pour les lycées. C'est tout le contraire pour Écouen : presque toute la science qui y sera enseignée sera celle de l'Évangile. Je désire qu'il en sorte des femmes très agréables, mais des femmes vertueuses, que leurs agréments soient de mœurs et de cœur, non d'esprit et d'amusement. Il faut donc qu'il y ait à Écouen un directeur, homme d'esprit, d'âge et de bonnes mœurs, que les élèves fassent chaque jour des prières régulières, entendent la messe et reçoivent des leçons sur le catéchisme. Cette partie de l'éducation est celle qui doit être la plus soignée.

Il faut apprendre aux élèves à chiffrer, à écrire, et les principes de notre langue afin qu'elles sachent l'orthographe ; il faut leur apprendre un peu de géographie et d'histoire, mais bien se garder de leur montrer ni le latin, ni aucune langue étrangère. On peut enseigner aux plus âgées un peu de botanique, et leur faire un léger cours de physique ou d'histoire naturelle, et encore tout cela peut-il avoir des inconvénients. Il faut se borner en physique à ce qui est nécessaire pour prévenir une crasse ignorance et une stupide superstition, et s'en tenir aux faits sans raisonnement qui tiennent directement ou indirectement aux causes premières. On examinera s'il conviendrait de donner à celles qui sont parvenues à une certaine classe une masse pour leur habillement. Elles pourraient s'accoutumer à l'économie, à calculer la valeur des choses, et à compter avec elles-mêmes. Mais, en général, il faut les occuper toutes, pendant les trois quarts de la journée, à des ouvrages manuels : elles doivent faire des bas, des chemises, des broderies, enfin toute espèce d'ouvrages de femmes. On doit considérer ces jeunes filles comme si elles appartenaient à des familles qui ont dans nos provinces de 15 à 18 000 livres de rentes et ne devant apporter de dot à leurs maris pas plus de 12 à 15 000 livres et les traiter en conséquence. On conçoit alors que le travail manuel dans le ménage ne doit pas être indifférent.

Je ne sais s'il y a possibilité de leur montrer un peu de médecine et de pharmacie, du moins de cette espèce de médecine qui est du ressort d'une garde-malade. Il serait bon aussi qu'elles sussent un peu de cette partie de la cuisine qu'on appelle l'office. Je voudrais qu'une jeune fille sortant d'Écouen pour se trouver à la tête d'un petit ménage, sût travailler ses robes, raccommoder les vêtements de son mari, faire la layette de ses enfants, procurer des douceurs à sa petite famille, au moyen de la partie d'office d'un ménage de province, soigner son mari et ses enfants lorsqu'ils sont malades, et savoir à cet égard, parce qu'on le lui aurait inculqué de bonne heure, ce que les gardes-malades ont appris par habitude.

Quant à l'habillement il doit être uniforme. Il faut choisir des matières très communes et leur donner des formes agréables. Je crois que sous ce rapport la forme de l'habillement de femmes ne laisse rien à désirer, bien entendu cependant que l'on couvrira les bras et que l'on adoptera les modifications qui conviennent à la pudeur et à la santé. Quant à la nourriture elle ne saurait être trop simple : de la soupe, du bouilli et une petite entrée, il ne faut rien de plus. Je n'oserai pas prescrire de faire faire la cuisine aux élèves, j'aurais trop de monde contre moi, mais on peut leur faire préparer leur dessert et ce qu'on voudrait leur donner le soir pour leur goûter soit pour leurs jours de récréation. Je les dispense de la cuisine, mais pas de faire elles-mêmes leur pain.

Il faut que leurs appartements soient meublés du travail de leurs mains, qu'elles fassent elles-mêmes leurs chemises, leurs bas, leurs robes, leurs coiffures ; tout cela est une très grande affaire dans mon opinion. Je veux faire de ces jeunes filles des femmes utiles, certain que j'en ferai par là des femmes agréables ; je ne veux pas chercher à en faire des femmes agréables parce que j'en ferais des petites maîtresses. On sait se mettre quand on fait soi-même ses robes, dès lors on se met avec grâce.

La danse est nécessaire à la santé des élèves, mais il faut un genre de danse gaie et qui ne soit pas danse d'opéra. J'accorde aussi la musique, mais la musique vocale seulement. Il faut avoir en vue jusqu'à un certain point l'école de Compiègne. Il faut qu'il y ait à Écouen des maîtresses qui montrent à coudre, à couper des vêtements, à broder, et la portion de pharmacie et celle de l'office dont j'ai parlé plus haut.

Et si l'on me dit que l'établissement ne jouira pas d'une grande vogue, je réponds que c'est ce que je désire, parce que mon opinion est que de toutes les éducations, la meilleure est celle des mères, parce que mon intention est principalement de venir au secours des jeunes filles qui ont perdu leur mère ou dont les parents sont pauvres, qu'enfin si les membres de la Légion d'honneur qui sont riches dédaignent de mettre leurs filles, si ceux qui sont pauvres désirent qu'elles y soient reçues, et si ces jeunes personnes retournées dans leur province, y jouissent de la réputation de bonnes femmes, j'ai complètement atteint mon but. Il faut dans cette matière aller jusqu'auprès du ridicule : je n'élève ni des marchandes de mode, ni des femmes de chambre, ni des femmes de charge, mais des femmes pour les ménages modestes et pauvres.

Les hommes, à l'exception du directeur, doivent être exclus de cet établissement : il ne doit jamais en entrer dans cette enceinte sous quelque prétexte que ce puisse être ; les travaux mêmes du jardin doivent être faits par des femmes. Mon intention est que sous ce rapport la maison d'Écouen soit une règle aussi exacte que les couvents des religieuses. La directrice même ne pourra recevoir d'hommes qu'au parloir, et si l'on ne peut se dispenser de laisser entrer les parents en cas de maladie grave, ils ne doivent être admis qu'avec une permission du grand chancelier. Je n'ai pas besoin de dire qu'on ne doit employer dans cette maison que des filles âgées ou des veuves n'ayant pas d'enfants, que leur subordination envers la directrice doit être absolue, et qu'elles ne pourront ni recevoir des hommes, ni sortir de l'établissement.

Il serait sans doute également superflu de remarquer qu'il n'y a rien de plus mal conçu, de plus condamnable que de faire monter les jeunes filles sur le théâtre et d'exciter leur émulation par des distinctions de classes. Cela n'est bon que pour les hommes qui peuvent être dans le cas de parler en public, et qui, étant obligés d'apprendre beaucoup de choses, ont besoin d'être soutenus et stimulés par l'émulation ; mais pour des jeunes filles il ne faut point d'émulation entre elles, il ne faut pas éveiller leurs passions et mettre en jeu la vanité qui est la plus active des passions du sexe. De légères punitions, et les éloges de la directrice pour celles qui se comportent bien, cela me semble suffisant : mais la classification au moyen des rubans ne me paraît pas d'un bon effet si elle a d'autre objet que de distinguer les âges et si elle établit une sorte de primauté.

Signé : Napoléon. »

En résumé, l'Empereur désire pour les jeunes filles, toutes issues d'un milieu simple, une éducation adaptée et rigoureuse à laquelle Henriette est prête à se conformer. Mais quand il signale : « La faiblesse du cerveau des femmes », on peut imaginer sa réaction devant pareille affirmation.

Mme Campan s'installe à Écouen un mois avant la fin des travaux afin de tout mettre en ordre. Pour l'aider dans cette rude tâche elle emmène avec elle six élèves de Saint-Germain dont Mlle Heurteloup qui lui sert de « mannequin pour les échantillons du premier uniforme ».

De Fontainebleau, le 22 octobre 1807, Napoléon écrit au grand chancelier :

« Ayant autorisé la formation provisoire de la maison d'Écouen jusqu'à concurrence de soixante-quinze et cent demoiselles, mon intention est que vous nommiez le nombre de dames nécessaires pour ce nombre de demoiselles. Il ne faut pas organiser ici une petite pension, les parents ne doivent pas pouvoir envoyer un sou à leurs demoiselles et la plus stricte égalité doit régner entre elles. Il faut se borner à leur apprendre à bien écrire d'abord, il sera déterminé dans le règlement ce qu'on doit leur montrer de dessin. Ce que je vous recommande principalement, c'est la religion ; le choix d'un directeur est donc un objet de grande importance. Il faut que les élèves entendent la messe tous les jours et aillent faire la prière en commun avant d'aller se coucher. Jusqu'à ce qu'on soit décidé si l'on doit enseigner deux cultes, il faut n'enseigner que le culte catholique. Cette mission sera dans la dépendance du grand aumônier. Vous vous entendrez avec lui pour qu'il choisisse un homme capable de bien monter cet important service. Il faut que la chapelle soit disposée le plus tôt possible et qu'il y ait le dimanche grand-messe, catéchisme, et un petit sermon à leur portée.

Quant à la littérature il faut aussi y aller très doucement, en partant du principe (que vous devez faire entendre à la directrice) que les premières conditions sont les mœurs, mais à mon avis on peut leur montrer la langue française et partie de la réthorique qui n'éveille point l'imagination des jeunes personnes.

Signé : Napoléon. »

Le 31 octobre 1807, exténuée mais comblée, Henriette écrit à la reine de Hollande : « Je ne suis plus occupée que d'une affaire au monde, cette affaire c'est Écouen. Je désirerais communiquer à Votre Majesté la plus petite étincelle de mon feu (...) J'ai beaucoup de choses à faire, mais j'aime l'activité. Je suis heureuse et mille fois plus encore de vous devoir ce bonheur. »

Elle est aux anges. Bien qu'elle ait laissé à Saint-Germain une partie de sa famille, ses amis les plus proches, elle se plaît à Écouen. En verve, elle dit : « Je n'y ai pas manqué un seul coup de vent, je connais toutes ses musiques à travers les grandes salles et sur les toits pointus de nos tours. J'attends le printemps qui viendra embellir mon nouveau séjour. »

Elle espère la venue d'Hortense qui, dans l'attente d'un enfant, ne pourra se déplacer d'ici ses couches.

XXXIII

ÉCOUEN : PREMIÈRE MAISON IMPÉRIALE DE LA LÉGION D'HONNEUR

Le château d'Écouen, antique demeure des Montmorency et des Condé, restera en travaux jusqu'au début 1809. Il faut transformer les grands appartements habités jadis par les premières familles de France et visités plusieurs fois par des rois, des reines et des princes de sang, en dortoirs, en classes, en réfectoires et en salles d'étude. L'école est magnifique mais sévère.

Écouen est un vaste château qui se dresse sur un promontoire. Des bois l'entourent ; d'un côté une large plaine découvre le panorama de l'Île-de-France. On arrive au château par une allée tournante fort jolie. La demeure est spacieuse, faite de tours et d'escaliers, agrémentée d'une très belle cour et de beaux jardins.

Pour Mme Campan qui est férue d'histoire, elle dit que « le château d'Écouen est bien choisi ; ce n'est pas un monastère, mais c'est la demeure d'un ancien preux. Ce séjour se rattache à de grands souvenirs. On aime voir défiler les filles de nos braves sur ce pont où François Ier passait il y a trois siècles ».

Désormais elle relève de l'Empereur comme ses généraux, comme ses préfets. Elle a des comptes à rendre à

M. de Lacépède, grand chancelier de la Légion d'honneur et seul intermédiaire entre elle et la « toute-puissance ». Elle reconnaît qu'il est un « excellent homme » mais qu'il n'entend rien au choix des femmes. C'est ennuyeux quand on sait que la directrice d'Écouen en aura bientôt trente-deux sous son empire. Elles forment le cortège des dignitaires. Toutes portent au cou la croix de la Légion d'honneur. Henriette fait en sorte de s'entendre avec M. de Lacépède, mais après des années de collaboration elle ne pourra s'empêcher de le traiter de « poule mouillée » !

Elle dirige un personnel nombreux qui commence par les dignitaires pour finir à la simple lingère. Elle émarge au budget et, comme à l'armée, elle reçoit des masses : masse pour la nourriture, masse pour le chauffage, pour l'habillement des enfants.

Écouen est une énorme machine à mettre en route qui va accueillir cent, puis deux cents, enfin trois cents élèves. Dès le 1er janvier 1808, Henriette reçoit les premières jeunes filles. Elles sont au nombre de trente-cinq qui ont reçu leur lettre d'admission pour rentrer à la Maison impériale. La directrice déploie toute son énergie : « Il y a tant de choses à faire, dit-elle, pour organiser à la fois logement, meubles, nourriture, instructions, vêtements, que je suis occupée du matin au soir. J'entends la messe tous les matins à neuf heures précises et ma toilette est faite pour le jour entier, l'été ce sera à sept heures. Monsieur le Grand Chancelier veut rendre justice à mon zèle (...). J'y mets mon cœur tout entier (...). »

La vie à Écouen se déroule selon un rythme immuable. À ce propos, Mme la générale Durand, évoquant ses souvenirs, écrit : « Les élèves se levaient à sept heures en hiver et six heures en été. Elles avaient une heure pour s'habiller, faire leur lit (les bonnes faisaient ceux des petites) ; ensuite elles descendaient en classe où la dame qui les accompagnait leur faisait réciter la prière, puis on allait à la messe, de là au déjeuner, on jouait ensuite. À dix heures rentrée en classe, on interrompait l'étude à midi pour faire un second déjeuner qui se composait d'un morceau de pain sec ; on la reprenait jusqu'à trois heures ; venaient ensuite le dîner et la récréation. À cinq heures, travail jusqu'à huit heures, puis le souper, la prière et le coucher qui devait être effectué à neuf heures. Jamais les élèves n'étaient seules ni le jour ni la nuit, les dames surveillantes ne les quittaient pas un seul moment : elles couchaient près d'elles dans des dortoirs, et d'autres dames faisaient encore des rondes pendant la nuit. Les soins de propreté et de tenue étaient très multipliés : toutes les semaines bains de pieds et l'été bains entiers ; une coiffeuse venait chaque mois couper et arranger leurs cheveux, enfin elles recevaient les soins qu'elles auraient pu trouver dans une famille aisée. La nourriture consistait en fruits, laitage, le matin ; de la soupe, du bœuf, une entrée, ou du rôti, des légumes ou de la salade formaient le dîner ; on donnait le soir un potage au lait, du fruit cuit ou des légumes. Ces aliments étaient bons, bien choisis et simplement accommodés. Les élèves avaient un uniforme qui d'abord fut de serge blanche et changé ensuite contre la couleur puce moins salissante ; elles avaient un tablier noir, une capote de percale écrue l'été et une petite toque de velours noir l'hiver. Beaucoup n'étaient pas jolies, mais presque toutes le paraissaient, parce que dans une réunion de jeunes habillées de même pour peu que le costume soit agréable il leur prête infiniment de charme. »

Il y a six classes, chacune est partagée en sous-divisions. Chaque sous-division comprend vingt à vingt-cinq enfants dirigées par deux dames surveillantes. Seules les institutrices donnent les leçons. Comme à Saint-Germain, les divisions se distinguent par la couleur de la ceinture, les sous-divisions par le liseré. Les couleurs sont : vert (pour les petites), violet, aurore, bleu, nacarat, blanc. Les plus grandes portent une ceinture gros bleu.

La directrice se conforme en tous points aux consignes de l'Empereur et se préoccupe de former des femmes « utiles, honnêtes et agréables » en dispensant une éducation modeste mais distinguée. En plus des cours de français, de calcul, d'histoire et de science, les travaux d'aiguille prennent une large part dans l'éducation. Dès leur arrivée les jeunes filles marquent elles-mêmes leur trousseau. Elles doivent se rendre à la « roberie » pour confectionner leur uniforme : robes, tabliers, toques de velours et chapeaux. Les costumes des plus jeunes sont faits par les plus grandes que l'on nomme « petites mamans ». Chaque petite maman prend sous son aile une jeune élève dont elle est responsable. En plus de la couture, les chants religieux, le dessin, la peinture sont à l'honneur. Bonaparte qui, guerre après guerre, avale l'Europe dont la haute société parle essentiellement le français, n'a pas cru utile de faire apprendre des langues étrangères aux enfants. Henriette qui prône les langues pour l'ouverture d'esprit qu'elles apportent, détourne le problème en écrivant elle-même des ouvrages destinés aux enfants en anglais et en italien. Habilement, elle offre le fruit de son travail au grand chancelier qui répond : « En les lisant, j'ai reconnu votre cœur et votre esprit, c'est tout dire... »

Henriette doit surveiller la santé, l'instruction et jusqu'aux jeux des pensionnaires. Elle doit prendre en considération le caractère de chacune, évaluer l'intelligence, accorder leurs connaissances avec leur fortune et leur rang dans le monde, encourager les bonnes qualités, combattre les défauts, favoriser l'émulation sans exciter l'orgueil : tâche écrasante. « Pourtant tous ces détails d'un emploi si délicat, écrit Mlle Ory, paraissent simples, faciles et naturels quand on voyait Mme Campan les remplir. À toute heure elle était accessible pour tout le monde ; écoutant avec une grande habileté de caractère, décidant avec une rare présence d'esprit toutes les questions qu'on lui soumettait, adressant toujours à propos un reproche, un encouragement. »

Du matin au soir les élèves se plient à un emploi du temps rigoureux. Dès la sortie des dortoirs, elles montent en silence en rangs serrés deux par deux. Si l'une d'elles doit se mouvoir seule, comme elle n'a pas le droit de parler, elle tient à la main une petite planche où est écrit le nom de l'endroit où elle se rend. On y lit différents mots comme : roberie, lingerie, musique... Une élève qui se déplacerait sans « cette espèce de passeport » serait immédiatement conduite chez la directrice. Dix minutes avant le dîner, la cloche tinte. C'est le moment de nettoyer les bureaux et de balayer les classes. La cloche rythme les heures, elle sonne le lever, le dîner, le souper, le coucher.

Tous les trois mois, il y a inspection. Mme Campan décerne des prix aux meilleures élèves et décide alors, s'il y a lieu, de les changer de section. Les examens se passent dans la salle « Hortense » en hommage à la reine de Hollande. Ils durent trois jours à raison d'un par division.

Les parents ne peuvent voir leurs enfants que le jeudi et le dimanche au parloir. À chaque nouvelle entrée la directrice reçoit la famille dans son parloir particulier. Après avoir parcouru les brevets, elle conduit les enfants à la chapelle, puis elle fait appeler la « demoiselle de semaine ». La jeune fille, choisie parmi les grandes, se présente avec un grand trousseau de clefs. Elle est chargée de faire visiter les lieux aux dames étrangères.

On a installé des parloirs grillés qui indiquent la clôture et qui empêchent les parents de rentrer plus avant lors des visites.

En plus de la clôture, on compte une tourière et un portier. La bonne Voisin fait office d'économe. Le directeur spirituel est l'abbé Langlet et le grand protecteur spirituel le cardinal Fesch, oncle de Napoléon et grand aumônier de l'empire.

Chaque semaine il y a « conseil ». Il est composé de quatre dames réunies sous la présidence de la directrice et qui donnent avis sur l'institution. Le procès-verbal est signé en double, un reste à Écouen, un autre est destiné au grand chancelier.

Loyale, Henriette se plie au règlement sévère voulu par l'Empereur. Mais, comme elle aime l'enfance autant qu'elle la comprend, dès qu'elle le peut elle adoucit le régime auquel les enfants, même les petites, sont soumises, en prenant toutes les occasions de faire la fête et d'essayer d'égayer la vie au pensionnat. Ainsi, le 15 août on fête Napoléon. La directrice choisit ce jour solennel de 1808 pour inaugurer la nouvelle chapelle : l'évêque, le maître des cérémonies de la chapelle des Tuileries, six aumôniers et chapelains d'Écouen officient. Les enfants ont revêtu leurs plus beaux habits, les dames leur grand uniforme. Et comme il n'y a pas de fête sans un bon repas, on sert au dîner pâtisseries et crèmes, comme à Saint-Germain. La journée se termine par l'illumination du château. Avant le souper les enfants dansent et, quelques dames, parmi les plus jeunes, se mêlent joyeusement aux jeunes filles.

En février on célèbre carnaval plusieurs jours durant. Les enfants se confectionnent des déguisements avec des papiers de couleurs. Les repas sont agrémentés de volailles, de gâteaux et de friandises. La salle « Hortense » est éclairée et décorée et chacune danse au son d'un piano forte.

Après les fêtes, les récompenses. Elles sont multiples, comme tenir des rubans lors de processions ou d'obtenir des bons points appelés « bons cachets ». Les premières de leurs classes sont invitées à goûter avec la directrice. Les élèves sont assises dans une salle de verdure autour d'une grande table ronde où on leur sert des fruits et des crèmes. La conversation est libre et chacune peut prendre la parole ou poser des questions. Les grandes passent presque toutes les soirées d'hiver chez Mme Campan ; soit elles lisent tout haut des textes choisis, soit Henriette fait naître des conversations entre elles et les dames présentes, toujours dans l'intention d'éveiller la curiosité des élèves et de leur apprendre en les amusant. Mais la faveur la plus recherchée est celle d'entrer dans la petite maison, louée, loin des cris des enfants et des tracasseries du personnel, où Mme Campan peut recevoir famille et amis.

Stéphanie Ory a gardé un souvenir ému des années passées à Écouen. Au travers d'un témoignage sensible, elle a réuni ses souvenirs dans un recueil au titre évocateur : *Soirées d'Écouen*. Il nous livre quelques secrets sur la vie, sur les sentiments de la directrice. « Hors des murs du château d'Écouen, dans le village qui l'entoure, Mme Campan avait loué une petite maison, où elle aimait à passer quelques heures solitaires et recueillies. Là, libre de s'abandonner à ses souvenirs, la surintendante de la Maison impériale redevenait pour un moment la première femme de chambre de Marie-Antoinette. Elle montrait avec émotion au petit nombre de ceux qu'elle admettait dans cette retraite une robe de simple mousseline qu'avait portée la reine, et qui provenait des présents faits par Tippoo-Saëb. Une tasse dans laquelle Marie-Antoinette avait bu, une écritoire dont elle s'était servie longtemps, étaient d'un prix inestimable à ses yeux, et souvent on la surprenait, assise et baignée de larmes, devant le tableau qui lui retraçait son image. » Et c'est là que, retirée du monde, Henriette rédige ses *Mémoires* qu'elle avait commencés à Saint-Germain en juillet 1804. À ce propos, elle écrit : « J'ignore si mes souvenirs mériteront de voir le jour, mais en m'occupant de les écrire, je me distrais ; je passe des heures plus calmes (...). L'idée de réunir tout ce que ma mémoire peut rappeler d'intéressant m'est venue en parcourant l'ouvrage intitulé *Paris, Versailles et les Provinces au XVIIIe siècle*. Ce recueil composé par un homme de bonne compagnie est plein d'anecdotes piquantes (...). On y trouve des faits, on y reconnaît des personnages qui ont joué des rôles marquants. On y peut puiser quelque expérience, un bien si précieux que nous acquérons par des erreurs, que l'âge rend presqu'inutile et qui se transmet si imparfaitement. »

Lorsqu'elle évoque ses souvenirs, elle veut avant tout être sincère vis-à-vis de Marie-Antoinette : « Je ne puis, avoue-t-elle, être considérée comme son détracteur et je dois dire la vérité. » Et c'est bien la vérité que l'on attend d'une femme de sa trempe. Même si la vérité est parfois blessante, elle a fait le vœu d'être franche et elle tient parole, fidèle devant la postérité. Et si parfois on lui reproche de s'être trompée de date ou même de nom propre, tant mieux ! Car en se montrant faillible elle s'est montrée humaine et donc... vraie.

Elle lit et relit les lettres de Madame Élisabeth, sœur de Louis XVI, dont elle dit qu'elles sont « uniques ». À travers ces écrits, elle découvre un cœur généreux, une âme élevée et elle fait son mea culpa : « Je ne me pardonne pas de l'avoir considérée simplement comme une princesse pieuse, mais comme une jeune personne timide et peu remarquable. Combien je me trompais ! Ses lettres sont pleines de la plus touchante, de la plus sublime résignation ; il y en a même de très belles. »

Quand Henriette ne s'absorbe pas dans la lecture ou l'écriture, elle se laisse aller au plaisir de la conversation. La voix douce et pure, le verbe calme et fluide coule comme une eau rafraîchissante. Le charme de cette voix, une ancienne élève ne l'a jamais oublié : « Nous l'écoutions, écrit-elle, toutes avec tant d'attention ou, pour mieux dire, avec tant d'avidité. »

Elle reçoit volontiers chez elle les élèves qui l'ont mérité par une conduite exemplaire, et ce n'est pas pour combler un vide ou une solitude. Car elle ne vit pas seule. Une certaine Pholoë, d'origine grecque, habite, chez elle. Elle s'était attachée à la jeune orpheline alors qu'elle l'avait recueillie à Saint-Germain. Celle-ci n'ayant pas droit à « l'admission » à Écouen, elle la garde avec elle et l'élève comme sa propre fille. Pholoë va bientôt être rejointe par Mlle Maillé de Brezé que l'impératrice lui envoie. N'étant pas fille ou petite-fille de légionnaire, elle non plus n'a pas droit à l'admission, mais qu'à cela ne tienne ! Henriette répond de bon cœur : « Il n'y a pas de doute, je puis la recevoir dans mon propre appartement, comme j'ai reçu Pholoë, et elle suivra les classes. Elle mangera avec moi et sera bien heureuse. Je le serai aussi, Madame, de donner mes soins à une protégée de l'impératrice. »

Elle s'est toujours occupée soit d'orphelins, soit d'enfants qui ont des problèmes de famille. Ainsi en est-il d'Annette Mackau qu'elle protège d'un père malhonnête : « Il m'a trompée, écrit-elle (...) ; il venait à chaque instant pour me l'enlever à Écouen, il l'aurait entraînée dans la société des intrigants de Paris. (...) Je perdrai probablement quatre mille francs pour avoir voulu sauver cette digne enfant, et malgré ma position je ne le regrette nullement. »

Fidèle à ses principes, elle continue à faire le bien sans tapage. Elle apprend à ses pensionnaires à s'occuper des pauvres. Hortense l'aide volontiers dans cette tâche. Elle a donné mille francs pour les œuvres d'Écouen. La directrice lui rend compte de cette somme : « Six cents francs seront donnés en vêtements aux vingt-quatre pauvresses dont les élèves prennent soin, et quatre cents francs au curé pour ses propres pauvres (...). »

À cinquante ans révolus on ne change pas, elle enseigne à ses élèves, comme elle le faisait à Saint-Germain, de ne jamais trahir. Elle hait la délation : « N'imitez pas le mal, Mesdemoiselles ; mais ne le dénoncez pas. Assez d'yeux clairvoyants veillent sur vous et le découvriront : la délation entre camarades est un vice, et les délateurs sont voués au mépris de la société. »

Ainsi se déroule la vie à Écouen. Les vœux de l'Empereur sont exaucés. Mme Campan met tout son cœur, toute son énergie à une grande cause : élever petites et grandes filles pour en faire des femmes, pour en faire des mères capables d'élever leurs propres enfants.

Sereine, elle attend la visite de l'Empereur. Elle n'a rien à craindre, elle a respecté strictement les ordres tout en y ajoutant un peu de son expérience et beaucoup de son âme.

XXXIV

VISITE D'HORTENSE ET DE NAPOLÉON À ÉCOUEN
MARIE-LOUISE IMPÉRATRICE DES FRANÇAIS

Hortense fait ses couches à Paris en avril 1808. Elle met au monde un troisième garçon. L'Empereur désire le nommer comme le petit défunt Napoléon-Charles, mais Louis choisit d'appeler son fils Louis-Napoléon, qui sera familièrement surnommé « Oui-Oui ».

Contrairement à son aîné qui a pris les traits et le caractère de son père, le nouveau-né rappelle en tous points Hortense enfant. Il est et restera Beauharnais au physique comme au moral ; dès les premiers jours Joséphine marque une très nette préférence pour ce petit-fils.

À peine remise de son accouchement, la reine de Hollande se rend à Écouen. Le 22 juillet 1808, la pensionnée de la Légion d'honneur reçoit la future princesse directrice des Maisons impériales.

Après tous ces mois de séparation, Henriette est au comble de la joie ; elle retrouve son élève chérie et va pouvoir enfin lui faire les honneurs de la maison qu'elle dirige. Très intimidées, petites et grandes filles admirent le maintien « simple et noble » ainsi que l'air de bonté de la belle-fille de l'Empereur. Après le *Domine Salvum* chanté par les enfants à la chapelle, la reine parcourt le pensionnat avec soin ; elle se fait présenter les registres des « dames dépositaires » et assiste à la distribution « du bouillon, du pain, de la viande, qui se fait quatre fois par semaine à vingt-quatre pauvres femmes du village ». Comme toujours elle se montre généreuse et remet six cents francs, somme rondelette destinée aux charités des élèves. Elle reste longtemps dans l'atelier de dessin et avec humilité parle de cet art dans lequel elle excellait déjà à Saint-Germain.

Quelques mois plus tard, le 3 mars 1809, c'est au tour de l'Empereur de visiter pour la première fois la maison d'Écouen. Selon son habitude il arrive sans s'annoncer. Il est près de midi. Soudain se présentent sur la plate-forme extérieure un page et des palefreniers portant la livrée de Napoléon. C'est l'heure où Mme Campan se promène dans les bois ; on court l'avertir, en toute hâte elle se rend à la grille : « Que se passe-t-il ? » Le page lui annonce que Napoléon est en route pour Écouen et qu'il devrait arriver dans quelques minutes ! Quelques minutes ?... On n'a pas le temps de mettre les grands uniformes... Elle garde son sang-froid. Ce n'est pas la première fois que Napoléon arrive ainsi à l'improviste. Un seul mot d'ordre est lancé : « En classe, et les dames à leur poste ! » Le grand chancelier, qui n'a été lui-même prévenu qu'à onze heures du matin, arrive sur les chapeaux de roues. À midi et demie, la voiture de l'Empereur pénètre dans la cour. Il est accompagné de Son Altesse le prince de Neuchâtel, les autres personnes de sa suite sont dans une deuxième voiture. Le grand chancelier et Mme Campan reçoivent l'Empereur sous la voûte d'entrée. Aussitôt il annonce qu'il veut tout voir, tout inspecter. Il parcourt d'abord les réfectoires et les classes du rez-de-chaussée. Il interroge quelques petites filles qui répondent sans se troubler. Il examine l'ouvrage qu'elles tricotent. Enfin, pendant qu'il visite les dortoirs, l'atelier de dessin, l'infirmerie, la pharmacie, les dames placent les élèves à la chapelle. Napoléon y est accueilli par un grand nombre de jeunes voix. Elles sont fraîches et pures et chantent une prière qu'il ne connaît pas mais qui paraît lui faire plaisir. En sortant de la chapelle, deux haies d'enfants l'escortent jusqu'à la terrasse du nord.

– Je ne passe pas souvent de semblables revues, dit-il ; ces jeunes personnes ont toutes l'air de la bonne santé.

Comme on lui répond que c'est dû à la pureté de l'air, Napoléon ajoute :

– Et aux bons soins des enfants.

Après des danses et des chants où les enfants le célèbrent comme un « père », une véritable émotion se peint sur le visage de l'Empereur. Enfin, il ordonne à la directrice de lui citer les quatre demoiselles les plus méritantes. Après réflexion, Mme Campan avance quatre noms. Il déclare :

– Je donne à ces quatre demoiselles une pension de quatre cents francs comme une preuve de ma satisfaction.

Toutes les élèves applaudissent. Enfin, vient l'heure de se mettre à table. À la suite des enfants, Napoléon se rend au réfectoire. Il salue gracieusement la jeune fille qui est chargée ce jour-là de dire le bénédicité puis, s'adressant à Mme Campan, il demande quel est le dessert servi les jours de fête.

– Des tartes et des crèmes, répond-elle.

– Eh bien ! Dimanche, en réjouissance de ma visite, faites-leur donner des tartes et des crèmes !

Au moment de remonter en voiture, l'Empereur paraît très satisfait, il s'adresse au grand chancelier pour lui annoncer que la maison d'Écouen, qui n'était jusqu'alors établie que provisoirement, le serait définitivement, et qu'il s'occuperait lui-même de l'organisation.

Quelques jours plus tard, il fait envoyer aux enfants des « mannes d'osier » remplies de dragées et de confitures pour le régal du dimanche. À chaque manne les enfants applaudissent ; une des petites, qui en voit passer une remplie de sucreries, s'exclame :

– Ah ! la belle chose que d'être un conquérant ! Que l'on a de bonbons !

Napoléon n'oublie pas sa promesse. Un décret rendu le 28 mars annonce qu'il accorde aux maisons d'éducation des filles de la Légion d'honneur – Écouen et Saint-Denis qu'il est prévu d'ouvrir – d'avoir une personne de sa famille pour protectrice ; il annonce par le même décret que le titre de « Directrice » est changé en celui de « Surintendante ».

Surintendante ! Henriette est si heureuse de son nouveau titre qu'elle écrit aussitôt à Hortense que « cette dénomination ajoute beaucoup à la prépondérance » de sa place. Fière que son travail soit reconnu et récompensé, elle dit volontiers qu'« aucun établissement n'a produit autant d'effet que le nôtre ; il est en ce moment à son plus haut degré de perfection ».

Ce bonheur, bien que réel, est entaché de contrariété, car l'Empereur revient sur sa décision. Le décret annonçait qu'il y aurait à Écouen vingt dames de première classe et vingt dames de deuxième classe, et voilà que le chiffre de quarante est rabaissé à trente ! Henriette s'insurge. Il lui faut le nombre promis, sinon les enfants ne seraient plus gardées, soignées et instruites comme elles doivent l'être.

Saint-Denis étant encore en chantier, on demande à la directrice d'Écouen de former des dames appelées à travailler dans le futur pensionnat. Elle s'exécute mais là encore une mauvaise surprise l'attend : « J'ai vingt-cinq dames à nourrir, éclairer, blanchir, etc., pour lesquelles on ne nous compte rien. Je crains d'être très en dessous de mes moyens pour la dépense ; mais patience. Je demanderai indemnité pour cela ; on ne peut mettre toutes ces femmes nommées par le grand chancelier à la porte, et vingt-cinq dames dépensent autant que cinquante enfants. » Vingt-cinq dames plus celles attachées à Écouen, Henriette se retrouve ainsi à la tête de soixante femmes ! On comprend que son ton soit celui de la fermeté.

Le comte de Lacépède nomme les dames alors que l'Empereur, occupé sur les champs de bataille, n'a pas de temps à consacrer à ses Maisons impériales. Le 11 août 1809, Henriette soupire : « Puisse cette lune nous ramener la paix ! » Son souhait est exaucé, trois jours plus tard celle-ci est signée à Vienne. À Cracovie, les Autrichiens ont capitulé devant la France. Mais l'événement est suivi d'une triste nouvelle : M. de Broc meurt à la suite de la campagne de 1809. Adèle est restée mariée deux ans. Elle n'a pas eu le temps d'enfanter que déjà elle est veuve... « Adèle est partie pour Draveil ou doit partir demain, écrit sa tante Campan, elle est mieux, on a pris le parti de ne plus écouter sa douleur. Ce moyen réussit assez ; encore quelque temps et des distractions tenant à ses devoirs auprès de Votre Majesté la rendront totalement à elle-même. »

1809 est une année de bouleversements. Suite à son accouchement, Hortense vit en France alors que Louis « fait le roi » en Hollande. Même éloigné de sa femme, Louis ne cesse de la tourmenter. Il lui fait du chantage. Un jour il veut récupérer son fils aîné qui séjourne avec sa mère, un autre jour il semble vouloir rompre bruyamment les liens du mariage ! Si bien qu'Hortense se pose sérieusement la question : son mari n'aurait-il pas perdu la raison ? Déjà elle écrivait à son frère le 3 septembre 1808 : « Je reçois à présent une lettre du roi, mon cher Eugène, et je compte en parler à l'Empereur, car, vraiment, c'est trop fort, il faudra bien que le monde soit instruit de nos démêlés, car nous ne pouvons plus rester comme cela, et je vois bien qu'il faut être tout à fait séparés. »

Napoléon est mis au courant. Excédé de l'incapacité de Louis à lui obéir, exaspéré du mauvais sort qu'il fait à sa femme, il écrit : « Accablée par vos mauvais traitements, elle (Hortense) trouvera bientôt le repos dans la mort, victime comme tout ce qui est attaché à vous, de votre horrible caractère. » La mort de son fils aîné, ses couches difficiles, le caractère obsessionnel de son mari ont fini par ébranler la santé d'Hortense. Henriette s'en fait l'écho dans sa correspondance. Elle sait maintenant quelles avanies sa fille spirituelle a connues. Elle ne cherche plus à défendre Louis à qui Napoléon lui-même donne tort. Comme toujours elle écrit avec des mots venus du cœur, des phrases belles dans leur simplicité, accessibles dans leurs vérités, généreuses dans leurs évidences. Elle écrit à Hortense alors que celle-ci séjourne à Fontainebleau : « Voilà Votre Majesté près d'un puissant protecteur qui connaît vos malheurs, vos vertus et qui sera votre constant appui, remettez votre chère santé, de laquelle tient le bonheur de beaucoup d'amis sincères ; faites-vous vivre, et la renommée finira par connaître à fond les peines qui déchiraient votre âme et empêchaient en même temps le monde de rendre toute la justice due à la pureté de sentiments et de conduite qui distingue Votre Majesté. J'ai osé le lui dire plusieurs fois : Vivez, Madame, et pour vous et pour nous (...). » Elle cite une phrase de tragédie moderne et reprend : « Oui, la vie est un témoin moins récusable que tous ceux qui peuvent parler pour ou contre. » Et elle martèle à la jeune femme de vingt-sept ans : « Vivez donc, Madame et bien-aimée Hortense (pardonnez-moi cette expression qui ne nuit en rien au respect que j'ai pour la Majesté, et l'unit aux plus tendres sentiments) pour être estimée de tous et adorée de ceux qui vous connaissent. »

Hortense, malgré toutes ses réticences, vivra. Elle repartira en Hollande, emmenant avec elle son fils aîné. Le cœur déchiré, elle laisse à Paris le plus jeune de ses fils, toujours délicat de santé. Elle reste quelques mois en Hollande et fuyant la névrose de son mari, elle regagne la France dès le printemps. Elle se met une fois de plus sous la protection de l'Empereur. Mais coup de théâtre : Louis abdique. Il s'enfuit de Hollande en laissant son fils aîné à Haarlem. Napoléon fait chercher l'enfant pour le ramener en France. Hortense cesse d'être la reine de Hollande pour devenir « la Reine Hortense », comme on l'appellera désormais. Mais que lui importe le titre ! Non seulement elle est libre mais Napoléon qui, rappelons-le, l'aime comme sa fille, lui donne la propriété de la rue Cerutti, celle de Saint-Leu, ainsi que des revenus considérables.

Espérant recouvrer la santé, Hortense séjourne à Aix en Savoie. Comme Henriette rend visite à l'impératrice Joséphine à la Malmaison, elle lui donne aussitôt les dernières nouvelles : « J'ai été à la Malmaison, l'impératrice a été pleine de bonté pour moi et j'ai été ravie d'elle. Jamais, je dois l'avouer, je n'aurais pu croire que tant de force d'esprit se trouvait réuni à tant de grâce et d'amabilité. Elle est environnée d'une cour qui lui rend les hommages aussi purs qu'empressés ; si elle n'a plus l'éclat du soleil, elle a celui de l'astre doux et calme qui le remplace. J'ai trouvé à la Malmaison le prince Napoléon qui a récité pour moi une scène de Racine ; il faisait le rôle d'Achille, la justesse de ses intonations m'a rappelé celle de Votre Majesté dans les années de son enfance ; sa mémoire est prodigieuse et la manière dont il dit est une preuve certaine de son esprit. Quant au prince Louis, il avait passé dans une de ses petites jambes une botte de carton, et, ayant un fouet à la main, le rôle du chat botté lui avait fait une si vive impression qu'il n'en voulait pas d'autre, il parcourait tous les appartements dans la chaleur de ce rôle, sans rien écouter ; il est vraiment charmant par sa vivacité, sa fraîcheur et la ressemblance qu'il a avec Votre Majesté. Je ne pouvais me lasser de le contempler. »

Napoléon, qui a longtemps pensé faire ses héritiers des enfants de Louis et d'Hortense, est arrivé à la conclusion que sa succession serait mieux acceptée si la couronne allait directement à son propre fils. Cela impliquerait un divorce avec Joséphine et un nouveau mariage. Après la bataille de Wagram et le traité avec l'Autriche, l'Empereur est au sommet de sa gloire ; un mariage avantageux lui paraît envisageable. Pourquoi ne pas demander la main de l'archiduchesse Marie-Louise de Habsbourg ? Le 15 décembre a lieu aux Tuileries, selon la propre expression d'Hortense, la « cérémonie du divorce ». Joséphine garde son titre ; désormais on l'appellera l'impératrice Joséphine. Elle résidera à l'Élysée et à la Malmaison, elle disposera d'une cour et d'une Maison.

Devant la décision irrévocable de leur beau-père, Eugène et Hortense gardent une attitude digne. Comme toujours le cœur, la noblesse de leurs sentiments prévalent. Ils feront en sorte d'entourer leur mère d'affection tout en restant loyaux vis-à-vis de l'Empereur.

Le clan Bonaparte, quant à lui, exulte. Joséphine évincée, il pense que c'est la famille Beauharnais tout entière qui sera touchée par la disgrâce. Rien de plus faux ! La générosité, la reconnaissance de Napoléon pour ses beaux enfants ne se démentira jamais.

Les premiers jours d'avril à Saint-Cloud puis aux Tuileries a lieu le mariage civil et religieux. L'archiduchesse Marie-Louise, nièce de Marie-Antoinette, est couronnée impératrice des Français.

La Maison impériale de la Légion d'honneur de Saint-Denis est ouverte. L'Empereur et la nouvelle impératrice s'y rendent ; sur le retour, ils s'arrêtent à Écouen. Pendant toute la visite Napoléon paraît fort gai. Il a le bon goût de trouver la surintendante mal logée. Il décide sur-le-champ de construire une aile de plus au château pour procurer à Mme Campan un appartement où elle puisse recevoir et abriter une chapelle digne de ce nom. Dans la foulée, il prévoit encore quelques travaux d'agrandissement et d'embellissement. Si Napoléon se montre plein d'entrain, Marie-Louise n'ouvre pas la bouche. « Quoique grande princesse, témoigne Henriette, elle est timide ; c'est ce que j'ai bien jugé. » Quand la surintendante propose à l'impératrice un en-cas, elle répond « avec bonté ».

– Une autre fois, je viendrai goûter ici ; aujourd'hui j'ai la migraine, je vous suis obligée de votre attention.

Enfin, après quelques compliments, le couple impérial remonte en voiture.

Les promesses de Napoléon se réalisent. Il signe à Compiègne le plan d'agrandissement d'Écouen. Quelques jours plus tard on apporte les pierres de taille ; il est prévu que dès le 1er mars les travaux commencent.

XXXV

LE TEMPS DES DÉFAITES
ET LE RETOUR DES BOURBONS

27 et 29 novembre 1812 : Napoléon essuie sa plus grande défaite, à la bataille de la Bérézina.

6 décembre. La température est tombée à moins trente-six degrés. Sous le commandement de Murat, c'est la débacle de la Grande Armée.

16 décembre. Le désastre militaire subi en Russie est annoncé à Paris dans *Le Moniteur*.

Derrière la clôture, derrière les murs épais d'Écouen, les mauvaises nouvelles parviennent avec retard, mais parviennent tout de même... Mme Campan a charge d'âmes et ne peut quitter son poste ; quand les informations sont trop alarmantes, elle envoie quelqu'un de sûr se renseigner à Paris. Comme tous les Français, elle est inquiète mais reste fidèle à Napoléon car, écrit-elle : « Je n'oublierai pas un instant que l'Empereur m'a confié des enfants qu'il élève, qu'il habille, qu'il nourrit, et que la reconnaissance doit être la base de toutes leurs actions (...). Nous allons voir ce que sera cette année 1813 ; il faut l'espérer meilleure que la dernière et se résigner cependant à tous les événements. »

Malgré ses vœux, 1813 sera pire que 1812. Cette année va être une des plus douloureuses de la vie d'Henriette ;

une année à marquer d'une pierre noire. En Russie, la guerre fait rage. Tous les maréchaux, généraux, vieux grognards ou simples appelés sont au front. Vidée de ses forces vives, la France passe l'hiver et le printemps dans la tristesse à compter ses morts. Dans ce climat politique aussi morose qu'incertain, Hortense décide de se rendre à Aix en Savoie pour la saison d'été. Elle aime les grandes randonnées et, le 10 juin, elle pousse sa promenade jusqu'à la cascade de Grésy. C'est alors que le drame survient : Adèle de Broc se noie sous les yeux d'Hortense. Voici le récit que Mlle Cochelet fait de l'accident : « Nous laissâmes la voiture sur la grande route et nous nous approchâmes à pied du moulin qui s'alimente des eaux de la cascade. Pour la bien voir, il fallait passer sur une planche que le meunier posa à l'instant sur un petit bras d'eau qui allait d'une vitesse effrayante. La reine passe lentement sur la planche, à peine si elle la touche et elle est déjà de l'autre côté. Mme de Broc la suit, le pied lui manque... Elle est entraînée dans le gouffre (...) La reine alors au désespoir repasse en s'élançant au risque d'être entraînée aussi dans ce funeste bras d'eau ; elle est éperdue, elle se joint à nous pour demander du secours. Il arriva de toutes parts à nos cris, mais tous nos efforts furent vains. Je voulais faire emmener la reine, craignant tout pour elle de l'état où je la voyais. “Non, me dit-elle, je ne quitte pas d'ici que l'on ait retrouvé son corps, j'y suis décidée”, et elle restait assise sur un tronc d'arbre, anéantie, sa tête dans ses mains, n'ayant plus ni force, ni espoir, en me criant de temps en temps : “Louise, de grâce, qu'on la sauve ! Promettez tout ce qu'on voudra et qu'on la retrouve !” Enfin, les paysans détournent les eaux ; après mille efforts inouïs, on parvient à retirer ce corps, qui fut déposé dans mes bras !... »

Le chagrin d'Hortense est immense ; Adèle était son amie la plus fidèle, elle était sa confidente depuis l'enfance. Douce, discrète et vertueuse, elle avait réussi à se faire accepter de Louis qui pourtant ne supportait aucun ami de sa femme.

Adèle morte ! Henriette apprend la nouvelle. L'éloignement augmente sa douleur. Le coup est brutal, si brutal. Adèle morte ? Mais aussitôt elle se ressaisit pour ne penser plus qu'au chagrin d'Hortense. De sa petite maison d'Écouen, dans le silence et le recueillement, elle la réconforte : « Entendez la voix de l'ange que le ciel vous a enlevé ; elle vous dirait : "Supportez la douleur que ma perte vous cause" ; vous êtes dans un monde d'épreuves (...) vous, Madame, ma chère et auguste élève, ma protectrice, ma bienfaitrice, vous que j'ai chérie à l'égale de mon Adèle, quand vos âges et les circonstances vous plaçaient également sous mes yeux, que je révère comme ma princesse sans cesser de vous aimer comme ma fille (...). La religion seule, vous le voyez, Madame, peut nous donner ici-bas la force nécessaire ; elle dégage de la terre, et par cela donne le courage d'y rester et d'y remplir dignement la tâche que le ciel nous a imposée. »

Hortense répond aussitôt. Nous ne possédons pas la lettre mais nous comprenons que, face à l'épreuve, la jeune femme se sublime. Adèle était un être exceptionnel ; dans son affliction, Hortense veut se montrer digne d'elle. Très émue, Mme Campan répond : « J'ai reçu l'admirable lettre de Votre Majesté (...), elle peint l'âme céleste de l'élève que j'ai eu le bonheur de conserver, et celle de la nièce chérie que j'ai eu le malheur de perdre. (...) Combien Votre Majesté dit juste en prisant la prudence et la sagesse de cette chère Adèle ; elle connaissait la Cour, le monde et le cœur humain ; elle était bonne et si charitable que tout le monde ignorait ses charités, car en s'en faisant une unique occupation, elle y joignait impérieusement le devoir de les taire (...). Qui pouvait croire qu'elle visitait les pauvres malades et aidait à faire leur lit ; qu'elle en visita vingt-cinq une même matinée (...) » Et Henriette qui ne savait rien de la vie cachée de sa nièce s'exclame : « C'était un ange sur terre ! »

Il est décidé que le corps d'Adèle sera transporté à Saint-Leu.

Il ne reste plus à Henriette qu'à consoler Eglée, à s'occuper de son beau-frère Auguié qui vieillit et se meurt de chagrin depuis la mort de sa fille. Et quand son métier, sa famille, lui laissent un peu de temps, elle corrige ses *Mémoires* qu'elle vient de terminer.

Sur le front, l'armée est exsangue, Napoléon recule. Les coalisés gagnent du terrain et se rapprochent des frontières nationales. Eugène qui se bat avec bravoure écrit à sa sœur le 25 décembre 1813 de Vérone : « Si l'Empereur ne fait pas avant le 15 janvier la paix, et si elle n'est pas dûment signée et ratifiée, rappelle-toi ce que je te dis, les affaires sont perdues pour lui presque sans ressources. Nous verrons les ennemis à Lyon et à Bruxelles et alors il sera bien tard pour s'entendre. »

Eugène a vu juste. L'ennemi envahit la France. Paris capitule. L'Empereur abdique. Marie-Louise quitte la capitale, convaincue par les frères de l'Empereur de prendre la fuite. Joséphine est à la Malmaison ; par écrit, Hortense lui conseille de gagner Navarre ; elle rejoint sa mère avec ses enfants ; elle veut surtout éviter Louis qui réclame ses fils.

Henriette est à Écouen, fidèle au poste. Comme elle se l'était promis, dans la tourmente, elle veille sur ses pensionnaires, sur son personnel. Rien ne la fera bouger. Que les Cosaques soient à ses portes, que le canon tonne, elle reste et elle se bat. Elle n'a pas capitulé le 10 août, elle ne capitulera pas en ce mois de mars 1814.

Écouen est occupé par une horde de Cosaques, de Tartares. De la terrasse du château on voit des hommes, à pied ou à cheval, courir de tous côtés. Il règne dans le village le plus grand désordre ; la surintendante est en proie à une mortelle inquiétude. La garde habituelle du pensionnat se compose de trois pompiers, de deux gardes-chasses et d'un vieux capitaine à la retraite, auxquels viennent s'ajouter quatre soldats et un caporal envoyés par le général Hullin. « Que peuvent dix hommes contre toute une armée ? » se demande-t-elle. Elle réfléchit et décide de surveiller elle-même la porte d'entrée. Son calcul est simple, elle pense qu'en offrant peu de résistance elle serait traitée favorablement. « Au surplus, dit-elle, mon parti était pris, je devais mourir avant qu'on franchît sous mes yeux le seuil d'un asile qui devait être sacré, même pour des ennemis. »

Elle parie que si l'armée devait pénétrer dans l'enceinte du pensionnat, celle-ci n'oserait pas s'attaquer à des femmes non armées et isolées. Elle licencie les dix hommes, non sans peine, et donne au capitaine une lettre pour le général qu'il trouvera aux postes avancés de l'ennemi. Puis elle réunit toutes ses élèves dans la chapelle et prie avec elles. Les détonations ébranlent les vitres. Avant de se coucher, tous les enfants viennent l'embrasser avec tendresse.

Mme Campan veille. Dans la nuit, quatre soldats russes se présentent à elle. Ils sont envoyés par le général Sacken à qui la lettre a été remise. Par une attention délicate, le général russe a choisi, pour commander les hommes, un soldat décoré de la Légion d'honneur à qui il a remis une sauvegarde écrite en langue russe. Aussitôt, elle la fait copier et coller sur toutes les portes du château. Il était temps que les soldats arrivent, « car déjà les Cosaques, racontera-t-elle plus tard, rôdaient autour du château comme des loups autour d'une bergerie ». Une fois de plus elle a su garder son sang-froid ; quand on lui en fait la remarque, elle explique qu'elle en a vu d'autres !

À Hortense, elle écrit, fataliste : « Nous ne choisissons pas notre siècle ; le ciel, Madame, nous a fait naître dans un temps d'épreuves. »

Et les épreuves s'accumulent. Elle avait, souvenons-nous, pour unique bien, une ferme située entre Brai et Provins. Et la bataille a eu lieu précisément sur sa terre : « Tout y est dévasté, chevaux, moutons, grains, foin ! » Des voisins l'ont prévenue, sa maison est entièrement brûlée. Quel destin incroyable que le sien : chaque fois qu'elle possède un bien personnel, il est détruit par le feu. Déjà sa petite ferme d'Heurtebise avait brûlé sous la Révolution, puis au 10 août, son appartement personnel situé aux Tuileries, enfin cette ferme qu'elle appelait sa « cabane ». Comme si, à chaque fois, elle devait renaître de ses cendres.

À Écouen la vie continue, mais dans ces temps de guerre les troubles augmentent. Maraudeurs et brigands pillent les soldats morts et en profitent pour s'armer. Les habitants d'Écouen patrouillent, mais que peuvent quelques paysans armés de piques et de bâtons contre une horde de malfaiteurs ? Henriette, inquiète, prévient le grand chancelier et dit : « À lui de veiller à la tranquillité de cette maison, à moi de l'avertir et de me tenir à ma place, uniquement occupée à mes devoirs. » Occupée, elle l'est pour dix car enfin, avec très peu de moyens, elle doit veiller au bien-être de trois cent soixante individus, les nourrir, les blanchir et les vêtir.

Elle a la dure tâche de continuer à faire tourner la Maison impériale alors que l'argent ne rentre plus. Le 6 avril, Napoléon abdique. Le Sénat adopte une constitution et appelle Louis-Stanislas-Xavier de Bourbon à devenir roi des Français. L'heure a sonné pour le futur Louis XVIII, frère de Louis XVI ; exilé à Gand, il attend le moment de rentrer en France.

Le 20 avril, Napoléon part pour l'île d'Elbe. Il fait ses « adieux de Fontainebleau ».

Le 3 mai, Louis XVIII entre triomphalement à Paris.

Comme un soldat dans sa forteresse, Henriette tient bon. Elle ignore quel sera son sort. Elle ignore si Écouen survivra. Le 19 juillet 1814, elle écrit à Hortense qui réside à Saint-Leu : « J'attends avec une grande résignation. » Elle irait bien rendre visite à sa fille chérie mais avoue : « Quand on attend tous les soirs l'heure du coucher avec autant d'inquiétude que d'impatience, on ne saurait s'abstenter un seul jour. » Ce n'est pas pour elle qu'elle se fait du souci, mais pour les dames qui ont travaillé tant d'années sous ses ordres. Quel sera leur sort ? « Il y en a qui, bien positivement, pourront en sortant d'ici aller tendre la main pour demander leur pain et qui n'ont pas un lit ni une paire de draps. » Cela lui fend le cœur !

La Maison d'Écouen est fermée. Seule la Maison de Saint-Denis reste ouverte. Le nouveau gouvernement de Louis XVIII ne pardonne pas à Mme Campan ses succès sous l'Empire. Les royalistes revenus au pouvoir veulent la voir à terre ! Plus que jamais le bruit court qu'elle a trahi la reine ! Aussitôt elle fait front. Elle ira voir le comte de Blacas, un proche de Louis XVIII : « Il me faut, dit-elle, une chose qui prouve aux yeux du tout Paris que mon souverain me sait honnête ; il me la faut, car je la mérite, et les rois doivent rendre justice au moindre de leurs sujets. »

Elle n'obtiendra pas gain de cause et ce n'est certes pas la maîtresse de Louis XVIII, Mme du Cayla – ancienne élève de Saint-Germain que l'on a connue sous le nom de Zoé Talon – qui défendra son ancienne institutrice !

Mais coup de théâtre ! Aux Cent-Jours Napoléon revient sur le sol de France ; il décrète le rétablissement de la Maison impériale d'Écouen.

Henriette va rencontrer M. de Lacépède qui la reçoit aussi bien que par le passé, mais elle reste prudente et conclut : « Enfin il en sera ce que le ciel en aura décidé, je reste chez moi ! »

XXXVI

HENRIETTE REJOINT HORTENSE DANS SON EXIL

L'expérience a recommandé la prudence à Henriette ; bien lui en a pris. Le retour de Napoléon n'a été qu'un feu de paille. Le 8 juillet 1815, Louis XVIII regagne la capitale pour ne plus la quitter.

Le maréchal Ney a été fusillé au carrefour de l'Observatoire. Veuve, Eglée, sa nièce, s'est retirée avec ses quatre fils dans sa propriété de Coudreaux. Son fils, Henri, ne se remet pas de l'accident qu'il a eu quelques mois plus tôt en sa compagnie. Les Campan se rendaient aux eaux de Vichy quand, sur la route de Lyon, les chevaux s'emportèrent à une descente. Henri s'élança de la voiture et parvint à les arrêter. Le choc fut si violent que sa santé en est sérieusement affectée. Trop de bouleversements, trop de malheurs... Henriette qui a vécu deux révolutions en vingt-cinq ans n'aspire plus qu'au silence : « Un pays nouveau et personne à voir, voilà ce que je cherche ; mes yeux seront occupés et mes oreilles tranquilles ; c'est tout ce que je veux. »

Elle écrit : « Le monde n'est pas à regretter. » Jamais elle n'avait regretté la vie de cour ; aujourd'hui c'est le monde qu'elle fuit. Le poids des ans se fait sentir. Le 2 octobre dernier, elle a eu soixante-trois ans. N'est-ce pas l'âge de se retirer ? Ses besoins ne sont pas exorbitants : « Un bon lit, un bon feu, une chambre bien chaude, un dîner simple, de bons livres, deux ou trois personnes pour rompre le tête-à-tête avec soi-même. »

Quand, de son exil, Hortense proposera à sa vieille amie de créer une maison d'éducation à Constance, usée par tant d'années de lutte, elle répondra : « Trop tard ! » Car après avoir épuisé toutes les joies, tous les succès, tous les malheurs de la vie, elle n'aspire plus qu'à la sérénité. Où la rencontrer si ce n'est à la campagne ? Elle cherche et trouve à louer une petite maison à Mantes. L'endroit n'a pas été choisi au hasard. Mme Maigne qui lui a servi de secrétaire à Écouen et qu'elle aime tendrement, habite la petite ville depuis trois ans. Elle garde près d'elle sa fidèle Voisin et une servante. « Des livres et des souvenirs occuperont mes instants de repos, mon jardin et mes poules seront l'emploi de mes activités. »

Son fils malade la rejoint à Mantes. Employé à Montpellier à l'époque du deuxième retour des Bourbons, il fut arrêté par Trestaillon et jeté au cachot. M. de Lally de Tollendal, fidèle ami de Mme Campan, obtint par ses démarches la mise en liberté d'Henri. Sur le moment, Henriette n'a rien su des tribulations de son fils, elle ne l'a appris qu'une fois celui-ci libéré ; fort heureusement car, dit-elle, « J'en serais morte. »

Henri Campan adoucit les peines de sa mère. Il est un excellent fils, attentionné. « Il n'y a pas une heure où il n'ait cherché à bercer mes tristesses, à me distraire, à me plaire. Il lit mieux que je ne lisais quand je lisais bien. Nous finissons les soirées, bonne Voisin, lui et moi autour d'une petite table (...) », et ils se distraient en relisant leurs classiques. La maison de Mantes est petite mais jolie. Le salon est décoré des portraits de ses chères élèves. Le jardin est proportionné à la maison, mais elle en prend soin et compte bien cueillir sur ses arbres poires et pêches.

Dans la journée, Henriette travaille, écrit, coud ou encore fait de la tapisserie. À ses côtés, son fils s'adonne au dessin ou à la lecture. Petit à petit, il semble recouvrer la santé, et sa mère reconnaît : « Il est parfait. Depuis six mois que nous sommes ici, pas un désir, pas une plainte, pas un moment sans occupation. » Il a un très bon coup de crayon. Alors qu'il était jeune garçon, Isabey avait prédit : « Il sera artiste. » Artiste ? Henriette ne voulait pas qu'il le devînt, elle caressait de grands desseins pour ce fils unique. « Hélas ! écrit-elle, j'étais éblouie par une position éblouissante ; pouvais-je juger qu'elle serait sans avenir ! Je le voyais placé, marié, et moi retirée près de lui. »

Au lieu de quoi, à vingt-huit ans, Henri vit chez sa mère. Après avoir été nommé préfet, il se retrouve sans situation, sans femme car sans argent, sans avenir. Que deviendra-t-il quand elle ne sera plus de ce monde ?

« Voilà les idées qui me tuent », s'écrie Henriette. En quelques mois son fils a terriblement changé, ses cheveux ont blanchi et ses traits sont marqués par la maladie. Un mal rare le ronge et le paralyse. Quand les crises l'atteignent, elles sont si virulentes qu'elle craint de le perdre. Elle ne cache pas combien elle admire ce fils chéri qui dans l'adversité « a acquis une solidité de jugement, une étendue très grande de connaissances en histoire, en littérature », et elle ajoute : « Il travaille sans cesse. » Intellectuellement, si Henri a hérité des capacités de sa mère, son père lui aura transmis une santé précaire.

Le temps passe, Henri Campan se rend à Paris plusieurs fois par mois avec l'espoir de trouver du travail dans l'administration. Mais sa santé est faible et le nouveau gouvernement ne lui propose rien. Qui voudrait d'un homme qui a servi sous Napoléon ? Henriette se fait tant de souci pour son fils que, le 12 mars 1820, elle prend sa plume et écrit à Hortense : « Ce n'est pas de moi qu'il s'agit, c'est d'Henri. C'est sur lui que je voudrais diriger votre bienveillance et attirer celle du prince (Eugène) dont il a eu l'honneur d'être le compagnon d'études, et encore, ce vœu, je ne le forme que pour l'avenir. » Tant qu'elle est en vie Henriette touche la pension que lui a octroyée Hortense. Mais après elle ? Par retour du courrier, le prince Eugène et la reine s'engagent, après la mort de Mme Campan, à continuer à verser la pension au profit du fils. Henri est sorti d'affaire !

Hortense qui voue toujours la même affection à son ancienne institutrice, l'invite à Constance où désormais elle réside avec sa suite. Elle s'est rapprochée de son frère qui vit dans la famille de sa femme en Bavière. Il a été nommé par son beau-père prince d'Eichstätt et duc de Leuchtenberg. En plus d'occuper un rang considérable, Eugène est doté d'une immense fortune, le Congrès de Vienne lui ayant offert des compensations financières à ses possessions perdues en Italie. À l'invitation d'Hortense, Henriette répond aussitôt : « Quelle douce idée que celle d'un voyage à Constance ! Je ne crains nullement la route (...), j'ai encore deux ou trois années où je puis doucement et lentement transporter ma vieille personne et mon cœur toujours jeune, quand il s'agit de vous chérir, Madame, Vous et le Prince. »

De savoir son fils à l'abri ne l'empêche pas de le seconder dans ses démarches. Il veut trouver un travail et ne pas être à la charge de sa mère. Il est érudit... Autant, pense-t-elle, employer ses compétences et le faire travailler « dans une des trois bibliothèques de Paris ». Aucun succès. Elle sollicite le bureau de loterie dans l'espoir que certains se souviendront que le père d'Henri en était administrateur général sous Louis XVI. Mais là encore les portes se ferment : « (...) Un nouvel ordre des choses amène de nouveaux partisans à récompenser », écrit-elle, philosophe. Henri se bat. Les premiers jours de janvier 1821, il se rend à Paris pour voir sa famille et dans l'espoir de se mettre au courant des nouveautés scientifiques et artistiques. Il prend froid ; sa santé est si faible que, très rapidement, on perd tout espoir de le sauver. Quand Henriette apprend son décès, sa douleur est d'autant plus profonde qu'il est mort loin d'elle ; elle n'a pas pu lui prodiguer ses derniers soins, l'accompagner dans ce voyage sans retour, lui dire son affection au moins une dernière fois. Le choc est tel que toutes les nuits elle rêve de son fils. Le jour, elle lui parle, elle le voit partout.

Le 23 janvier 1821, elle a le courage de prendre sa plume pour écrire à Hortense : « Je vis encore et j'ai perdu celui pour lequel je vivais ! J'ai cessé d'être mère le 26 de ce mois (...). Hélas j'appelle Henri, il ne m'entend plus, il ne me répond plus (...). Quelle perte pour ma vieillesse ! Il était la corde qui vibrait sans cesse à mon âme. Comme nous nous entendions ! Comme nous nous aimions ! »

Et cette fois ce n'est pas Henriette qui use de toute sa tendresse pour consoler Hortense, mais sa fille spirituelle qui, par des phrases, qui par des mots, tente d'apaiser les souffrances de celle qui l'a toujours comprise, toujours soutenue dans toutes les circonstances. Pour avoir perdu un enfant, Hortense connaît cette douleur : elle est la même, quel que soit l'âge du défunt, profonde, insondable mais omniprésente.

La femme vieillissante est meurtrie. Meurtrie dans sa chair même puisque, très rapidement, elle va apprendre qu'elle est atteinte au cœur de son être. « Depuis huit jours mes douleurs au sein ont cessé et le gonflement est très diminué ; les bains chauds achèveront, dit-on, ma guérison. Ah ! Je ne pouvais pas subir un pareil choc, et me voir arracher ce que j'aimais si tendrement, sans que toutes les humeurs de mon pauvre corps ne fussent soulevées. » Henriette s'est découvert une tumeur au sein. Elle ne sait pas encore qu'elle est cancéreuse et la joie de revoir Hortense très bientôt estompe la douleur. « Comme nous allons philosopher, voyageuses si fatiguées par les grands, par les terribles revers de la vie (...). »

Elle projette de rejoindre Hortense à Bade en Suisse et de l'accompagner à Arenenberg, où la reine possède un petit château. Le jour du départ approche, Henriette fait ses valises. Elle apporte des cadeaux pour Hortense, pour la princesse Auguste, femme d'Eugène, qu'elle reverra aussi. Elle case ses paquets comme elle peut. La veille de son départ, le médecin inquiet pratique à la jambe « une fort triste opération dont le principe est de faire dévier les humeurs ». Quand il s'agit de sa personne, elle manie volontiers la dérision : « Hélas ! on veut conserver ma vieille machine, et moi je suis bien aise qu'elle puisse encore aller à Bade ! »

Mme Campan passera quatre mois auprès de la reine. Quatre mois où elle va revoir tant d'êtres chers. Ainsi Mlle Cochelet qu'elle avait avec elle à Saint-Germain et qui, grâce à elle, était devenue lectrice d'Hortense ; l'abbé Bertrand qui était aussi à Saint-Germain. L'homme était agréable et facile à vivre, il devint le précepteur des enfants d'Hortense ; Eugène, son cher Eugène avec qui elle pourra évoquer le souvenir de son fils ; Stéphanie son ancienne élève, qui a épousé le prince de Bade...

Quatre mois de bonheur et c'est le retour. À chaque étape elle écrit à « la dame du lac ». Elle lui dit : « Je vous emporte avec moi », ou encore : « Je vais, Madame, vous dire une bonne grosse chose toute ronde, sans la moindre tournure : je vous aime de tout mon cœur et pour le reste de ma vie. »

Jamais Henriette ne s'est sentie si proche d'Hortense. Elles se sont retrouvées après avoir traversé tous les orages de la vie, épuisé tous les chagrins. Elles se sont retrouvées dans leur face à face telles qu'elles étaient, telles qu'elles sont devenues. Deux femmes sensibles, deux femmes aimantes, deux femmes vraies. Le cœur et l'âme à nu. Leur correspondance ne cessera qu'avec la vie. Leurs cœurs battent à l'unisson. Les lettres d'Hortense agissent comme un baume sur la femme vieillissante et usée : « J'en ai eu les yeux humides de pleurs de cette chère lettre ! » s'écrie-t-elle. À sa bien-aimée et chère fille, elle ose se confier : « Tout a disparu avec mon fils, je ne respire plus que par habitude (...) Il était souvent absent, quelquefois je le crois encore à Paris... Ah ! Dieu ! »

Et puis cette confidence : « Rejoindre mon fils est ma seule pensée. »

XXXVII

LE CANCER DU SEIN
MADAME CAMPAN RACONTE

Henriette s'arrête à Draveil chez une de ses nièces. Le médecin qui lui avait donné des soins à l'aller constate que la glande a terriblement grossi. Il lui conseille de se faire opérer en l'assurant qu'une fois la tumeur extraite elle serait guérie. Guérie ? Henriette n'hésite pas une seconde. Le voyage lui a rendu sa gaieté naturelle ; elle est le chef d'une famille auprès de qui elle se sent des devoirs, elle aime sa vie à Mantes, les amis qui l'entourent, sa maison... Autant de bonnes raisons de s'accrocher à l'existence.

Elle rentre chez elle, prend de nouveaux avis. L'opération est prévue pour les premiers jours de février. Elle va souffrir, elle le sait et l'accepte. Elle parle de son mal comme d'une « pierre affreuse de son jardin » qu'il faut enlever. Au moment crucial, elle donne du courage à ceux qui doivent l'opérer :

– Plus de réflexion, mon cher docteur, le moment de livrer bataille est arrivé ; je crois que je possède toute ma raison, je verrai ce que peut une volonté ferme et si la douleur est plus forte que mon caractère (...). Allons, point de retard, tout est prêt, agissez, il me tarde de parler de cela comme d'une histoire !

Le Dr Maigne assiste le chirurgien. Il note que pendant l'intervention, si le visage de Mme Campan devint pâle, si elle montra quelques signes de douleur, elle ne laissa échapper aucune plainte. Les jours suivants, le médecin rend visite à sa patiente matin et soir. Commence alors entre eux un long tête-à-tête qui se prolonge parfois fort tard. « C'était, dit-il, toujours avec un nouveau regret que je la quittais, tant sa conservation avait d'agrément et de variété. »

Henriette use ses dernières forces à se souvenir et à raconter. Malgré la maladie, sa conversation est si attrayante que, sans rien lui dire, son vieil ami Maigne recueille pieusement tout ce qui revient à sa mémoire. Il comprend que celle qui se bat pour conserver la vie a eu une existence aussi exceptionnelle que passionnante ; chaque soir il transcrit fidèlement anecdotes ou réflexions qui donnent un éclairage parfois nouveau, parfois inattendu, parfois drôle sur les « grands » de ce monde.

Alors, pour notre plus grand plaisir, écoutons-la conter. Voici deux savoureuses anecdotes sur deux femmes qui vécurent à Versailles : la marquise de Forges et Mme Régnier.

– Madame la marquise de Forges, dont le mari était grand fauconnier, habitait Versailles (c'était en 1775). Elle était enceinte ; pendant le travail de l'accouchement, elle apprit une nouvelle fâcheuse (autant que je puis me le rappeler, le feu avait pris à un de ses hôtels). Les douleurs cessèrent et la marquise resta enceinte vingt-cinq ans ; elle mourut au bout de ce temps ; à l'ouverture de son corps, on trouva l'enfant pétrifié. Plusieurs années avant sa mort le marquis de Créqui lui dit, dans un salon : « Madame la marquise vous feriez bien, ce me semble, d'avaler un précepteur pour monsieur votre fils, sa barbe doit commencer à pousser. »

– Mme Régnier, femme du procureur civil de Versailles, causait chez elle au milieu d'une compagnie nombreuse ; il lui arriva de laisser échapper dans la conversation quelque chose de déplacé, quoique de peu d'importance. Son mari l'apostropha devant tout le monde, en lui disant : « Taisez-vous, madame, vous êtes une sotte. » Elle a vécu vingt ou trente ans après, et n'a jamais proféré une seule parole, même à ses enfants. On simula un vol sous ses yeux, on essaya de la surprendre, jamais il ne fut possible de lui arracher un seul mot. Pour donner son consentement au mariage de ses enfants, elle inclinait la tête et signait le contrat ; on n'a point vu de ténacité pareille. Sa bouche ne s'est jamais ouverte ; son amour-propre n'a jamais pardonné : il fallait que la dose en fût forte.

Marie-Antoinette avait de l'esprit, ce trait le prouve :

– M. Brunier, médecin des enfants de France, ne manquait jamais, lorsqu'on parlait devant lui, chez la reine, de quelqu'un qui était mort, de dire : « C'est un de mes meilleurs amis que j'ai perdu. » « Mais, disait la reine, s'il perd tous ses amis en les soignant, que doivent devenir ceux qui ne sont point ses amis ? »

La reine avait aussi du cœur, l'histoire qui suit le montre et en même temps confirme la duplicité de l'abbé de Vermond, l'ennemi intime d'Henriette que les années ne lui ont pas fait oublier :

– Les habitants d'une commune des environs de Paris avaient fait une pétition qu'ils adressèrent à la reine, pour la supplier de faire détruire le gibier qui dévastait toutes leurs récoltes ; je présentai moi-même la pétition à Sa Majesté, qui me dit : « Je vous promets que ces braves gens vont être délivrés du fléau qui pèse sur eux. » En remettant elle-même la pétition à M. de Vermond en ma présence, elle lui dit : « Je désire qu'on fasse de suite droit à cette pétition. » On assura que ses ordres allaient être exécutés. Six semaines après, la commune envoya un second placet ; malgré tout, le gibier ne fut point détruit. Voyez comme les souverains sont trompés !

« Je crois bien, ajoute la narratrice, que si le second placet fût parvenu à la reine, M. de Vermond aurait reçu une vive réprimande, elle était si heureuse, cette infortunée princesse, quand elle pouvait faire le bien ; lui enlever l'occasion d'en faire, c'était la blesser cruellement ! »

Henriette se rappelle un sujet de conversation qu'elle eut aux Tuileries avec la reine :

– Avant le 10 août 92, souvent la reine, après son coucher, me faisait rester auprès d'elle pour causer des événements publics ; à mesure que Sa Majesté les passait en revue, elle en pressentait les suites. Je lui disais : « Mais, Madame, on vous offre une porte pour sortir de ce guêpier, de grâce n'y restez pas. » La reine disait : « L'histoire est là, nous ne devons, nous ne pouvons pas accepter les offres qu'on nous fait. Dussions-nous y périr, nous ne voulons pas être sauvés par les hommes qui se sont emparés de notre pouvoir. » Mais, Madame, lui disais-je, l'histoire deviendra ce qu'elle voudra, ce qu'elle pourra, commencez par vous sauver vous et les vôtres.

Et, pénétrée de douleur autant que d'admiration, Henriette ajoute : « Toujours les pages de l'histoire étaient présentes à l'esprit de Sa Majesté, tant il est vrai qu'on ne saurait fuir son malheur. »

Quand la malade évoque Marie-Antoinette, les larmes lui montent aux yeux. Les années ne sauraient effacer un chagrin trop profond. Même si le fait d'écrire ses mémoires a quelque peu soulagé ses souffrances, elle éprouve le besoin de s'expliquer sur la manière dont elle s'y est prise :

– J'ai dit dans mes *Mémoires* ce que j'ai vu, je ne m'en suis jamais rapportée aux accapareurs de nouvelles, et mes yeux sont les seuls témoins que j'aie consultés ; ils étaient assez exercés pour que je puisse compter sur leur fidélité. On ne verra dans mes récits aucune couleur ; les mémoires doivent faire connaître la vérité toute pure ; ils sont destinés à fournir les matériaux de l'histoire, et la moindre nuance pourrait tromper l'écrivain ; j'ai rempli la tâche que je m'étais imposée avec toute la franchise possible. Si j'eusse écrit sur le gouvernement j'eusse exprimé mon opinion avec loyauté : je me suis considérée comme passive dans les faits qui composent mes *Mémoires*.

Le désir de « vérité toute pure », qui ne nous étonne pas chez une femme de sa trempe, s'illustre de lui-même dans le passage qui suit :

– Beaucoup de personnes m'ont demandé si je n'écrivais point des mémoires sur Napoléon et sa cour ; j'ai répondu que cette tâche était réservée à ceux qui avaient vécu dans son intérieur, ou qui l'approchaient souvent ; que je m'étais chargée de peindre l'intérieur de Marie-Antoinette, et que je m'en tiendrais là. Je n'ai jamais pris une seule note sur la cour majestueuse, brillante et martiale, qui siégeait aux Tuileries.

Elle rapporte cependant quelques anecdotes qui éclairent le caractère ambigu du personnage. Napoléon qui était l'ambition même et qui, de ce fait, en connaissait toutes les faces, tous les dangers, se méfiait des ambitieux ; il voulait les mater. Dans une conversation qu'elle eut avec lui, sous le Consulat, il lui confia :

– Madame, dans un gouvernement, ce n'est pas les petits qu'il faut surveiller, ce sont les grands ; c'est vers eux qu'il faut porter toute son attention ; si on ne les bridait pas, ils envahiraient le souverain en moins de rien. Je les tiens ferme, et à distance convenable ; ils ont tant d'ambition !

À la même époque, à la Malmaison, à un dîner auquel elle assistait, elle entendit le Consul répondre en ces termes aux convives qui l'engageaient à se méfier des jacobins :

– Je suis sûr, Messieurs, que vous ne savez pas ce que c'est qu'un jacobin ; c'est un ambitieux qui veut une place. Eh bien, je leur en donnerai, et ils se tairont.

L'Empereur éprouvait encore et toujours le besoin d'aborder le même sujet. Un jour, il déclarait à la directrice de Saint-Germain :

– Par ma position je plane sur tout ce qui m'entoure : le caractère de chacun m'est connu, je pourrais faire leur bulletin, comme vous celui des élèves que vous avez sous votre direction. Savez-vous quel est le principe dominant chez eux ? C'est l'ambition. Pour avancer tout est bon. Faut-il reculer ? Tout est mauvais. Leur orgueil est très élastique, leur esprit adroit l'allonge ou le raccourcit suivant la circonstance. Je les tiens en arrêt, ils rapportent tout à eux, ils oublient la nation qui est le premier principe ; que seraient-ils sans elle ? Les faveurs dont je dispose lui appartiennent ; ils sont ingrats envers elle comme envers moi, si l'occasion s'en présentait.

L'occasion s'en présentera ; l'histoire lui donnera raison. Et Henriette qui a vécu tous les bouleversements, qui a vu tant de gens tourner casaque, dit après avoir marqué un silence :

– Il faut convenir qu'il avait bien jugé.

Les ingrats sont de tous les bords, mais ceux que Napoléon dénonçait avec le plus de sévérité étaient les courtisans ; au fond de lui-même, il les méprisait.

– Je ne connais d'autres titres que ceux qui sont personnels ; malheur à ceux qui n'ont point de ceux-là ! Les hommes qui m'entourent ont acquis les leurs au champ d'honneur ; ils ont donné des preuves de leur savoir-faire. C'est dans le moral que se trouve la vraie noblesse ; hors de là elle n'est nulle part. Je n'ai épousé aucun parti, le mérite détermine mon choix, je m'établis le tuteur du talent.

Quelques jours avant la bataille d'Austerlitz, l'inquiétude régnait à Paris. La chaleur des courtisans était au tempéré. Et Napoléon, amer, fait la remarque à Mme Campan :

– Le succès me les ramena en toute hâte, comme s'ils avaient été chargés par les Cosaques ; voilà les hommes, Madame...

Une fois les ambitieux écartés, restait à se méfier d'un deuxième fléau : l'opinion.

– Napoléon disait que si l'on pouvait livrer bataille à l'opinion, il ne la redouterait point ; mais que, n'ayant pas d'artillerie qui pût l'atteindre, il fallait la gagner par la justice et l'équité ; elle ne résiste pas à ces deux puissances ; agir autrement sur elle, c'est compromettre biens et honneurs : il faut se résigner ; on ne la mettra jamais en prison, et en la comprimant on l'exaspère.

En écho, elle rapporte la phrase prononcée par le prince de Talleyrand dans un discours qu'il fit à la Chambre des pairs en 1821.

– Je connais quelqu'un qui a plus d'esprit que Napoléon, que Voltaire, etc., que tous les ministres présents et futurs : ce quelqu'un, c'est l'opinion.

Henriette réfléchit et ajoute :

– Je fus frappée de la justesse et de la profondeur de ce peu de mots ; ils disaient à eux seuls au moins autant qu'un traité complet sur cette matière. Où prend son point d'appui la politique ? Sur l'opinion.

Maintes fois elle s'est rendue aux Tuileries ou à la Malmaison, invitée par Joséphine ou par Napoléon lui-même. Elle a eu le temps d'apprécier le caractère de l'Empereur, dont elle fait l'analyse suivante :

– Le génie de Napoléon l'a élevé, son caractère l'a fait tomber. Un caractère inquiet, ambitieux, sec, tranchant, entouré de l'autorité impériale, devait naturellement blesser les personnes qui l'approchaient. L'amour-propre, chez l'homme, est une corde si délicate qu'il faut la toucher avec beaucoup d'adresse. Napoléon croyait que son autorité immense le dispensait de ces formes qui attirent l'amour des sujets et développent le sentiment du dévouement ; il croyait pouvoir se suffire à lui-même, et voyait dans les hommes tant d'imperfections qu'il était peu philanthrope. Ces dispositions personnelles lui ont attiré ses grands ingrats, parce qu'il les a blessés, et que l'amour-propre des grands, lorsqu'il a été froissé, ne pardonne pas. Il savait commander à son peuple et à l'Europe, mais il n'a jamais su se commander à lui-même ; tant il est vrai que les plus grands hommes ont un point faible. Brave, généreux, grand, aimant la gloire par-dessus tout, il n'a jamais su se rendre maître de ses passions. Sa raison lumineuse n'a pu agir sur son caractère. Son génie lui avait fait des admirateurs ; son défaut de formes, des ennemis : les admirateurs étaient éloignés de sa personne, ses ennemis l'entouraient.

Le 3 juin 1811, à l'occasion d'une visite de Napoléon à Écouen, Mme Campan tint tête au grand homme. Après avoir visité la chapelle et les réfectoires, il demanda qu'on lui présentât les trois élèves les plus distinguées :

« Sire, lui dis-je, je ne puis vous en nommer trois mais bien six.

Il fit une pirouette et se rendit sur la plate-forme du château où, après avoir vu toutes les classes réunies, il renouvela sa demande.

– Sire, repris-je, je prends la respectueuse liberté de faire observer à Votre Majesté que je commettrais une injustice envers plusieurs élèves aussi avancées que celles que je désignerais.

Berthier et d'autres me disaient à voix basse :

– Vous vous perdez en tenant tête à un homme comme celui-là.

Napoléon parcourut la maison, entra dans les plus petits détails, et après avoir adressé des questions à plusieurs élèves :

– Allons, Madame, je suis très content, nommez-moi vos six élèves. »

Mme Campan les appela et les lui présenta, et lorsqu'il monta en voiture il dit qu'on envoyât leurs noms à Berthier. En envoyant cette liste au prince de Neuchâtel, elle y ajouta le nom de quatre élèves, et toutes les dix obtinrent une pension de 300 francs.

Avec simplicité, Henriette affirme :

– Tout le monde se courbait devant son caractère et son autorité ; ils n'ont jamais compris que sa raison avait assez d'empire pour qu'il ne pût résister quand il voyait de la justice dans les demandes qu'on lui faisait, même importunes.

Napoléon n'entendait rien au caractère féminin :

– Il croyait, dit-elle, qu'on venait à bout des femmes comme d'une armée ; il connaissait mal leur esprit remuant, insinuant, curieux et persévérant, et l'action directe qu'elles exercent sur leurs maris ; il s'est trompé sur leur compte ; elles ne cèdent jamais leurs prérogatives.

Cette méconnaissance portait préjudice à Napoléon. Son attitude vis-à-vis de Mme de Staël était aussi odieuse qu'inacceptable :

– Le talent de Mme de Staël lui faisait porter culotte, explique Mme Campan, et il fallait pour la faire taire, ainsi que je l'ai dit à l'impératrice Joséphine, lui donner l'habit de cour à queue traînante, elle n'aurait pas demandé mieux. L'homme qui l'a persécutée était dans l'origine son héros ; son imagination brillante en avait fait son idole. Napoléon la redoutait au-dedans ; elle lui a fait plus de mal au-dehors. Sous ses ailes il l'aurait maintenue : vexée, tourmentée, elle s'est livrée à tout le fiel d'une femme très supérieure, blessée jusqu'au vif. (...) »

Napoléon interrompit un jour Mme de Staël, dans une discussion de haute politique, pour lui demander si elle avait nourri ses enfants !

Faire des enfants, les nourrir, les élever était le seul rôle que Napoléon reconnût aux femmes. Il avait une nette tendance à parler d'elles comme de « ventres » en puissance. À plusieurs reprises Henriette revient sur le sujet. Ainsi, raconte-t-elle au Dr Maigne, à l'époque où l'Empereur établit les sœurs de la Charité, il avait refusé, malgré les pressions exercées, que les sœurs prononçassent des vœux perpétuels :

– Il donnait pour raison que les goûts pouvaient changer ; qu'il ne voyait pas la nécessité de priver la société de femmes qui plus tard pourraient rentrer dans le monde, et devenir très utiles.

« Utiles » ! dans ses calculs l'Empereur se montrait peu sentimental, Henriette rapporte ce propos cynique :

– Les couvents de femmes attaquent la population dans sa racine. On ne peut pas calculer la perte, pour un État, de dix mille femmes cloîtrées ; la guerre nuit très peu, parce que le nombre des mâles est d'un vingt-cinquième au moins, en sus des femmes. On pourrait tout au plus permettre les vœux à cinquante ans ; à cette époque leur tâche est remplie.

Napoléon avait cependant le sens de la justice, comme le prouve l'anecdote racontée et vécue par la malade :

« En 1801, M. Dubreuil, médecin, et Mme de l'Hôpital, tous deux habitants Saint-Germain, furent arrêtés et conduits au Temple, le premier pour avoir tâté le pouls de l'enfant de M. Talon, émigré, la seconde pour l'avoir reçu plusieurs fois (...). M. Dubreuil, en partant pour sa prison, m'écrivit pour se recommander à moi ; il ne pouvait, disait-il, soupçonner le motif qui avait donné lieu à une telle mesure. Je portais un grand intérêt à M. Dubreuil, mon médecin et mon ami, et je fus d'autant plus surprise que je connaissais sa vie calme et tranquille, et ses opinions très pacifiques. Je me rendis de suite aux Tuileries. Dès que le Premier Consul m'aperçut :

– Vous venez, me dit-il, me parler pour les habitants de Saint-Germain. Votre dame de l'Hôpital est une intrigante.

– Permettez, général : on a pu lui reprocher d'être autrefois un peu légère, mais à soixante-dix-huit ans, il n'en reste rien. Pour intrigante, non, un peu de coquetterie siérait mieux à son esprit, mais elle est aveugle. Elle reçoit quelques personnes tous les soirs, et dans la crainte de manquer de politesse, elle fait la révérence même aux absents.

Lorsque Napoléon eut appris ces deux circonstances, il devint furieux et me dit, en présence de Joséphine :

– Une femme de soixante-dix-huit ans aveugle est toujours innocente en politique : le ministre a commis un acte barbare, indigne de mon gouvernement. Quand Fouché s'entendrait avec mes ennemis, il n'aurait pu mieux faire ; c'est dans un accès de délire qu'il a commis cette faute. Je n'entends pas que mon autorité soit employée pour consommer de tels actes. Je veux que la raison puisse avouer tout ce qui émane de mon pouvoir ; un gouvernement doit avoir des vues grandes et des idées généreuses ; ce qui vient d'avoir lieu est digne de la maîtresse d'un souverain lorsqu'elle est en colère. Ce n'est point sur ce pied que j'entends qu'on traite les affaires ; dans la conduite d'un ministre, point de passion, on pourrait croire que la passion meut le chef de l'État. L'histoire ne doit rien oublier ; que dirait-elle d'un pareil attentat ? Qu'a fait le médecin ?

– Général, il a donné des soins à l'enfant de M. Talon ; il visite tous les jours, depuis bien des années, sa compagne d'infortune au Temple.

– C'est incroyable ! Un médecin a le droit de tâter le pouls de mes amis comme de mes ennemis, sans qu'un ministre puisse le trouver mauvais ; cette profession n'imprime pas comme les placides une opinion de commande. L'abus déconsidère l'autorité et la compromet ; je vais m'en expliquer avec le ministre, et faire sortir les deux victimes.

Crispé de colère, il sonna avec violence et ordonna qu'on allât chercher Fouché qui, pour me servir d'une expression bien vulgaire, reçut un fameux galop. Cependant les prisonniers ne sortirent que trente heures après cette conversation, tant le ministre blessé mit de lenteur et de mauvaise volonté à remplir les formalités qui devaient procurer leur sortie. Une voiture de Joséphine alla les prendre, ce qu'apprenant Mme de l'Hôpital, elle s'écria :

– Est-ce le bel attelage blanc de Mme Bonaparte ?

– Eh ! qu'importe, Madame, qu'il soit blanc ou noir, reprit M. Dubreuil avec humeur, pourvu qu'il nous éloigne d'ici. »

On connaît le caractère arrogant de Caroline, ancienne élève de Saint-Germain et sœur de l'Empereur. Lors d'un dîner à la Malmaison, elle dit à Mme Campan :

– Mais vraiment je suis étonnée que vous ne soyez pas plus intimidée devant nous, vous nous parlez aussi librement que lorsque nous étions vos élèves !

– Vous n'avez rien de mieux à faire, répondit-elle, que d'oublier vos titres lorsque vous êtes avec moi, car je ne saurais avoir peur de reines que j'ai mises en pénitence !

La directrice nourrissait pour les jeunes filles qu'elle élevait une véritable affection :

– Mes élèves étaient mes filles pendant tout le temps qu'elles restaient chez moi, et mes amies quand elles étaient rentrées chez leurs parents.

Aussi, quand un de ses amis lui annonça qu'une de ses élèves « très jolie », très aimable et très spirituelle, avait mal tourné, elle se montra aussitôt consternée :

– Madame, ajouta-t-on, c'est une horreur, c'est à ne plus la regarder.

– Mon Dieu, monsieur, de quoi s'agit-il ?

– Madame, elle est devenue laide à faire peur...

– Dieu merci ! J'en suis quitte à bon compte. Comment pouvez-vous me faire une douleur pareille ?

Elle disait, en racontant gaiement cette histoire :

– Je n'ai jamais annoncé dans mes prospectus que mon système d'éducation pût prévenir les ravages du temps sur les jolies figures !

XXXVIII

UNE FIN HÉROÏQUE

La veille de son opération, Mme Campan écrit à Hortense : « Je vais être un grand mois sans écrire, je me dédommage par avance. Si j'étais un peu mieux je vous apporterais quelques caquets (commérages), cela vaut mieux que de parler politique ; si la morale n'y trouve pas son profit, la prudence y applaudit. J'espère, Madame, qu'on aura de bonnes nouvelles à vous donner du courage et de la santé de celle qui vous sera dévouée jusqu'aux derniers instants de sa vie. »

Le ton est léger, le discours amusant. Datée du 4 février 1822, cette lettre est la dernière qu'elle écrit de sa main.

Le 17 février, Henriette s'adresse une ultime fois à la duchesse de Saint-Leu ; pour ne pas alarmer ses amis, le ton se veut encore badin : « Madame, chère, bonne, aimée, adorable, adorée Madame, ce n'est pas encore moi qui écris mais c'est moi qui dicte, et c'est toujours beaucoup. Je suis sur le dos, buvant du petit lait, l'eau de violette, et pour m'amener une agréable variété, un peu de poulet. » Elle dit encore qu'elle est bien entourée, que sa sœur Sophie Pannelier est auprès d'elle ainsi que Mme Voisin et une de ses nièces. Mme Maigne et surtout, oui surtout, le bon Dr Maigne qui ne quitte presque pas son chevet. Elle fait encore le projet de rejoindre aux eaux de Baden sa chère Hortense... Enfin, son entourage lui demande de cesser sa correspondance pour préserver ses forces : « Adieu, Madame, on me crie, on me gronde mais j'espère dans quinze jours faire ma volonté, et cette volonté sera de vous adorer et de vous le dire jusqu'à ma dernière heure. »

Henriette qui, depuis son retour de voyage, aimait à appeler Hortense « la dame du lac » et qui, par opposition, se nommait « la dame de la cabane », ne pourra ce jour du 17 février signer sa lettre. Son état de santé se maintient durant un bon mois. La journée du 4 mars, se déclare un peu de fièvre avec, nous dit le Dr Maigne, « tous les symptômes d'une affection catarrhale commençante ; la plaie était presque cicatrisée », et il souligne que « l'expression de la figure avait quelque chose de sinistre ». Henriette qui a toujours regardé le danger en face juge immédiatement de la gravité de sa maladie :

– Eh bien, dit-elle à son ami médecin, c'est une catarrhe (forme de bronchite aiguë) ; ne perdez pas de temps si vous voulez me sauver ; j'ai la force de tout supporter et ma confiance est sans bornes. J'ai toujours redouté cette maladie, point de demi-mesures. Dans les positions fâcheuses le sang-froid est nécessaire, il faut mettre sa raison en place forte ; je laisserai difficilement faire le siège de la mienne. Je ne veux être entourée que de mes bons amis de Mantes et de mes précieuses domestiques (...) » ; et elle ajoute avec sang-froid : « Si je viens à succomber, je mourrai entre les bras de l'amitié. »

Le soir de ce 4 mars, elle se trouve un peu mieux :

– Je ne suis pourtant pas rassurée, dit-elle, sans éprouver de vives inquiétudes, si je pouvais changer ma position, je le ferais : ce n'est pas en mon pouvoir, je me résigne, je n'ai jamais su me plaindre du sort ; j'attends ce qu'il plaira à la Divinité de m'envoyer. L'homme qui se tourmente se crée une maladie morale qui se joint à celle qui existe déjà, il faut que le médecin en combatte deux pour une ; si celle qu'on se donne guérissait la première, il faudrait s'en servir comme d'un médicament, mais elle ne peut que nuire, voilà pourquoi je m'en défends et me soumets.

L'analyse est fine, elle est juste : grande croyante, elle se plie d'avance à la volonté de Dieu.

Le 7 mars, la maladie gagne du terrain. Pour donner le change, elle se montre gaie, affectueuse ; elle prend souvent les mains de ceux qui l'entourent dans les siennes. Elle cherche à rassurer Mme voisin :

– Va, ma bonne amie, je ne mourrai pas de celle-ci, ne t'afflige point : deux amies comme nous ne se sépareront pas encore, nous chasserons la camarde (en parlant de la mort), n'est-ce pas, bon docteur ?

Comme M. Maigne acquiesce, d'un ton calme, presque serein, elle reprend :

– Oui, ma bonne Voisin, nous avons éprouvé des malheurs ensemble, il y a un terme aux calamités, quelques heures de meilleur temps nous les feront oublier. Je t'aime comme une sœur, il semble que nous avons été faites l'une pour l'autre, nous sommes cousues ensemble, la mort seule nous séparera.

La nuit du 7 a été mauvaise. Au petit matin du 8, elle confie au docteur :

– Il faut que je me dédommage de ma nuit qui m'a paru très longue ; la douleur multiplie le temps d'une manière étonnante (...). Les heures me semblaient des années (...).

Bien que son confident ait beaucoup de plaisir à l'entendre parler, il l'engage à ne pas fatiguer sa poitrine. Mais, raconter, analyser, repartir dans le passé est essentiel pour la malade ; comme si à mesure que son corps s'épuisait, son esprit gagnait en acuité. Elle n'a plus le temps de se taire :

– Cela me fait plus de bien que de mal, j'irai doucement, promet-elle.

À peine a-t-elle prononcé cette dernière phrase que son esprit vagabonde à nouveau... La voilà transportée à Versailles... Elle parle de l'Œil-de-bœuf, la pièce où les courtisans faisaient antichambre, là où pour tromper l'ennui hommes et femmes pomponnés et emperruqués faisaient et défaisaient les réputations. Là où ouï-dire, cancans ou propos assassins étaient susurrés derrière les éventails et voletaient d'une bouche à l'autre avec la rapidité et la légèreté d'un papillon.

– L'Œil-de-bœuf ne m'a jamais pardonné d'avoir joui de la confiance du roi et de la reine, et d'avoir fait des heureux. Les demandes de cet essaim de flatteurs étaient souvent injustes, et lorsque la reine me faisait l'honneur de me consulter, je lui disais la vérité. Je lui faisais observer qu'on déconsidère l'administration quand la justice n'en fait point la base. J'ai vu des effrontés, n'ayant rendu aucun service, ni donné aucune preuve de capacité, demander, parce qu'ils avaient des parchemins, des places que des hommes de mérite devaient obtenir par vingt ou trente ans de services rendus. La reine mettait de suite à l'écart ces pétitions indiscrètes, et oubliait à l'instant les recommandations ; elle avait un coup d'œil fort juste.

Le ton assourdi par l'émotion, elle évoque les mérites de Marie-Antoinette :

– Sa mémoire me sera toujours extrêmement chère ; je n'ai vu de ma vie une femme aussi aimable, aussi gracieuse ; elle avait de l'esprit comme un ange ; son caractère doux et bon était invariable. Les calomnies dont on l'abreuvait la rendaient souvent triste, mais n'altéraient en rien ses heureuses qualités.

La nuit du 8 au 9 est calme mais sans amélioration. L'esprit de Mme Campan n'a pas quitté la Cour :

– Les méchants, dit-elle, m'ont fait bien du mal, j'espère que ma mémoire sera plus heureuse que moi. Vous ne pouvez vous faire une idée juste de ce que c'est que la Cour ; c'est un pays dont le terrain est si glissant, qu'il faut beaucoup d'études pour s'y maintenir.

Le Dr Maigne raconte alors à Mme Campan que M. Bourdier, médecin de l'impératrice Marie-Louise, a perdu le repos le jour où il a accepté (selon sa propre expression) cette « maudite place » :

– Eh bien ! mon bon docteur, reprend Mme Campan, l'ambition est le premier mobile de tous les hommes qui entourent les princes ; l'orgueil et la bassesse viennent immédiatement après ; dans leurs actions et leur conduite, on ne voit que ces trois excitants ! Lorsqu'ils se courbent, c'est pour tendre la main ; se tiennent-ils droits, c'est pour montrer leur importance : ce sont des rôles qu'ils apprennent à jouer ; ceux qui ont du talent dans leur représentation arrivent (...).

La nuit du 9 au 10 est moins bonne que la précédente. Henriette s'informe des personnes qui prennent de ses nouvelles. Comme le docteur énumère des noms, touchée, la malade s'exclame :

– Cette bienveillance me porte à l'âme !

11 mars, la nuit est mauvaise. L'état de la malade baisse, mais pas sa lucidité. Elle remercie le bon Dr Maigne pour le mal qu'il se donne.

– Vous faites ce que vous pouvez, je vous en sais bien bon gré. Que vos soins me sont agréables, et que votre amitié me touche !

Puis, lui serrant la main :

– Que ne puis-je vous exprimer tout ce que m'inspire votre dévouement ! S'il faut mourir, mon parti est pris ; on ne peut lutter avec plus fort que soi ; j'ai de la résignation, ma patience ne se démentira pas ; quand on a su vivre on doit savoir mourir. J'ai un chagrin de moins, en quittant ma famille et mes bons amis, c'est de ne point laisser mon fils après moi ; s'il m'eût survécu, il eût été malheureux ; cette idée ferait mon tourment en cet instant. Allons, mon bon ami, je me jette entre les bras de la Providence.

Avant son opération et par précaution, Henriette avait reçu l'extrême-onction. Elle parle de sa religion avec d'autant plus de détachement que sa conscience est en paix. Elle s'est toujours montrée fervente catholique, même en pleine Révolution :

– J'aime beaucoup la simplicité de ma religion ; je la révère ; mais je hais tout ce qui tient au fanatisme. Je quitte la scène du monde après bien des tribulations.

Pour la première fois elle se permet de critiquer le gouvernement de Louis XVIII. Après avoir vécu sous les ordres d'un empereur génial, elle trouve le nouveau règne bien fade :

– On gouverne aujourd'hui avec des idées et des préventions qui ne sont point à la hauteur du siècle ; le char est traîné dans de vieilles ornières, les secousses cesseront quand il roulera sur le plat pays. Le pouvoir ne doit se concentrer que dans les lois ; il est déplacé partout ailleurs ; la saine raison ne lui trouve nulle autre part un point d'appui. La poussière des vieux parchemins les aveugle, les temps sont passés de se soumettre, sans murmurer, au caprice d'un ministre.

Son esprit moderne oppose au règne « des vieux parchemins » celui tout neuf et plein d'ambition du nouveau monde. Elle se souvient de ce que M. Monroë, ambassadeur des États-Unis en France, lui disait à Saint-Germain juste après son installation :

– La fortune roule dans les ruisseaux, il ne s'agit que de se courber pour la ramasser ; en se promenant dans la forêt de Saint-Germain, il faisait l'apologie de son pays, qu'il trouvait bien plus beau que le nôtre : sa fille, encore enfant, pensionnaire dans la maison de Saint-Germain, l'interrompit en lui disant : « Oui, papa, mais, il n'y a pas de rues comme celles-ci, en montrant la grande route. » « C'est juste, dit M. Monroë, notre nation peut être comparée à un nouveau ménage, il nous manque bien des choses, mais nous possédons la plus belle de toutes : c'est la liberté. »

14 mars et dixième jour de la maladie.

Les forces diminuent, le pouls s'affaiblit. Les traits se creusent. Comme Henriette décèle de l'inquiétude sur les visages amis, elle rassemble ses dernières forces pour les rassurer :

– Allons, point de tristesse, c'est bien assez de moi.

Dans le courant de la matinée, elle essaie de chanter pour remonter le moral de ses gardes-malades. Vers midi, elle s'adresse au Dr Maigne ; ce n'est pas pour parler de son état, elle sait sa fin proche et malgré tout puise le courage de philosopher :

– Il faut oublier ses maux pour penser à ceux des autres ; je ne suis plus au courant des nouvelles, je n'ai plus le loisir de m'en occuper. Parlons de politique, docteur, pour ne point parler de nous-mêmes. Voyons, y a-t-il quelque tendance à améliorer le sort des peuples ? (Il lui dit qu'il le pensait.) Je suis un peu incrédule, reprend-elle ; pour bien saisir l'esprit d'un peuple, il faut voir ses besoins. Je serai satisfaite si j'emporte l'espoir qu'on s'en occupera un jour.

15 mars. Elle parle de sa famille ; puis elle murmure :

– Je sens que ma fin approche ; il me semble que tout va s'évanouir...

Le temps presse. Des images trottent dans son esprit, il est vif, si vif encore. Elle s'adresse au docteur pour lui conter une anecdote ; celle-ci est à l'honneur de Napoléon et elle résume toute la vie de la mourante :

« Je dînais un jour à la Malmaison avec le Premier Consul ; il remarqua la tabatière que je portais constamment, la prit, et reconnut les traits de Marie-Antoinette.

– C'est bien, très bien, Mme Campan, me dit-il en me regardant ; ce portrait fait votre éloge, je n'aime point les ingrats. Il est bien naturel que vous teniez à conserver l'image de cette femme charmante. Ils ont voulu la perdre en 95, que n'auraient-ils pas perdu ! La naissance et les titres les exaspéraient, leur haine tenait de la rage. Vous seriez morte avec elle, j'en suis sûr, comme vous mourrez avec son portrait.

– Docteur, ajoute-t-elle, après un moment de silence, il a dit vrai, voyez plutôt. »

Le 16 mars 1822 à six heures du soir, Henriette Campan rend son dernier soupir.

BIBLIOGRAPHIE

Mémoires de Mme Campan. Première femme de chambre de Marie-Antoinette, « Le temps retrouvé », Mercure de France. Édition présentée par Jean Chalon.

Correspondance inédite de Mme Campan avec la Reine Hortense. Tome 1, tome 2, tome 3.

Madame Campan, assistante de Napoléon, Gabrielle Reval, Albin-Michel, 1931.

Journal anecdotique de Mme Campan ou Souvenirs recueillis dans ses entretiens par M. Maigne, Paris, Baudouin Frères, 1824.

Notice de Mme Campan sur sa famille. Publiée par Gabriel Vauthier, sl. sd.

Saint-Germain – Pensionnat Campan. Souvenirs d'Alexandrine Pammelier d'Arsonval, Versailles, 1902.

Soirées d'Écouen, recueillies et publiées par Stéphanie Ory. Man et fils, éditeurs.

La vie quotidienne à la cour de Versailles, Jacques Levron, Hachette, 1965.

Versailles au temps des Rois, Georges Lenôtre (La petite histoire). Les Cahiers rouges, Grasset, 1934.

Les Rois qui ont fait la France, Georges Bordonove. Pygmalion, *Louis XV* (1982), *Louis XVI* (1983).

Mesdames de France. Les filles de Louis XV, Burno Cortéquisse, Perrin, 1990.
La Reine Hortense, Françoise Wagener, Jean-Claude Lattès, 1992.
Napoléon ou le mythe du souvenir, Jean Tulard, Fayard, 1987.
Histoire du Consulat et de l'Empire, Jean Tulard, Bouquins, Robert Laffont (1995).
Marie-Antoinette, Stephan Zweig, Grasset, 1933.

TABLE

Cet ouvrage a été imprimé par la
SOCIÉTÉ NOUVELLE FIRMIN-DIDOT
Mesnil-sur-l'Estrée
pour le compte des Éditions Tallandier
en décembre 1999

Composé par Express-Compo
27110 Le Neubourg

Imprimé en France
Dépôt légal : septembre 1999
N° d'édition : 2849 - N° d'impression : 49406